世界をつくった6つの革命の物語　新・人類進化史

スティーブン・ジョンソン
訳／大田直子

朝日文庫

本書は2016年8月に小社より刊行されたものです。

HOW WE GOT TO NOW

SIX INNOVATIONS THAT MADE
THE MODERN WORLD

by Steven Johnson

This edition published by arrangement with Riverhead Books,
an imprint of Penguin Publishing Group,
a division of Penguin Random House LLC
through Tuttle-Mori Agency, Inc., Tokyo

ブックデザイン：杉山健太郎

世界をつくった6つの革命の物語　新・人類進化史　目次

Contents

第2章 冷たさ

第3章 音

第4章 清潔

第5章 時間

第6章 光

終章　タイムトラベラー

世界をつくった6つの革命の物語　新・人類進化史

一九世紀の捕鯨に関する全三巻の専門書を期待していたにちがいないジェーンに。

序章

ロボット歴史学者とハチドリの羽

Introduction

ハチドリの羽はどうやってデザインされたのか？

二〇年ほど前、メキシコ系アメリカ人の芸術家で哲学者のマヌエル・デ・ランダが、『機械たちの戦争』（アスキー）というタイトルの、一風変わったすばらしい本を出した。厳密に言うとこの本は軍事技術の歴史書だが、ふつうにそのジャンルから予想されるものとはまったくちがう。デ・ランダの本は、海軍兵学校の教授が書く勇ましい潜水艦工学の説明ではなく、カオス理論、進化生物学、そしてフランスのポスト構造主義哲学を、円錐《えんすい》弾やレーダーなどの軍事イノベーションの歴史に織り交ぜている。私は大学院生だった二〇代前半に読んだとき、独特の雰囲気に圧倒され、まるでデ・ランダは知的生命体の存在する別の惑星から地球にやって来たみたいだと思ったことを覚えている。魅力的であると同時に、ひどくややこしいようにも思えた。

デ・ランダはその本を、見事にひねった解説で始めている。いつの日か人工知能によって前の一〇〇〇年の歴史を叙述した史書が書かれることを想像しよう、と彼は提案する。「そのようなロボット歴史学者は、人間の歴史学者によるものとは異なる歴史を書くと想像できる」。ヨーロッパ人のアメリカ大陸征服、ローマ帝国の衰退、マグナ・カルタなど、人間による記述で重要な位置を占める出来事は、ロボットの視点からは補足情報になるだろう。一八世紀にチェスのまねごとをするオモチャのロボットや、初期のコンピューターで使われたパンチカード（訳注：紙のカードに穴を開け、その位置でプログラムなどの情報を記録した）を生み出したジャガード織機など、従来の歴史観では取るに足らないが、ロボット歴史学者にとっては重大な転機であって、現在に直接つながっている出来事もあるだろう。「人間の歴史学者は、時計仕掛けやモーターなどの機械的からくりを、人間がどのように組み立てたかを理解しようとするのに対して、ロボット歴史学者はおそらく、そのような機械が人間の進化にどう影響したかを重視することになるだろう。ロボットとしては、かつて時計仕掛けが地球上の最も有力なテクノロジーだったとき、人間が周囲の世界を歯車と似たようなシステムとして思い描いていたという事実を強調するだろう」*1とデ・ランダは述べている。

残念ながら、この本に知能ロボットは出てこない。ここで取り上げるイノベーションは日常生活に属するもので、SFの世界のものではない。電球、録音、エアコン、コップ一杯のきれいな水道水、腕時計、ガラスレンズ。しかし私はこれらのイノベーションの話を、デ・ランダのロボット歴史学者と似たような視点から語ろうと試みている。電球が過去三〇〇年の歴史について書けるとしたら、やはりまったくちがう様相を呈するだろう。私たちの過去はどれほど人工光の追求にかかわっていたのか、暗闇との闘いにどれだけの創意と努力が注ぎ込まれたか、私たちが考え出した発明がどうして電球とは一見関係なさそうな変化を引き起こしたか、そういうことが見えてくる。

この歴史に語る価値がある理由は、ひとつに、一般に当然と思われている世界を新鮮な目で見られることだ。先進世界の人々の大半は、水道水を飲んで四八時間後にコレラで死ぬことをまったく心配しないということが、どれだけすごいかをわざわざ考えたりしない。エアコンのおかげで、五〇年前には耐えられなかった気候のなかで快適に暮らしている人がたくさんいる。私たちの生活は、大勢の先人のアイデアと創造性によって魔力を与えられたさまざまなものに囲まれ、支えられている。発明家や愛好家や改良家が、人工光やきれいな飲料水をつくる問題に堅実に取り組んできたおかげで、私たちは現在そのようなぜいたく品をためらうことなく、そもそもぜいたく品だと考えることさえなく、利用することができている。ロボット歴史学者ならきっとあらためて強調すると思うが、私たちはそういう発明家たちに、歴史上の国王や征服者や有力者と同じくらい、あるいはそれ以上に恩を受けているのだ。

しかし、この種の歴史を書く理由はほかにもある。このようなイノベーションは、妥当な予想をはるかに超える、多様な変化を社会に引き起こしている。イノベーションはふつう具体的な問題を解決する試みとして生まれるが、いったん広まると、結果的にほかの変化を引き起こすことになり、その変化を予測するのは非常に難しい。これは進化の歴史につねに見られる変化のパターンだ。たとえば授粉行動について考えてみよう。白亜紀のどこかの時点で、花は花粉の存在を昆虫に知らせる色とにおいを進化させるようになり、同時に昆虫は、花から花粉を取り出し、何気なしにほかの花に授粉する複雑な装備を進化させた。花は昆虫を受粉の儀式に誘い込むために、長い時間をかけて、よりエネルギー豊かな花蜜を花粉に加えた。花がミツバチを引き寄せる特性を進化させたのと同じように、ミツバチなどの昆虫は花を見つけて引きつけられるための感覚の道具を進化させた。これは、大ざっぱなダーウィン説でよく聞かれる一般的なゼロサム競争の話とはちがう種類の適者生存であり、もっと共生的なものである。昆虫と花が成功したのは、形質的に互いにうまく適合したからなのだ（これを専門用語で共進化という）。この関係の重要性をチャールズ・ダーウィンはわかっていて、『種の起源』に続いてランの受粉に関する本を出版している。

このような共進化の相互作用はしばしば、もとの種と直接つながりがないように見える生物の変化につながる。花蜜の産生を引き起こした顕花植物と昆虫の共進化から、最終的に、ハチドリというはるかに大きい生物にも、植物から花蜜を取り出すチャンスが生まれた。ただしそのためにハチドリは花の横で、ほとんどの鳥はまねさえできないようなホバリングができる、とても変わった飛翔構造を進化させた。昆虫には脊椎《せきつい》動物にない基本的柔軟性が生体構造にあるので、飛びながらでもじっとしていられる。しかし、ハチドリは骨格構造による制限があるにもかかわらず、高速で羽ばたき、羽を打ち下ろすときだけでなく引き上げるときにも揚力を得て、花から花蜜を取り出すあいだ空中に浮かぶことができるような、斬新な方法を進化させた。これは進化が何度も起こしている不思議な飛躍である。植物の有性生殖戦略が、最終的にハチドリの羽のデザインを決めているのだ。昆虫が初めて顕花植物のそばで授粉行動を進化させるのを観察する博物学者がいたら、当然、その不思議な新しい儀式は鳥の生活とはなんの関係もないと思っただろう。ところが、その儀式が鳥の進化史で最も驚くべき身体的変化を、突然引き起こしたのである。

アイデアとイノベーションの歴史も同じように展開している。ヨハネス・グーテンベルクの印刷機は、眼鏡需要の急増を引き起こした。読書という新しい習慣のせいで、大陸中のヨーロッパ人が突然、自分は遠視だったと気づいたからである。眼鏡の市場需要に刺激されて、レンズを生産したり、レンズを使って実験したりする人の数が増え、それが顕微鏡の発明につながり、それからまもなく私たちは、自分の体がごく小さな細胞でできていることを知ることができた。私たちの視界が細胞レベルにまで広がったことと、印刷技術が関係あるとは思えないだろう。花粉の進化がハチドリの羽のデザインを変えると思えなかったのと同じだ。しかし変化とはそういうふうに起こるものである。

これは一見、カリフォルニアでチョウの羽がはためくと、最終的に大西洋のまんなかでハリケーンが起こるという、よく知られたカオス理論の「バタフライ効果」の一種に思えるかもしれない。しかし実際には、この二つは根本的に異なる。バタフライ効果の顕著な（そして不安定な）特徴は、事実上不可知の因果の連鎖をともなうことである。チョウの周囲を跳ねまわる空気の分子と、大西洋で起ころうとしている暴風雨のつながりを、正確に計算することはできない。すべてものには何かしらのつながりがあるので、両者はつながっているかもしれないが、私たちにはそのつながりを分析することはできないし、予測するのはさらに難しい。しかし花とハチドリに作用しているのは全然ちがうものだ。両者はまったく異なる生物であり、基本的な生体系はもちろん、ニーズも習性もまったくちがうが、花は明らかにハチドリの外観に直接はっきりと影響を与えている。

そして本書のテーマのひとつは、この不思議な影響の連鎖、「ハチドリ効果」である。ある分野のイノベーション、またはイノベーション群が、最終的に、まるでちがうように思われる領域に変化を引き起こす。ハチドリ効果はさまざまなかたちで生じる。なかには直感的に理解できるものもある。エネルギーや情報の共有が何十倍、何百倍にも増えることで、無秩序な変化の波が起き、それが知力や社会の境界をやすやすと越える（この三〇年のインターネットについて考えればわかるだろう）。しかしもっと微妙なハチドリ効果もあって、因果関係を示すはっきりした特徴が残らない。時間、温度、量など、現象を測定する能力の飛躍的進歩は、しばしば、一見関係がないように思われる新たなチャンスを切り開く（振り子時計は産業革命時代の工場都市形成を可能にした）。グーテンベルクとレンズの話のように、新しいイノベーションによって人が生まれつき持っているツールに障害や弱点が生じ、そのせいで人々は新たな方向へと向かい、本来は一つの発明だったが、そこから生じた「問題」を解決するために、新たな道具を生み出すこともある。人間の発展をさまたげる自然の障壁や制限を、新しい道具が解消することもある。たとえば、エアコンの発明のおかげで、わずか三世代前の先祖がびっくりするほどの規模で、地球上の高温の場所に移住することができた。ロボット歴史学者が時計と初期物理学の力学的世界観を結びつけ、宇宙が「歯車」のシステムとして想像されていたと主張するように、新しい道具が考え方に影響を与えることもある。

世界を読み解く「ロングズーム」

歴史上のハチドリ効果を観察すると、社会の変容は人間の主体的行動と意思決定が直接引き起こすとは限らないことがわかる。意識的な計画のもとになんらかの新しい現実を意図的につくり出そうとする、政治指導者や発明家の活動、あるいは反対運動によって、変化が起こることもある（アメリカに全国的な統合ハイウェイシステムがあるのは、おもに政治指導者が一九五六年に連邦政府補助ハイウェイ法を通すことを決めたからである）。しかし、アイデアやイノベーションが独り歩きをして、つくり出した本人の構想には入っていなかった社会の変化を起こしているように思える場合もある。エアコンの発明者は、家庭の居間やオフィスビルを涼しくすることに乗り出したとき、アメリカの政治地図を塗り替えようとしていたわけではないが、本書で見ていくように、彼らが世界に解き放ったそのテクノロジーのおかげで、アメリカの移住パターンが劇的に変わり、それがひいては議会とホワイトハウスの主人までも変えることになった。

このような変化をなんらかの価値基準で評価したいと思うのはもっともだが、私はそういう気持ちに抵抗してきた。たしかに、本書は人間の発明の才を称賛しているが、イノベーションが起きても、それが社会に広がっていくとき、複雑な結末を招かないわけではない。文化によって「選ばれる」アイデアの大半は、ある一定の目的に照らせば明らかに改善である。生産的なものや正確なものをさしおいて、それより劣るテクノロジーや科学原理が選ばれたケースは、原則があるからこその例外である。私たちが実際にベータではなく質で劣るＶＨＳをしばらくのあいだ選んだときも、すぐにどちらの選択肢もしのぐＤＶＤが出てきた。したがって、その観点から歴史の描いてきた弧を見ると、より優れた道具へ、より優れたエネルギー源へ、より優れた情報の伝え方へと向かっている。

問題は、外的影響と予期せぬ結果にある。グーグルが一九九九年に独自の検索ツールを発表したとき、それはウェブ上の膨大なアーカイブを探索するには、それまでのどんな技術をもしのぐ非常に大きな改善だった。そのため、グーグルは無料でウェブ全体を便利なものにしたと、ほぼあらゆる分野で称賛された。ところが、そのあとグーグルは検索要求と連動する広告を売りはじめ、数年のうちに、その効率のよい検索が（クレイグリストのようなほかのオンラインサービスとともに）全米の地方新聞の広告基盤を空洞化させた。そうなることは、グーグルの創立者を含めてほとんど誰も気づいていなかった。トレードオフにはそれだけの価値があり、グーグルからの挑戦によって最終的にジャーナリズムの質が向上し、印刷機でなくウェブに特有の機会を軸に構築されるという主張もありえる——実際、おそらく私はそう主張するだろう。しかし、ウェブ広告の台頭は、新聞ジャーナリズムというきわめて重要な公共の資産にとって、マイナスの進展だという主張もあるのはたしかだ。同じ議論がほぼあらゆるテクノロジーの進歩に関して起こる。車を使うほうが馬に乗るより効率的に空間を移動できるが、環境や歩きやすい町を犠牲にする価値はあったのか？　エアコンのおかげで私たちは砂漠に住むことができるが、水の供給にどれくらいのコストをかけているのか？

本書はこのような価値観の問題については、いっさい関知しない。変化が長期的に望ましいと考えるかどうかを見きわめることと、その変化がそもそもどうして生まれたかを解明することは別物である。歴史を理解して将来への道を綿密に計画するつもりなら、どちらもきわめて重要だ。どうして社会でイノベーションが起こるかを理解できるようになる必要がある。イノベーションがそれぞれ根づいたあとに別の分野を変容させるハチドリ効果を、できる限り予測して理解できるようになる必要がある。そして同時に、どの努力を促進するべきか、どの利益はわずかなコストにも値しないか、判断するための価値体系が必要である。本書で取り上げているイノベーションについては、良し悪《あ》しにかかわらず、あらゆる結果を詳しく説明しようと試みている。真空管はジャズを大衆に届けるのに貢献した一方で、ニュルンベルクでのナチ党大会の拡充にも一役買った。その変化をあなたが最終的にどう感じるか——真空管の発明で私たちは結局幸せになったのかどうか——は、あなた自身の政治や社会変化に関する信念体系で決まる。

本書の着眼点について、もうひとつの要素に触れておかなくてはならない。本書の「私たち」は、おおむね北米とヨーロッパの「私たち」である。中国やブラジルがどうして現代にいたったかは、また別の話であり、同じように興味深いだろう。しかし欧米の話のほうが、たしかに範囲は限られているが、それでも関連性は広い。なぜなら、科学的手法の誕生や産業化など、決定的な事態はまずヨーロッパで起こり、それがいま世界中に広がっているからである（なぜまずヨーロッパで起こったのかという疑問は、もちろん何より興味深いが、本書ではそれに答える試みはしていない）。電球やレンズや録音機器など、魔法のような身の回りの品々は、いまや地球上のほぼあらゆる場所で生活の一部になっていて、その観点から過去一〇〇〇年を語ることは、どこに住んでいる人にとっても興味深いはずである。新しいイノベーションは地政学的歴史の影響を受け、都市や貿易中心地で多発する。しかし長い目で見ると国境や国民性にはあまりとらわれず、現代のネットワーク世界ではなおさらだ。

私がこの着眼点にこだわろうとしたのは、ここに書いた歴史が、欧米という範囲内ではあるが、ほかの点ではこれ以上ないほど発展的だからである。たとえば、人間の声をとらえて伝える能力の話は、学校の生徒がみんなすでに名前を覚えているエジソンやベルのような一握りのすばらしい発明家についての話ばかりではない。一八世紀に描かれた人間の耳の解剖図、タイタニック号の沈没、公民権運動、そして壊れた真空管の不思議な音響特性の話でもある。これは私がほかで「ロングズーム」の歴史と呼んでいるアプローチだ。鼓膜を震わす音波の振動から大衆の政治運動にいたるまで、さまざまなスケールで同時に検討することによって、歴史の変化を説明しようとする試みである。歴史の物語を個人または国のスケールで統一するほうが直感的に理解しやすいが、根本的にその境界内にとどめるのは正確でない。歴史は原子のレベルで、地球上の気象変動のレベルで、そのあいだのあらゆるレベルで起こる。物語を正しく理解しようとするなら、そのような異なるレベルすべてを公平に評価できるような解釈のアプローチが必要なのだ。

物理学者のリチャード・ファインマンはかつて、美学と科学の関係を同じように表現している。

僕の友だちに絵描きがいて、これがときたまどうも僕の承服しかねるような考えかたを主張する。たとえば彼は一輪の花をとりあげて、「ほら見ろよ。実にきれいだろう?」

と言う。これには僕だって同感だ。ところが彼はつづけて「僕は絵描きだからこの花の美しさがわかるが、いやはや科学者の君ときた日にゃ、まずだいいちにこれをバラバラにしてみようとしたりするから、せっかくの花もてんで味気ないものになっちまうんだ」と言ったりする。これはいささかとんちんかんな言い分だと思うね！　そりゃあこっちは芸術家の彼ほど美的に洗練されてはいないかもしれないが、彼が見ているその美しさというものは、僕を含めたあらゆる人間に通用するはずだし、僕にだって花の美しさはよくわかる。しかも同時に、この花について彼が見ているものよりずっとたくさんのすばらしいものが、僕にはちゃんと見えるんだ。

花の中の細胞や複雑な働きなどを僕は想像できる。それもまたある美しさを持ってるんだ。僕はここでただ一センチ四方などという、この限られた大きさの美しさだけを言ってるんじゃない。内部構造のようにもっともっと微細なところにも美しさというものがあるんだ。そもそも花の色合いにしたって、昆虫をおびきよせて受粉するようにしむけるため、次第に進化したものだ。ということは昆虫どもにも色というものがちゃんとわかるということだから、この過程だって実におもしろい。そう見てくるとまったくさまざまな謎が生まれてくる。たとえば下等な生きものにも、僕らみたいな美的感覚というものがあるんだろうか？　なぜそれは美的なのか？　科学の知識はこういった実に興味津々の疑問をとおして、花の神秘さ、胸のときめくようなすばらしさ、そしてこの美しさへの畏敬の念といったものを、いよいよ強めるものなんだ。科学は花の美しさにますます意味を与えこそすれ、これを半減してしまうなどとは僕にはとても信じられないよ。[*2]（『聞かせてよ、ファインマンさん』大貫昌子・江沢洋訳、岩波現代文庫）

斬新なアイデアに向かって突き進む偉大な発明家や科学者——たとえばガリレオと彼の望遠鏡——の物語には、まぎれもない魅力がある。しかし、語ることのできる別のもっと深い話もある。レンズをつくる能力は、二酸化ケイ素に特有の量子力学的特性や、コンスタンティノープル陥落にも支えられていたのだ。ロングズームの視点から語ることは、ガリレオの天賦の才に注目する従来の物語の魅力を半減するのではない。ますます魅力を与えるだけである。

カリフォルニア州マリン郡にて

二〇一四年二月

第1章
ガラス

Glass

BC 8000	旅人がリビア砂漠で大きなガラスのかけらにつまずく
BC 14th C.	ツタンカーメン王の墓に入れる装飾品にガラスが使われる
96〜180	ガラス職人が丈夫で透明なガラスの製造方法を発見
12th C.	世界初の眼鏡「目のための円盤」ができる
around 1301	イタリアの職人が「クリスタッロ（現代のガラス）」の製造に成功
around 1400	ガラス職人が鏡をつくり、自画像が描かれるようになる
1440s	グーテンベルクが印刷機を発明し、識字能力が上がり、眼鏡の市場が広がる
1590	オランダの眼鏡職人・ヤンセン親子が顕微鏡を発明
1608	望遠鏡が発明される

1610　ガリレオが望遠鏡での観測により地動説を唱える

19th C.　カメラ用レンズの発展／世界初の映画用カメラがつくられる

mid 20th C.　ガラス繊維をより合せたグラスファイバーがつくられる

after 1940s　テレビ映像がつくられる

1970　光ファイバーができる

1991　グラスファイバーを使ったワールド・ワイド・ウェブ（ＷＷＷ）がサービス開始

NOW　スマートフォンで写真を撮影、ＳＮＳにアップ、配信という工程すべてがガラスに支えられている

Gla

ツタンカーメンのコガネムシ

およそ二六〇〇万年前、リビア砂漠の砂に何かが起こった。そこはサハラ砂漠の東端に位置し、吹きさらしで、ありえないほど乾燥した風景が広がる。何が起こったのか正確にはわからないが、灼熱《しゃくねつ》だったことはたしかだ。摂氏一〇〇〇度以上あったにちがいない強烈な熱で、シリカの粒が溶けて融解した。そしてできた二酸化ケイ素化合物には、さまざまな興味深い化学的性質がある。水と同じように、固体の状態で結晶をつくり、熱せられると溶けて液体になる。ところが二酸化ケイ素の融点は水の零度よりはるかに高く、一〇〇〇度以上が必要である。しかし二酸化ケイ素のほんとうに特異なところは冷めたときにわかる。水は温度が再び下がればすんなり氷の結晶を再形成する。しかし二酸化ケイ素はどういうわけか、秩序ある結晶構造にもどることができない。その代わり、固体でも液体でもない不思議な中間状態で存在する新たな物質を形成する。それは人間が文明の黎明《れいめい》期以来、心を奪われ続けている物質だ。過剰に熱せられた砂粒が融点以下に冷めたとき、リビア砂漠の広範な地域が、いまガラスと呼ばれているものの層で覆われた。

数百年の前後はあるとしてもだいたい一万年前、リビア砂漠を旅していた誰かが、このガラスの大きなかけらにつまずいた。そのかけらについて詳しくはわからないが、ただ、

準宝石とガラスペーストを使った金の七宝細工の胸当て。
中央にはよみがえりのシンボルであるコガネムシが羽を
広げる。ツタンカーメン王の墓より出土

目にした人はほぼ全員、感動したにちがいないことだけはわかる。なぜなら、古代文明の市場や社交の輪を巡り巡って、最終的にコガネムシの形に彫られ、胸当ての中央に飾られたのだ。三〇〇〇年以上そのまま時を過ごし、一九二二年に考古学者がエジプト王の墓を調査しているときに発掘された。その小さな二酸化ケイ素のアクセサリーは、あらゆる困難を乗り越えて、リビア砂漠からツタンカーメンの埋葬室までたどり着いたのである。

ガラスが初めて装飾から先進技術へと変容したのは、ローマ帝国の最盛期、ガラス職人がこの素材を、ツタンカーメン王のコガネムシのような自然にできるガラスより、もっと丈夫で透明なものにする方法を見つけたときのことだ。ガラス窓はこの時期に初めてつくられ、現在世界中の都市の地平線を縁取るまばゆいガラスの摩天楼の基礎を築いたのである。ワインを飲むことの美意識は、人々がそれを半透明なガラスの杯で飲み、ガラスのボトルに保存するようになったときに生まれた。しかしある意味で、ガラスの初期の歴史は比較的ありきたりである。職人はシリカを溶かして杯や窓ガラスにする方法を考え出したわけだが、それはいまも私たちが直感的にガラスと結びつける典型的な用途だ。次の千年紀になり、また別の大帝国が衰退してようやく、ガラスはいまあるものになった。つまり、あらゆる人間の文化のなかで最も用途が広く、変革をもたらす素材となったのだ。

1900年ごろ出土、紀元1～2世紀のローマ文明の膏薬
（こうやく）用ガラス容器

ガラスの島

一二〇四年のコンスタンティノープル陥落は、世界中に波紋を広げた歴史的激震のひとつである。権力者が衰退し、軍隊が活気づいたり後退したりし、世界地図が描きなおされた。しかしコンスタンティノープル陥落が引き起こした、ある一見小さな出来事は、大がかりな宗教的・地政学的支配勢力の再編成のまっただなかに埋もれ、当時の歴史家のほとんどに無視された。トルコの小さなガラス職人集団が、船で地中海を西に向かい、ヴェネチアに住みついて、アドリア海岸の低地に生まれたこの裕福な新しい都市で、商売を始めたのである[*1]。

それはコンスタンティノープル陥落によって起こった数多くの移住のひとつだったが、数世紀を経て振り返ると、とりわけ重要なものだったことがわかる。運河や通りが入り組んだヴェネチアは、当時ほぼまちがいなく世界で最も重要な商業の中心地であり、彼らがそこに落ち着いてすぐ、そのガラス吹きの技術のおかげで、都市の商人が世界中で売ることのできる新たなぜいたく品が生まれた。ただ、ガラス製造はもうかる商売だったが、不都合がないわけではなかった。二酸化ケイ素の融点に達するには、加熱炉の温度を摂氏一〇〇〇度近くまで上げなくてはならず、しかもヴェネチアはほとんどが木造建築物でき

ムラーノ島を示している15世紀のヴェネチアの地図

た都市だった（ヴェネチアの立派な石造りの宮殿が建てられたのは、さらに数世紀あとのことである）。ガラス職人はヴェネチアに新たな富の源をもたらしたが、近所を焼き払うというありがたくない慣習ももたらした。

一二九一年、ガラス職人のスキルを存続させ、なおかつ市民の安全を守ろうと、政府はガラス職人を再び追放の身としたが、その旅は短かった――ヴェネチアの潟をムラーノ島まで一キロ半ほど渡ればよかったのだ。[*2]ヴェネチアの首長《ドージェ》は図らずも、イノベーションの拠点をつくり出した。ガラス職人を小さな町ほどの規模の島ひとつに集めることによって、創造性の波を引き起こし、経済学者の言う「情報波及」のある環境を整えたのだ。ムラーノの密集状態なら、新しいアイデアがすぐに全人口に広まることになる。ガラス職人たちは競合することもあったが、彼らの家系は密にからみ合っている。集団内に才能や専門知識で勝る特定の達人はいたが、総じてムラーノの非凡な能力は集団のものであり、それは競い合うことによって伸びるが、同じくらい知識や情報を共有することによっても発展する。

次の世紀が始まるころには、ムラーノはガラスの島として知られるようになり、凝った花瓶などの優美なガラス製品は、西ヨーロッパ全土のステータスシンボルになった（ガラス職人はいまも商売を続けていて、その多くが最初にトルコから移住してきた家族の直系子孫である）。これは現代にそのまま再現できる手本ではない。創造的集団を市に誘致しようとする市長が、強制追放や越境者の死刑を検討するなど、とんでもないことだろう。しかしどういうわけか、それがうまくいったのだ。ムラーノのガラス職人のアンジェロ・バロヴィエールは、何年も試行錯誤を重ね、さまざまな化学組成を実験して、酸化カリウムとマンガンを豊富に含む海藻を採り、燃やして灰にして、それを溶融ガラスに加えた。[*3] その混合物が冷めると、とびきり透明なガラスができ上がった。最も透明度の高い石英の水晶《クリスタル》に似ていることに感動したバロヴィエールは、それを「クリスタッロ」と呼んだ。現代のガラスの誕生である。

グーテンベルクと眼鏡

バロヴィエールのようなガラス職人は、ガラスを透明にすることに長《た》けていたわけだが、なぜガラスが透明なのかが科学的に解明されたのは、ようやく二〇世紀になってからだった。ほとんどの物質は光のエネルギーを吸収する。原子より小さいレベルでは、物質をつくる原子の周囲を回る電子が、入ってくる光の光子のエネルギーを効果的に「のみ込み」、その電子がエネルギーを獲得する。しかし電子によるエネルギーの獲得や喪失はとびとびの段階的なもので、その一段階は「量子」と呼ばれる。その一段階の大きさは物質によって異なる。二酸化ケイ素はたまたまその一段階が非常に大きく、つまり、一個の光子のエネルギーでは、電子が一段階高いレベルのエネルギーに上がるには足りない。その代わり、光は二酸化ケイ素を通過する（ただし一部の紫外線の光子は高いエネルギーを持っているので、二酸化ケイ素に吸収される）。しかし光はただガラスを通過するのではなく、曲がったり、ゆがめられたり、成分の波長に分解されたりすることもある。ガラスを使うと、光を正確に曲げることによって世界の見え方を変えることができるのだ。このことはたんなる透明性より、さらに革命的であることが判明した。

一二〜一三世紀の修道院では、ロウソクの火に照らされた部屋で宗教書の写本にいそしむ修道士たちが、補助具として湾曲した厚いガラスを使っていた。それは事実上、分厚い拡大レンズであり、ページの上にかざして記されたラテン語を拡大していたのである。正確にいつ、どこで起こったかはわかっていないが、そのころ北イタリアのどこかでガラス職人が、世界の見え方を変える、というか少なくともはっきり見えるようにする、イノベーションを思いついた。ガラスを中央が膨らんだ小さい円盤にして、ひとつずつフレームに収め、二つのフレームの上端をつなげて、世界初の眼鏡をつくったのだ。

この初期の眼鏡はロイディ・ダ・オグリ、「目のための円盤」と呼ばれた。そして形がレンティル豆――ラテン語でレンテス――に似ていたため、この円盤自体が「レンズ」と呼ばれるようになった。[*4] 数世代にわたって、この巧妙な新しい道具を使うのは修道士の学者にほぼ限られていた。遠視の症状は全人口に広く分布していたが、ほとんどの人は字を

眼鏡をかけた修道士の最古の肖像、1342年

読まなかったので、自分がそうだと気づいていなかったのだ。ちらつくロウソクの火で共和政ローマの詩人ルクレティウスの書（訳注：古代ギリシャの哲学者エピクロスの宇宙論を詩の形式で解説した書）を翻訳しようとする修道士にとって、眼鏡の必要性は十分すぎるほど明らかだった。しかし、庶民の多くは読み書きができないので、日常生活で字形のような小さな形を識別する機会はほとんどない。人々は遠視だったが、自分が遠視であると気づく現実的な理由がなかっただけである。そのため、眼鏡は珍しくて高価なものという状況が続いた。

事態を変えたのは、言うまでもなく、一四四〇年代のグーテンベルクによる印刷機の発明である。印刷機の影響を記録している歴史の専門書は、小さな図書館がいっぱいになるほどたくさんある。周知のように、この発明を文明批評家のマーシャル・マクルーハンは「グーテンベルクの銀河系」と呼んでいる。識字率が劇的に上昇し、正統信仰の正規の伝達経路に危険な科学や宗教の理論が流れ、小説やポルノ本のような大衆娯楽が当たり前になった。しかしグーテンベルクの偉大な技術革新には、別のあまり知られていない効果もあった。大勢の人々に、自分が遠視であることを初めて気づかせたのだ。それが明らかになったことで、眼鏡の需要が急増する。

そのあとのことは、近代史において最も驚異的なハチドリ効果の事例に数えられる。グーテンベルクのおかげで本が比較的安くなり、持ち歩けるようになったことで、識字能力が

vbi cum mortis peric
pientiam quis adipis
sunt: nec de p̄teritis re
etatis sue. 8i.
Anthistenes ath
deinde Socrati
ginta stadijs emensus
litatisqꝫ illius imitato
fuit. Platonem insim
sibi maledicere. Regi
diuersarum rerū scrip
ricam gloriose docere
querite: quia ego mih
discere: et qđ scitis est
Speusippus ath
pos: octo anno

15世紀の眼鏡

上がり、人口のかなりの割合に視力の弱点があることが明らかになり、そのおかげで眼鏡メーカーにとって新たな市場が開けた。グーテンベルクの発明から一〇〇年とたたないうちに、ヨーロッパ全土で多くの眼鏡メーカーが繁盛し、眼鏡はふつうの人がふつうに身につける――新石器時代の衣服の発明以来――最初の先進技術になった。[*5]

しかし共進化のダンスはそこで終わらなかった。顕花植物の花蜜がハチドリに新しい飛び方を促したように、眼鏡市場の急拡大による経済的誘因が、新たな専門知識の泉を生み出す。ヨーロッパにレンズがあふれるとともに、レンズについてのアイデアもあふれた。印刷機のおかげで、ヨーロッパ大陸には突然、やや凸状のガラスを使って光を操ることを専門にする人々が出てきた。この人たちは最初の光学革命の開拓者である。彼らの実験が視覚の歴史にまったく新しい章を開くことになる。

顕微鏡からテレビへ

一五九〇年、オランダのミデルブルフにある小さな町で、眼鏡職人のハンスとサハリアスのヤンセン親子は、試しに二つのレンズを眼鏡のように横に並べるのではなく縦に並べてみたところ、物体が拡大され、その結果として顕微鏡を発明した。およそ七〇年後、イギリス人科学者のロバート・フックが、画期的なイラスト入りの書『ミクログラフィア：

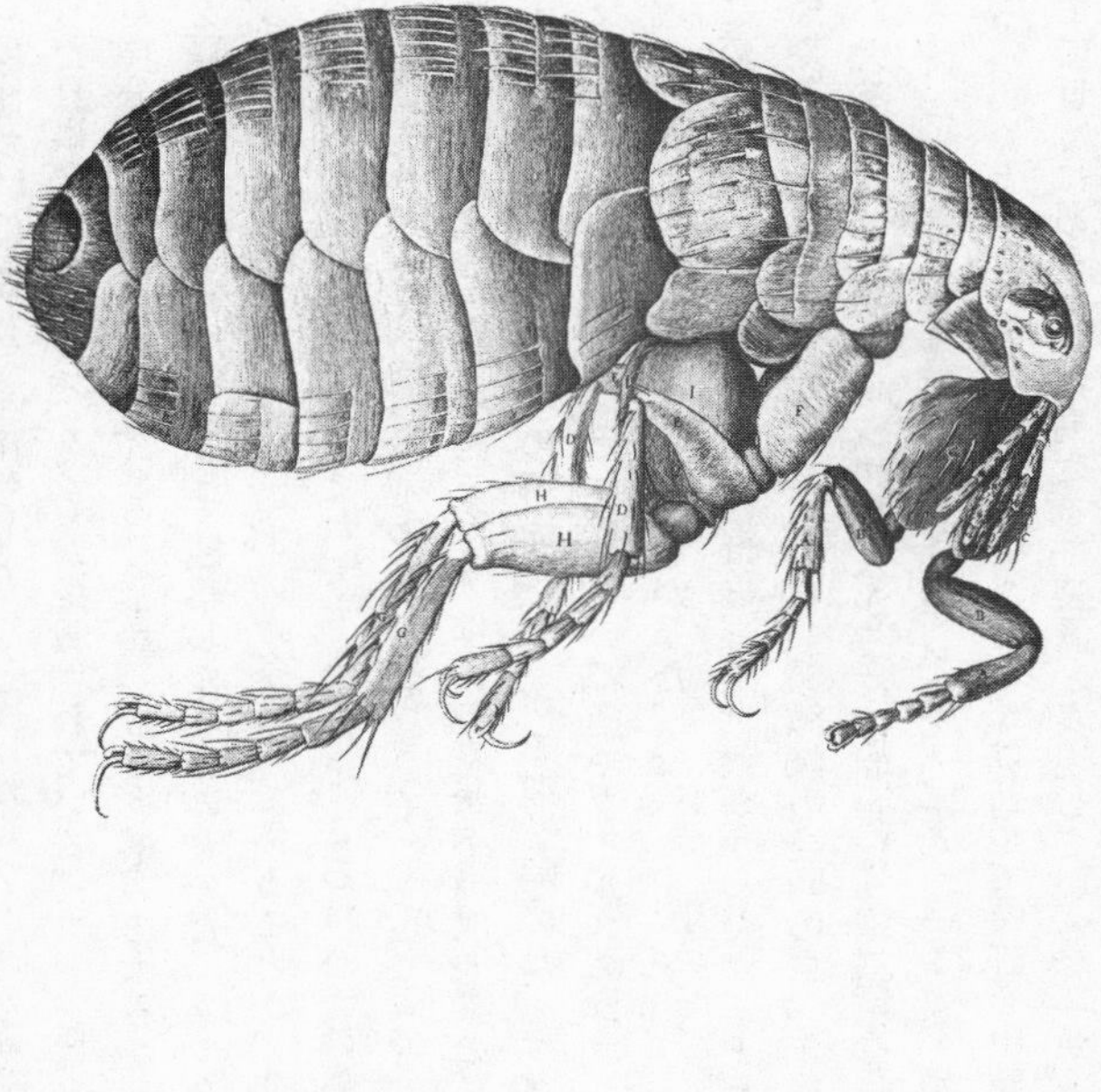

ノミ（ロバート・フックの『ミクログラフィア』より）

微小世界図説：図版集』（仮説社）を出版した。そこには、フックが顕微鏡をとおして見たものを再現した見事な手描きのスケッチが掲載されている。フックはノミ、木の葉、さらには凍らせた自分の尿まで分析している。しかし最も影響力の大きかった発見は、薄く切ったコルクを顕微鏡のレンズをとおして観察したときのものだ。フックは次のように書いている。「ハチの巣のように一面に穴のあいた多孔質であることが、非常にはっきりわかるが、その小孔は規則的ではない。それでも細かいところはハチの巣によく似ていて……その小孔、というか小室（cell）は、あまり奥行きがなくて、とてもたくさんの小さなボックスでできている」。この文で、フックは生命の基本構成要素のひとつに名前――細胞（cell）――をつけ、科学と医学の革命につながる道を開いた。ほどなく顕微鏡は、人間の生命を支えも脅かしもする、目に見えない細菌やウイルスのコロニーを明らかにし、それが次に現代のワクチンや抗生剤へとつながった。

顕微鏡が真に変革的な科学を生み出すにはほぼ三世代かかったが、どういうわけか、望遠鏡はもっと短期間で革命を引き起こしている。顕微鏡の発明の二〇年後、サハリアス・ヤンセンを含む大勢のオランダのレンズ職人が、ほぼ同時に望遠鏡を発明した（そのひとりのハンス・リッペルハイは、自分の子どもたちがレンズで遊んでいるのを見ているときに、そのアイデアを思いついたと言われている）[*6]。リッペルハイは初めて特許を申請した人物で、「遠くのものがまるで近くにあるように見える」装置と表現している。一年とたたないうちに、

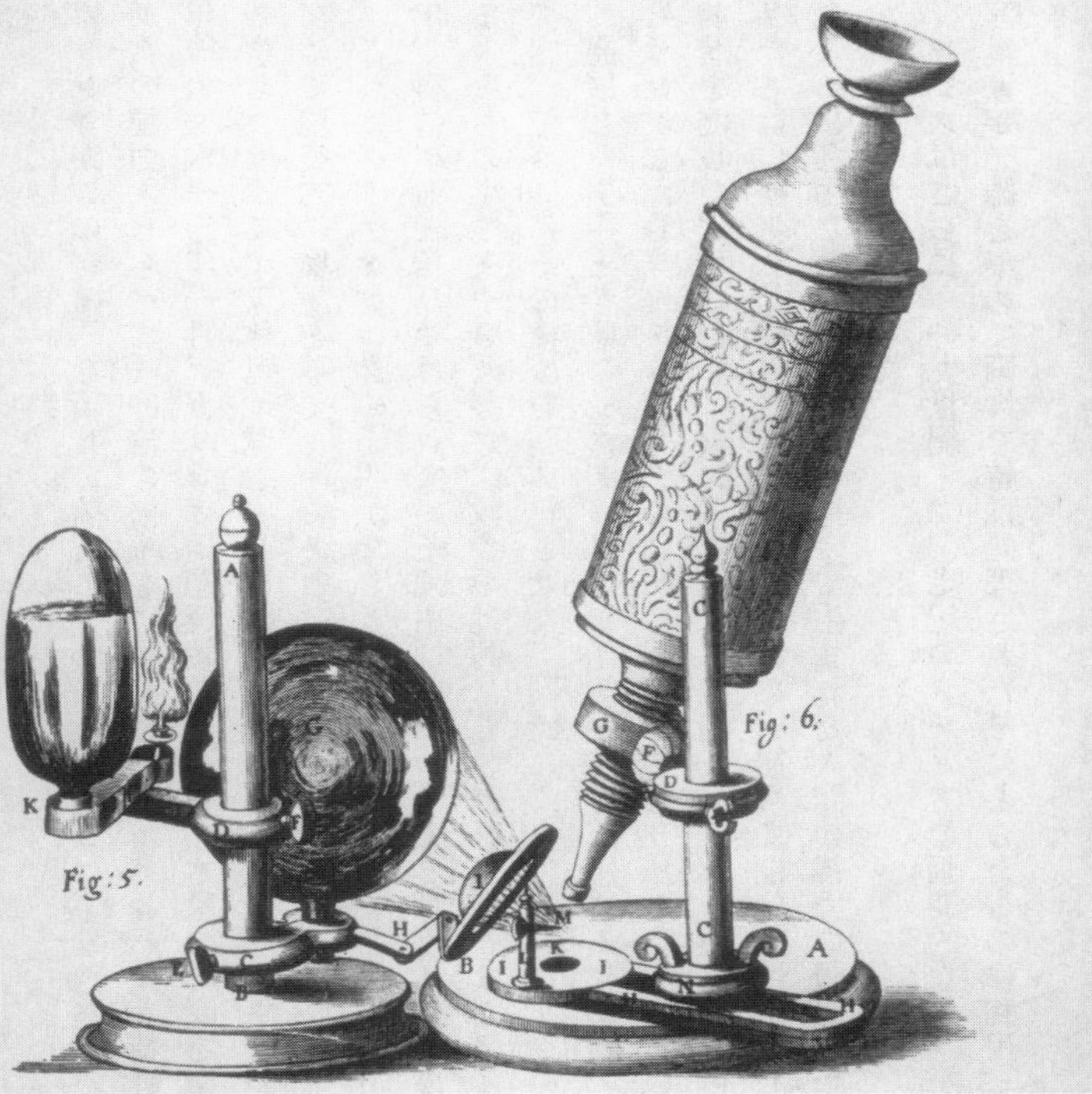

ロバート・フック設計の初期顕微鏡、1665年

ガリレオがこの奇跡的な新しい装置のうわさを聞きつけ、リッペルハイの設計を修正して、通常の視力とくらべて一〇倍の倍率を実現した。リッペルハイが特許を申請したわずか二年後の一六一〇年一月、ガリレオは望遠鏡を使って、木星の周囲を衛星が回っているのを観察し、すべての天体は地球を中心に動いているとするアリストテレスのパラダイムに、初めて現実的に異論を唱えたのである。

これはグーテンベルクの発明がたどった、なじみの薄い並行する道筋である。印刷が長年、科学革命と結びつけられている理由はいくつかある。ガリレオのような異端者とされる人たちの小論文や専門書が、教会の批判にとらわれることなくアイデアを広めることができ、最終的にその権威を弱体化させた。同時に、グーテンベルクの聖書から数十年を経て発展した引用と参照のシステムは、科学的手法を応用するにあたって不可欠のツールになった。しかしグーテンベルクの発明は、別のあまり知られていないところでも、科学の前進を促した。すなわち、レンズ設計の可能性、ガラスそのものの可能性を広げたのだ。私たちは二酸化ケイ素の特異な物理的特性を、初めて自分の目にすでに見えていたものを見るのに利用しただけでなく、持って生まれた人間の視力の限界を超越してものを見ることができるようになった。

レンズはさらに、一九世紀と二〇世紀のメディアで画期的な役割を果たしている。まず、写真家が光線を集めて画像を特殊処理された紙にとらえるのに利用し、次に映画製作者が初めて動く画像を記録し、映写するのにも使った。一九四〇年代以降、ガラスをリン光体で覆い、それに電子を放って、人を夢に誘い込むテレビ映像をつくり出すようになった。それから数年のうちに、社会学者とメディア理論家は世の中が「イメージの社会」になったと断言していた。文学に通じたグーテンベルクの銀河系が、テレビ画面の青い光とハリウッド映画の魅惑的なシーンに道を譲ったのだ。このような変化は、さまざまなイノベーションと素材から生じたものだが、そのすべてがなんらかのかたちで、光を伝えたり操ったりするガラス特有の能力に依存している。

たしかに、現代のレンズとそれがメディアに与えた影響の話は、それほど意外ではない。最初の眼鏡のレンズから、顕微鏡のレンズ、そしてカメラのレンズへと、その道筋は直感的にわかりやすい。しかしガラスには、別の奇妙な物理的特性があることが判明した。ムラーノのガラス吹きの名人でさえ、利用しなかった特性である。

ガラスで編まれたインターネット

教授という意味では、物理学者のチャールズ・ヴァーノン・ボーイズは明らかにろくでもなかった。ロンドンの王立科学大学でしばらくボーイズの教えを受けていたイギリスの著作家、H・G・ウェルズは、のちに彼を「不安な聞き手に背を向ける最悪の教師……黒板をいじり回し、一時間まくし立て、自分の個室の器具に逃げ帰ってしまう」[*7]と語っている。

しかしボーイズは教える能力に欠けていた分を実験物理学の才能で埋め合わせ、科学機器を設計してつくり出した。一八八七年、物理実験の一環として、ボーイズは物体にかかる微妙な物理的力の効果を測定するために、ガラスをごく細いものにしたいと考えた。細いガラスの繊維を天秤《てんびん》のアームに使えるというアイデアがあったのだ。しかし、まずそれをつくる必要がある。

ハチドリ効果は、ある領域のイノベーションによって何かほかの技術（あるいは、本の印刷の場合は私たち自身の身体構造）の欠陥が明らかになり、その欠陥が別の分野でしか解消できないときに生じる場合がある。しかし、別の種類の技術革新によって生じることもある。それは何かを測定する能力の劇的な向上と、測定のためにつくられた道具の改善である。新しい測定方法は必ずと言っていいほど、新しい製作方法をともなう。ボーイズの天秤アームはそのような事例だった。しかし、ボーイズがイノベーション史にめったにいない人物である理由は、この新しい測定装置を求めて彼が利用した、明らかに型破りな道具にある。細いガラスの糸をつくるために、ボーイズは実験室に特殊な石弓を組み立て、それに合う軽い矢をつくったのだ。一本の矢にガラス棒の端を封蝋《ふうろう》でくっつける。そしてガラスが軟らかくなるまで熱して、矢を放つ。矢が的に向かって突進すると、石弓にくっ

実験室に立つチャールズ・ヴァーノン・ボーイズ、1917年

ついている溶融ガラスから一本の繊維が引き出される。何回か発射したうちの一回で、ボーイズは長さ約二七メートルのガラス繊維をつくり出した。

「なんでも望むものをあげようと妖精に約束されたとしたら、私はこの繊維くらい有益な特性がたくさんあるものをお願いしただろう」[*8]と、ボーイズはのちに書いている。しかしとくに驚異的だったのは、その繊維の強さである。その耐久力は同じ太さの鋼鉄線と同等か、ひょっとすると上回っているかもしれなかった。何千年にもわたって、人間はガラスが美しく透明だから利用し、そのどうしようもない壊れやすさは我慢してきた。しかしボーイズの石弓実験は、この驚くほど用途の多い物質の物語に、またひとつ意外な展開が加わることを示唆した。すなわち、ガラスがその強さのために利用されるのだ。

次の世紀の半ばまでに、ガラスの繊維はより合わされてグラスファイバーと呼ばれる奇跡の新素材となり、ありとあらゆる場所で使われるようになった。家の断熱材、衣類、サーフボード、クルーザー、ヘルメット、最新のコンピューターのチップを接続する回路基板。エアバスの主要ジェット機、Ａ３８０——就航中の最大の民間航空機——の機体は、アルミニウムとグラスファイバーの複合材料でつくられていて、従来のアルミニウム板より疲労と損傷にはるかに強くなっている。皮肉なことに、これらの応用例のほとんどは、光波を伝えるという二酸化ケイ素の不思議な能力とは関係がない。グラスファイバーでつくられたものの大部分は、素人目には、そもそもガラスでできているように見えない。グラスファイバーのイノベーションが実現して最初の数十年は、このように透明性とは異なる性質が重要視されるのは理にかなっていた。窓ガラスやレンズが光を通すのは役に立ったが、髪の毛ほどの細さのファイバーが光を通す必要があろうか？

グラスファイバーの透明性が価値あるものになったのは、デジタル情報をコード化する方法として光が検討されるようになってからのことだ。一九七〇年、現代のムラーノとも言えるコーニング・グラスワークス（訳注：現・コーニング）社の研究者たちが、桁はずれに透明なガラスを開発した。バスの車長ほどの大きさのブロックをつくっても、ふつうの窓ガラス越しに見るのと同じくらい透明に見える（現在、さらなる改良の結果、そのブロックを一辺八〇〇メートルにしても同じ透明度になる）。ベル研究所の科学者たちが、この超クリアなガラスでできたファイバーを束にして、その端から端に向けてレーザー光線を放ち、二進コードの0と1に相当する光信号を波動させた。この一見関係のない二つの発明――集中的で乱れのないレーザーの光と、高度に透明なグラスファイバー――の組み合わせが、光ファイバーと呼ばれるようになる。光ファイバーケーブルを使うほうが銅線で電気信号を送るより、とくに長距離ではずっと効率的である。光のほうが電気エネルギーより帯域幅がはるかに大きく、ノイズや干渉にはるかに強い。現在、地球規模のインターネットの基幹回線は光ファイバーケーブルでつくられている。およそ一〇種類のケーブルが大西洋を横断し、両大陸間のほぼすべての音声とデータの通信を担っている。各ケーブルにはバラバラのファイバーが束ねられて入っていて、防水のためだけでなくトロール漁船や碇《いかり》やサメからも守るために、鋼鉄と絶縁体の層に覆われている。一本のファイバーはわらより細い。不可能に思えるが、事実、北米とヨーロッパを行き来する音声とデータすべてを集めたものを、片手で握ることができるのだ。この奇跡を可能にするために、多くのイノベーションが結集している。デジタルデータそのもの、レーザー光線、そして情報を送受信できる両端のコンピューター、といったアイデアが生まれる必要があった――もちろん、ケーブルを設置し修理する船も。しかしここでも再び物語の主役は、あの二酸化ケイ素の不思議な結合である。ワールド・ワイド・ウェブはガラスの糸で織り上げられているのだ。

二一世紀初期の人々の象徴的行動を考えてみよう。休暇でどこか魅力的な場所に立つと、スマートフォンで自撮りして、その画像をＳＮＳにアップロードし、それが世界中の他人のスマホやコンピューターに伝わる。この行動はいまや私たちの習性になっており、それを可能にしたイノベーションを私たちは当然のように称賛している。デジタルコンピューターを携帯装置にした小型化技術、インターネットとウェブの構築、ソーシャル・ネットワーク用ソフトのインターフェース。私たちがほとんど意識していないのは、このネットワーク全体をガラスが支えていることである。ガラスのレンズを使って写真を撮り、グラスファイバーでつくられた回路基板でその写真を保存・処理し、グラスファイバーのケーブルで世界中に送信し、ガラスでつくられた画面で楽しむ。すべて、もとをたどれば二酸化ケイ素に行きつくのだ。

鏡とルネサンス

自撮り好きをからかうのは簡単だが、実際、その種の自己表現には長い歴史がある。ルネサンス期や初期モダニズムの芸術作品で、とくに高く評価されているものには自画像もある。[*9] デューラーからダ・ヴィンチ、レンブラント、耳に包帯をしたゴッホにいたるまで、画家は自分自身のイメージを細かく多彩にカンバスにとらえることに夢中になった。たとえばレンブラントは、生涯に四〇枚近い自画像を描いている。しかし自画像で注目すべきは、一四〇〇年以前、それはヨーロッパ芸術の伝統的表現法として事実上存在しなかったことだ。人々は風景や王家一族、あるいは宗教的場面など、さまざまな被写体を描いていた。しかし自分自身を描くことはなかった。

自画像への興味が爆発した直接の原因は、ガラスを扱う技術のまた別の進展だった。ムラーノの話にもどるが、ガラス職人たちは水晶のように透明なガラスを冶金のイノベーションと結びつける方法を見つけ、ガラスの背面をスズと水銀の合金で覆い、ぴかぴかでよく反射する面をつくり出した。[*10] 鏡が初めて日常生活に入り込んだのである。これは最も個人的レベルの新発見だった。鏡が登場する前、ふつうの人は自分の顔をほんとうに正確に表したものを見ることなく、水たまりか滑らかな金属にちらりと映る断片的なゆがんだ影を見るだけで、一生を終えていたのだ。

当時の人々にとって鏡はあまりに摩訶《まか》不思議だったために、すぐに少々とっぴな秘密の儀式に取り入れた。巡礼の旅のあいだ、裕福な巡礼者が鏡を持ち歩くのが一般的な慣習になったのである。そして聖遺物（訳注：聖人や殉教者の遺骸や遺品）を訪れると、鏡に映る遺物が見えるような位置に立つ。そのあと家に帰って、その鏡を友人や親類に見せびらかし、神聖な光景を映すことによって、聖遺物の物理的な証を持ち帰ったのだと自慢する。グーテンベルクは印刷機のことを考える前、旅立つ巡礼者のために鏡をつくって売る新しい商売のアイデアを温めていた。

しかし鏡がおよぼした最も重大な影響は、宗教ではなく世俗的なものだったと言える。フィリッポ・ブルネレスキは、フィレンツェの洗礼堂を直接見たままでなく鏡に映る姿を描くことによって、絵画の線遠近法を考え出した。ルネサンス後期の芸術には、絵画のなかに潜む鏡が非常に多く描かれていて、とくに有名なのはディエゴ・ロドリゲス・デ・シルバ・イ・ベラスケスの反転の名作『ラス・メニーナス（女官たち）』である。そこにはスペイン王のフィリペ四世とマリアナ王妃を描いている画家本人（と王家の人々）が描かれている。イメージ全体は肖像画を描かせるためにすわっている国王と王妃の視点からとらえられていて、まさに文字どおり、絵を描く行為についての絵画である。王と王妃はカ

ディエゴ・ロドリゲス・デ・シルバ・イ・ベラスケス作『ラス・メニーナス（女官たち）』

ンバスのほんの一部、ベラスケス自身の右に見える鏡のなかの二つの小さなぼんやりした姿である。

鏡は画家にとってかけがえのない道具になり、自分自身の顔の細かい目鼻立ちも含めて、周囲の世界をはるかにリアルにとらえることができるようになった。レオナルド・ダ・ヴィンチは、自分のノートに（伝説的な鏡文字で書くのに当然のことながら鏡を使って）次のように書いている。

自分の絵の全体的な印象が、対象のそれと一致しているかどうか確認したいときは、鏡を持ってきて実物を映すように置き、それから鏡のなかのものを自分の絵とくらべ、とくに鏡をじっくり見て、二つの像に映し出されているものが一致しているかどうか、注意深く検討しなさい。鏡を手本と考えるべきである。*11

歴史学者のアラン・マクファーレンは、芸術家の目をつくる鏡の役割について書いている。「すべての人間には系統的近視眼のようなもの、自然界を正確にはっきり見て、細かく表現することを不可能にするものがあるかのようだ。人間はふつう自然を象徴的に、一連の符号として見ていた。……皮肉にも鏡が行なったことは、人間の視覚をさえぎる暗いガラスや心のゆがみを取り去り、あるいは補整し、そうしてもっと光を入れることだった」[12]

ガラスのレンズのおかげで、私たちの視界が天体や微小な細胞まで広がりつつあったちょうどそのころ、ガラスの鏡のおかげで、私たちは初めて自分自身を見られるようになっていた。それによって、望遠鏡が引き起こした宇宙における地球の位置の再配列より、もっととらえがたいが同じくらい革新的な、社会の再配列が引き起こされた。「世界最強の君主が広大な鏡の間をつくり、そして鏡は中産階級の家庭の部屋へと次々に広まった」[13]と、アメリカの建築・文明評論家であるルイス・マンフォードが『技術と文明』（鎌倉書房）に書いている。「新しいモノそのものとともに、自意識、内省、鏡との会話が発達した」。財産権その他の法的慣習だけでなく社会慣習も、家族や部族や都市や王国といった昔からの集団単位ではなく、個人を中心に展開されるようになる。人々は内面の生活を詳しく綴《つづ》るようになる。ハムレットは舞台上で思いを巡らし、最有力の物語形式として、登場人物の内なる精神生活をほかにはない深さまで掘り下げる小説が出現する。とくに一人称の語り手による小説に入り込むことは、一種の観念的な室内奇術である。読み手はそれまで考案されたどんなかたちの美学よりも効果的に、他人の意識に、思考と感情に、すんなりと入っていくことができる。言ってみれば心理小説とは、鏡のなかの自分を見つめることに人生の有意義な時間を費やすようになると、聞きたくなる種類の物語なのだ。

この変化はどれくらいガラスによるものなのか？　確実なことが二つある。画家が自分自身を描き、形式上の工夫として遠近法を考え出すのに、鏡は直接的な役割を果たした。そしてそれからまもなく、ヨーロッパ人の意識に新たに自分を中心にすえるという根本的な転換が起こり、さざ波のように世界中に広がることになる（そしていまだに広がっている）。この転換が可能になるには、多くの力が集まる必要があったことはまちがいない。たとえば自己中心の世界は、ヴェネチアやオランダ（絵画による内観の大家であるデューラーとレンブラントの心の故郷）のような場所で栄えはじめていた近代資本主義と相性がよかった。同様に、これらさまざまな力は互いを補い合っている。ガラスの鏡は最初の家庭向けハイテク備品のひとつであり、人々が鏡を見つめるようになると、自分自身に対する見方も変わりはじめ、その変化が市場システムを助長したことで、さらに鏡の普及が進む。厳密には鏡がルネサンスを起こしたわけではないが、鏡はほかの社会的パワーとの好循環にはまり、光を反射するその特異な能力が社会的パワーを強めた。これこそ、ロボット歴史学者の視点から見えるものである。テクノロジーはルネサンスのような文化的変容のただひとつの原因ではないが、私たちが決まって称賛する人間の先見の明と同じくらい、いろいろな面で重要な役割を果たしている。

マクファーレンはこの種の因果関係を表現する巧みな方法を知っている。鏡はルネサンスが起こることを「強いる」のではなく「可能にする」のだ。虫などに花粉を媒介してもらうという綿密な生殖戦略は、ハチドリに驚異的な空気力学を進化させることを強いたのではない。ハチドリがそのような特異な形質を進化させることによって、花の糖分をただで利用することを可能にする環境をつくったのだ。ハチドリが鳥類のなかで非常に珍しいことをふまえると、もし花が昆虫との共進化のダンスを起こしていなければ、ハチドリのホバリング技術は生まれなかったと考えられる。花はあるがハチドリはいない世界を想像するのは簡単だ。しかし、花はないのにハチドリがいる世界を想像するほうがはるかに難しい。

鏡のようなテクノロジーの進歩にも同じことが言える。人間が自分の顔を含めた現実をはっきり映す像を見られるようにするテクノロジーがなければ、ルネサンスと呼ばれる芸術、哲学、政治における一連の特別な思想は、なかなか生まれなかっただろう(だいたい同じ時期に日本文化では銅鏡が珍重されたが、ヨーロッパで盛んになった内観的用途に用いられることはなかった――その理由のひとつは、銅はガラスより光の反射がはるかに弱いことにあったのではないか)。とはいえ、鏡がヨーロッパにおける自己革命の条件を決定づけていたとは限らない。別の文化が歴史上の別の時点で良質のガラスの鏡を発明しても、社会秩序全体が一五世紀のイタリアの丘陵都市とはちがっていれば、同じ知的革命は起こっていなかったかもしれない。さらに芸術家や科学者が、たとえば食べものを求めてあくせくする代わりに、毎日鏡で遊んで過ごせるようにしたパトロネージュ(後援者)制度の恩恵も、ルネサンスは受けていた。メディチ家――もちろんその一家に限らず、彼らが代表する経済的階級――なしのルネサンスは、鏡なしのルネサンスと同じくらい想像しがたい。

自己中心の社会の長所については、まさしく議論の余地があると言うべきだろう。個人中心の法律は、人権尊重のあらゆる慣習と法典における個人の自由の重視に直接つながった。それは進歩と見なさなくてはならない。しかし、いまの私たちが個人主義に傾きすぎ、組合やコミュニティや国家といった集団的組織から離れすぎているかどうかについては、分別のある人のあいだで意見が分かれるだろう。こうした論争を解決するには、論争の原因を説明するのに必要なものとは異なる主張――および価値観――が必要である。鏡は現実に、だが数量化できないかたちで、現代の自己が生まれるのに役立った。そこまでは意見が一致するはずだ。それが結局いいことだったかどうかは別の問題であり、最終的な決着はつかないかもしれない。

ハワイ島のタイムマシン

ハワイ島のマウナケア火山は、標高約四二〇〇メートルだが、山は深さ六〇〇〇メートル近くの海底まで延びているので、ふもとから山頂までの高さという意味では、エベレスト山よりはるかに高い。この山は海抜ゼロ地点から四二〇〇メートルまで車で数時間という、世界でも数少ない場所のひとつである。山頂は岩だらけで生物のいない風景が広がり、

ケック天文台

まるで火星のように荒涼としている。たいてい逆転層（訳注：上のほうが温かく、下のほうが冷たい、通常とは逆になっている空気の層）が雲を山頂から千数百メートル下に押しとどめていて、空気は薄いだけでなく乾燥している。その山頂に立つと、陸上のどの地点よりも大陸から離れたところにいることになる。つまり、ハワイ周辺の大気は――大きくて変化に富む陸塊に太陽エネルギーが跳ね返されたり吸収されたりすることによる乱気流に乱されることがないので――地球上のどこよりも安定しているということである。このような特性のおかげで、マウナケアの山頂は人が足を踏み入れられる場所のなかでも屈指の異世界なのだ。そしていみじくも、天体観察に最高の場所でもある。

現在、マウナケア山頂には一三の独立した天文台がある。赤い岩のあちこちに大きな白いドームが散らばり、さながら遠くの惑星に光る前哨基地のようだ。その天文台群のなかのW・M・ケック天文台の二基の望遠鏡は、地球で最も強力な光学望遠鏡である。ケック望遠鏡はハンス・リッペルハイがつくったものの直系子孫のように見えるが、そのすばらしい力を発揮するのにレンズには頼っていない。宇宙の果てから来る光をとらえようとしたら、小型トラック並みに大きなレンズが必要だろう。そのサイズでは、ガラスを物理的に支えるのが難しく、像にどうしてもゆがみができてしまう。そのため、ケックの研究者とエンジニアは、ごくかすかな光をとらえるのに別の技術を採用した。それが鏡である。望遠鏡一台につき三六枚の六角形の鏡が組み合わさり、幅六メートルの反射するカンバスになっている。その光は二番目の鏡に反射され、そのあと一連の装置に反射されて、そこで像が処理され、コンピューター画面で可視化される（ケックには、ガリレオや彼以降の無数の天文学者がやってきたように、望遠鏡を直接のぞけるような見晴らしポイントはない）。

しかし、マウナケア上空の薄くて非常に安定している大気のなかでさえ、小さな乱気流が天文台のとらえた画像をぼやけさせることがある。そのため、ケックは望遠鏡の像を修正するために「補償光学」という巧妙なシステムを採用している。ケック頭上の夜空にレーザーが放たれ、天空に事実上の人工の星をつくり出す。その偽の星が一種の基準点になる。大気によるゆがみがなければレーザーが天空でどう見えるはずか、研究者には正確にわかっているので、「理想の」レーザーの像と望遠鏡が実際に記録したものをくらべることによって、現在のゆがみを測定することができる。その大気ノイズの地図にしたがって、コンピューターが望遠鏡の鏡に、その夜のマウナケア上空における正確なゆがみにもとづいて、少し曲がるように指示する。この効果は、ちょうど近眼の人が眼鏡をかけるのに似ている。遠くのものが突然、はっきりくっきり見えるのだ。

もちろんケックの望遠鏡にとって、その遠くのものというのは、場合によっては何十億光年も離れた銀河や超新星である。ケックの鏡をとおして見るとき、私たちは遠い過去をのぞいている。ここでもやはり、ガラスは私たちの視界を広げている。目に見えない細胞や微生物の世界、カメラつきスマホによる地球規模のつながりに加えて、はるか宇宙が生まれてまもないころのことまで見えるのだ。ガラスは小さな装身具や中空の花瓶として始まった。それから数千年を経て、マウナケアの山頂で雲の上に設置されたガラスは、タイムマシンになっている。

ガラスは人間を待っていた

ガラスの物語を知ると、私たちの発明の才は、周囲にある元素の物理的特性によって制限も増進もされることに気づく。現代世界をつくり上げたものについて考えるとき、たいてい話にのぼるのは、先見の明ある偉大な科学者や政治家、画期的な大発明、あるいは大々的な集団の運動である。しかし私たちの歴史には物質的な要素もある。ただし、「物質」が階級闘争と経済学的説明の究極の優位性を意味する、マルクス主義の弁証法的唯物論ではない。そうではなく、物質の基本構成要素によって形成され、それが社会運動や経済体制のようなものにつながった歴史という意味での物質史である。

ビッグバンをやりなおして（または比喩表現を使うなら、神の役を演じて）、この宇宙とまったく同じような宇宙を、ひとつだけ小さな変更を加えてつくり出すことができるとしよう。小さな変更とは、ケイ素原子の周囲の電子が少しちがうふるまいをするのだ。この別の宇宙では、電子が光子を通過させるのではなく、ほとんどの物質と同じように光を吸収する。

そんな小さな修正では、ホモ・サピエンスの進化全体は二、三〇〇〇年前までまったく変わらなかっただろう。しかし、そのあと驚くほどすべてが変化する。人間はこのケイ素電子の量子的ふるまいを、数えきれないほど多様なかたちで利用しはじめた。ごく基本的レベルでも、透明なガラスなしの前の一〇〇〇年を想像することは不可能だ。私たちはいま、炭素を（プラスチックという二〇世紀を決定づける化合物のかたちにして）ガラスの仕事ができる丈夫な透明素材に変えられるが、その専門技術は生まれてから一〇〇年もたっていない。ケイ素の電子をちょいとつまめば、過去一〇〇〇年から窓、眼鏡、レンズ、試験管、電球を消し去ることになる（高品質の鏡は、ほかの反射する金属を使って別に発明されたかもしれないが、もう二、三世紀長くかかった可能性がある）。ガラスのない世界には、大聖堂のステンドグラス窓も、現代の都市景観のつややかに光る壁面もなくて、文明の体系が変わるだけではない。ガラスのない世界では、近代的発展の根本、すなわち、細胞やウイルスや細菌の理解によって延びた寿命、何が私たちを人間たらしめているかに関する遺伝子の情報、宇宙における地球についての天文学者の知識、すべてが打ち砕かれる。このような画期的概念にとって、ガラスほど重要だった物質は地球上にほかにない。

フランスの哲学者ルネ・デカルトは、結局書くにいたらなかった自然史の本について友人にしたためた手紙のなかで、自分がどれだけガラスの話をしたかったかを述べている。「このような灰から単なる強烈な［熱の］作用によって、どうしてガラスができたのか。私には灰からガラスへのこの変質が、ほかのどんな自然よりも驚異に見えたので、それを記述することに特別な喜びを感じた」[*14]。最初のガラス革命がごく身近に起こっていたので、デカルトにはその重大さがわかったのだ。現代人はこの物質の最初のインパクトからかなり離れてしまっているので、それが日常生活にとってどれだけ重要か、そして重要であり続けているか、十分に認識できない。

これはロングズームのアプローチが光明を投じる場面のひとつであり、歴史の話にいつも登場する注意人物ばかりに目を向けていたら見逃してしまうものが見える。歴史的転換を論じるときに、物質的要素を引き合いに出すことは、もちろん前代未聞ではない。炭素が産業革命以降の人間の活動にきわめて重要な役割を果たしているという考えを、たいていの人は受け入れる。しかしある意味で、これはじつは最近の話ではない。炭素は生命出現の母体となった原始の海、すなわち原始スープの時代から、生命体が行うほぼあらゆることに不可欠だった。しかし二酸化ケイ素はどうかというと、一〇〇〇年前にガラス職人がその奇妙な特性にあれこれ手を加えるようになるまで、人間はあまり利用してこなかった。現在、あなたが住んでいる部屋を見回せば、二酸化ケイ素があるからこそ存在するもの、もっと言えばケイ素という元素そのものに依存しているものが、軽く一〇〇個は手の届くところにあるだろう。窓や天窓にはまっているガラス、カメラつきスマホのレンズ、コンピューターの画面、マイクロチップやデジタルクロックが入っているものすべて。一万年前の日常生活の化学に登場する主役を選ぶとしたら、上位の序列は現在と同じになるだろう。私たちは炭素、水素、酸素のヘビーユーザーである。しかしケイ素はクレジットタイトルにさえ出てこないかもしれない。ケイ素は地球上にふんだんにある――地殻の九〇パーセント以上がケイ素化合物でできている――が、地球上の生命体の自然な代謝にはほとんどなんの役割も果たさない。私たちの体は炭素に依存しているし、私たちのテクノロジーの多く（化石燃料やプラスチック）も同じ依存関係にある。しかしケイ素の必要性は現代になってから強まったものだ。

問題は、なぜそれほど長い時間がかかったのか、である。なぜ、この物質の並はずれた特性は自然界からほぼ無視されていたのか？　なぜ、その特性は約一〇〇〇年前に突如、人間社会にとって不可欠になったのか？　この問題に取り組もうとするにあたって、もちろん私たちは推測することしかできない。しかし答えのひとつが、別のテクノロジーと関係していることはまちがいない。それは溶鉱炉である。二酸化ケイ素が進化にとってあまり使い道がなかった理由のひとつは、この物質の真に興味深い特徴のほとんどは、温度が五四〇度以上になるまで現われないことにある。水と炭素は地球の大気温ですばらしく創造的なことを行なうが、二酸化ケイ素の場合、溶解できないとその有望性を知るのは難しく、地球環境は――少なくとも地表では――それほど高温にならない。ここで溶鉱炉がハチドリ効果を引き出す。つまり、人間は制御された環境で極端な高温を生み出す方法を突きとめたことで、二酸化ケイ素分子の潜在能力を解き放ったのであり、それがほどなく世界の見方を変え、さらに自分自身の見方を変えたのである。

妙な話だが、ガラスは最初から、人間がそれに気づくほどの知恵をつけるはるか前から、人間の宇宙観を広げようとしていた。ツタンカーメン王の墓に入ることになったリビア砂漠のガラスのかけらは、考古学者、地質学者、そして宇宙物理学者を何十年も当惑させていた。二酸化ケイ素の半流動体分子は、隕石《いんせき》の直接衝突によってしか起こらないような温度で形成されたことを示しているが、その近くにはどこにも衝突クレーターの形跡はない。では、その異常な温度はどうして生じたのか？　稲妻はガラスができるほどの熱をシリカの小片にならえられるが、大量の砂を一撃することはできない。そこで科学者たちは、リビアのガラスは彗星《すいせい》が地球の大気圏に突入し、砂漠の砂の上で爆発したことによってできたという考えを探りはじめた。二〇一三年、南アフリカのジャン・クレーマーズという地球化学者が、その場所から出た不可解な小石を分析し、もともと彗星の核だったと断定した。そのようなものが地球上で発見されたのは初めてだ。科学者と宇宙機関が何十億ドルも費やして彗星の粒子を探しているのは、太陽系の形成について非常に深いところまで解明できるからである。彼らはリビア砂漠の小石で、彗星の地質化学を直接調べられるようになったわけだ。そしてガラスはずっと道を指し示していたのである。

第2章

冷たさ

Cold

- 1662　イギリスの科学者が気体の体積や圧力と温度の関係を発見
- 1805　ボストンの実業家フレデリックが氷を西インド諸島に運ぶ事業を開始
- around 1815　氷の採取、断熱、輸送、保管に成功
- 1820s　アメリカ南部各所に貯氷庫を設ける
- 1830s　リオとボンベイにもニューイングランドの帆船で氷が運ばれるようになる
- 1842　フロリダの医師が天井からつるした氷の塊が室内の空気を冷やすことを発見。人工の冷却装置をつくる
- around 1860　大量製氷装置がフランスでつくられる
- 1868　肉の保存に適した天然氷による冷却室ができる

- 1878　肉の長距離輸送が可能な冷蔵庫を開発
- 1902　空気を冷却する装置の発明
- 1920s　バーズアイが瞬間冷凍プロセスを開発
- 1925　パラマウントの映画館で実験的なエアコンシステムを披露
- 1930s　冷凍の「テレビディナー」が誕生
- late 1940s　窓に取りつける可搬型エアコンが初めて市場に登場
- around 1950　冷房や冷凍がアメリカ人のライフスタイルに深く浸透
- NOW　クーラーによって暑い地域への居住が可能になり、人類史上最大の人口移動が引き起こされている

Co

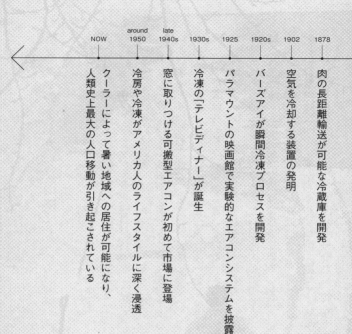

ボストンの氷をカリブに運べ

一八三四年初夏、三本マストの帆船マダガスカル号がリオデジャネイロの港に入ったとき、船体にはとても信じられないような積荷が満載されていた。ニューイングランドの湖の氷だ。マダガスカル号とその乗組員は、野心的で粘り強いボストンの実業家、フレデリック・テューダーのために働いていた。いまでこそ彼は「氷王」として知られているが、若いころは人一倍しつこくはあったが、みじめな失敗を重ねていた。

「氷はおもしろい観察対象だ」[*1]と、アメリカの作家ヘンリー・デイヴィッド・ソローが著書『ウォールデン 森の生活』（小学館文庫ほか）に、マサチューセッツの「みごとに青く凍りついた広い池を見つめながら書いている。テューダーも同じ光景を見つめながら育った。彼がボストンに住む金持ちの子どもだったころ、家族はロックウッドと呼ばれる田舎の地所にある池の氷を長年楽しんでいた――その美しさだけでなく、ものを冷たくしておける持続力を。北部の裕福な家庭にはよくあることだったが、テューダー家も湖の氷の塊を氷室に保存していた。一〇〇キロ近い角氷が真夏になるまで驚くほど解けずに残るので、新しい習慣が始まった。塊から少しずつ削り取って、猛暑のあいだ飲みものを冷やしたり、アイスクリームをつくったり、風呂の水を冷たくしたりするのだ。

人工的な冷却技術の助けなしに何カ月も氷の塊がそのままもつという考えは、現代人の耳にはありえないことに聞こえる。私たちは現代のさまざまな冷凍技術のおかげで、いつまでも解けない氷に慣れている。しかし自然の状態にある氷は別問題だ——たまに見かける氷河以外、氷の塊は夏の暑さのなかで数カ月はおろか一時間ももたないと思い込んでいる。

しかしテューダーは個人的な経験から、日光を避けて保存すれば、大きな氷の塊は真夏まで——少なくともニューイングランドの晩春までは——解けずにもつ可能性があることを知っていた。そしてその知識が、彼の心にひとつのアイデアの種をまいた。そのアイデアのためにやがて彼は常軌を逸した行動をとり、財産と自由を失う——そしてのちに大富豪になる。

テューダーが一七歳のとき、父親は彼をカリブ海への船旅に送り出した。膝の病気をわずらい、身の回りのことがほとんどできない兄のジョンに同行させたのだ。温暖な気候ならジョンの健康が回復するだろうという考えだったが、実際には逆効果だった。ハバナに着いてすぐ、テューダー兄弟はじめじめした天候に参ってしまう。彼らはすぐに本土に向かう北行きの船に乗り、途中ジョージア州のサヴァナとサウスカロライナ州のチャールストンに立ち寄ったが、そこでも初夏は暑く、ジョンは結核と思われる病にかかる。そして半年後、二〇歳の若さで亡くなった。

テューダー兄弟のカリブ旅行は、医学的介入としては完全な大失敗だった。しかし一九世紀の紳士としての完璧な正装をしながら、逃れようのない熱帯の湿気を耐え忍んだことで、若いフレデリック・テューダーの頭に、ある過激な――非常識とも言える――アイデアが浮かんだ。凍てつく北部から西インド諸島までどうにかして氷を運ぶことができたら、巨大な市場が生まれるだろう、というのだ。世界貿易の歴史は、ある環境ではありふれている産物を、それがめったにない場所に運ぶことによって、莫大な富を築けることをはっきり実証している。若きテューダーにとって、氷はその方程式にぴったり当てはまるように思えた。ボストンではほとんど価値のない氷が、ハバナでは千金の値打ちになる。

氷の商売は予感にすぎなかったが、テューダーは兄の死を嘆き悲しむあいだも、ボストン社会の金持ちのぼんぼんとして目的もなく過ごした数年のあいだも、なんとなくそれを心のなかで温め続けていた。そして兄の死から二年たったあるとき、自分の信じがたい計画を、兄のウィリアムと未来の義兄でさらに裕福なロバート・ガーディナーに打ち明ける。姉の結婚の数カ月後、テューダーは日記にメモを取りはじめた。口絵として、昔から家族が夏の太陽の熱を避けるのに使っていたロックウッドの建物をスケッチし、「氷室日記」と題した。最初のメモはこうだ。「熱帯地方に氷を運ぶための計画など。ボストンにて、一八〇五年八月一日、ウィリアムと僕は今日、持てる資産をかき集めて、この冬、氷を西インド諸島に運ぶ事業を始めると決心した」[*2]

この日記はテューダーの人柄全般をよく表わしている。威勢がよく、自信に満ち、こっけいとも言えるほど野心的（兄のウィリアムのほうはどうやら、この計画の有望性をそれほど確信していなかったようだ）。計画に対するテューダーの自信の根拠は、ひとたび熱帯地方に届けられれば、氷には決定的な価値があることだった。彼は次の日記にこう書いている。「ほとんど耐えがたいほど暑い季節がある国では、日常生活に欠かせない水が生ぬるい状態でしか手に入らない場合がある。氷はほかのたいていのぜいたく品に勝ると認められるにちがいない」[*3]。氷の商売はテューダー兄弟に「もてあますほどの富」[*4]をもたらすはずだった。彼は氷を輸送することの難しさについて、あまり考えていなかったようだ。この時期の手紙のやりとりで、テューダーは自分の計画がうまくいく明らかな証拠として、アイスクリームがイギリスからトリニダードまで凍ったまま出荷されているという、また聞きの話――ほぼ確実にうそ――を書いている。いま「氷室日記」を読むと、強い信念の熱にすっかり浮かされて、疑念や反論に対して認知的ブラインドを閉めている若者の声が聞こえる。

フレデリックの考えがどれだけ勘ちがいだったにしても、彼には有利なことがひとつあった。大まかな計画を行動に移す手段があったことだ。船を借りるだけのお金と、毎年冬に母なる自然がつくる無尽蔵の氷があった。そこで一八〇五年一一月、テューダーは西インド諸島のマルティニーク島に兄といとこを先発隊として送り込み、数カ月後に届く氷の独占販売権の交渉をするように指示した。使者からの返事を待つあいだ、テューダーはフェイヴォリット号という二本マストの帆船を四七五〇ドルで買い、旅の準備として氷の採取を始める。二月、テューダーはボストン港から西インド諸島に向けて出航した。フェイヴォリット号にはロックウッドの氷が満載されている。テューダーの計画はあまりに大胆だったのでマスコミの注目を引いたが、その論調はいまひとつ盛り上がりに欠けた。「ただ事ではない」と《ボストン・ガゼット》紙は報道している。「八〇トンの氷を積んだ船が、この港からマルティニークに向けて出帆した。これが当てにならない投機だと判明しないことを願う」[*5]

《ガゼット》紙の冷笑はもっともだったということになるのだが、その理由は予想外のものだった。たび重なる天候による遅れにもかかわらず、氷はかなりいい状態のまま旅を乗り切った。問題はテューダーがまったく予期していないところにあった。マルティニークの住民は、彼が持ち込んだ外国の凍った贈り物に興味を示さなかったのだ。彼らには、それをどうすればいいのか見当もつかなかった。

現代では、日常的にさまざまな温度に触れることは当たり前とされている。朝に熱いコーヒーをいれ、一日の終わりにはデザートにアイスクリームを楽しむ。夏に暑くなる気候帯の人々は、エアコンの効いたオフィスとひどい蒸し暑さのあいだを行ったり来たりすることになる。冬が厳しい場所では、暖かく着込んでから意を決して凍てつく街に出て行き、家に帰るとサーモスタットの設定温度を上げる。しかし一八〇〇年に赤道付近で暮らしていた人間の圧倒的多数は、冷たいものを文字どおり一度も経験したことがなかった。当時のマルティニーク島民にとって、凍っている水という考えはｉｐｈｏｎｅと同じくらい非現実的だっただろう。

摩訶不思議な氷の特性はやがて、二〇世紀文学の最高傑作に数えられるガブリエル・ガルシア・マルケスの『百年の孤独』（鼓直訳、新潮社）の冒頭に登場している。「長い歳月が流れて銃殺体の前に立つはめになったとき、恐らくアウレリャノ・ブエンディア大佐は、父親のお供をして初めて氷というものを見た、あの遠い日の午後を思いだしたにちがいない」。ブエンディアは子ども時代に見た、さすらいのロマ民族によるさまざまな見世物のことを思い出す。どれも珍しい新手のテクノロジーを使っている。ロマ民族は磁石や望遠鏡や顕微鏡を披露したが、南アメリカの架空の町マコンドの住民は、そういう工学の成果より、ただの氷の塊に感動している。

しかし、誰も見たことのない斬新なものの場合、その有用性が理解されにくいこともある。これがテューダーの最初のまちがいだった。彼は氷の絶対的な目新しさは自分にとって有利なポイントだと思い込んでいた。氷の塊は、ほかのどんなぜいたく品にも「勝る」と想像していた。ところが、向けられるのはぽかんとした顔ばかりだったのだ。

氷の魔法の力に対する無関心のせいで、テューダーの兄のウィリアムは、積荷の独占的バイヤーを見つけられなかった。さらに悪いことに、ウィリアムは氷を保存するのに適した場所を確保できていなかった。テューダーははるばるマルティニークまでやって来たが、気づけば、需要のまったくない商品が熱帯の暑さに驚異的スピードで解けている。彼は氷を運んで保存する方法を具体的に説明するチラシを町中で配ったが、受け取る人はほとんどいない。なんとかアイスクリームをつくって、一部の地元民を感動させ、こんなに赤道に近い場所でこんなごちそうはつくれないと信じさせることはできた。しかしその旅は最終的に完璧な失敗だった。日記によると、その熱帯での不運による損失は四〇〇〇万ドル近いと推定されている。

希望のないマルティニークへの航海は、それから数年間繰り返されることになり、結果はさらに悲惨さを増していく。テューダーは何度も氷の船をカリブ海に送ったが、商品への需要増はわずかだった。そうこうするうちに家運が傾き、テューダー家はロックウッドの農場に引っ込んだが、そこではニューイングランドの大半の土地と同様、農業で成功する見込みは乏しい。氷の採取は一家の最後にして最大の望みだった。しかしその望みをボストン市民の大部分はあからさまにあざ笑い、難破や出港禁止命令が続いたせいで、次第にその嘲笑が妥当に思えるようになっていった。一八一二年、テューダーは債務者刑務所に収容された。数日後、彼は日記に次のように書いている。

九日月曜、いきなり逮捕され……債務者としてボストン刑務所に閉じ込められた。……自分の短い年譜で忘れられないこの日、私は二八歳六カ月と五日だ。避けようがなかったと思う出来事だが、七年にわたる逆境との不安な闘いのすえにようやく、状況が好転しそうなところなので、逃れられたらよかったと思うヤマ場だった――でも起こってしまったことであり、正直者の心を弱らせるのではなく強くするはずの天の嵐だと思って、対処しようと努力している。*6

氷、おがくず、空っぽの船

テューダーが始めたばかりの事業は、二つの根本的障害に悩まされていた。潜在顧客の大半が彼の商品の有益性を理解していないという意味で、需要に問題がある。そして保管の問題もある。商品のかなりの割合を熱で失っていて、とくに熱帯地方に到着したあとはひどい。しかしニューイングランドに拠点があったおかげで、彼には氷そのもの以上に決定的な強みがひとつあった。サトウキビ農園や綿畑の広がるアメリカ南部とちがって、北東部の州にはよそで売れる天然資源がほとんどない。ということは、船は空っぽのままボストン港を出発して西インド諸島に向かい、船体に貴重な貨物を詰め込んだあと、東部沿岸地域の裕福な市場にもどってくることになる。貨物を積んでいない船を航海させるのに乗組員の給料を払うのは、実質的にお金の無駄使いだ。どんな貨物でもないよりましであり、テューダーは本来空っぽのはずの船に氷を積み込むことで、自前の船を買って維持する必要をなくし、運送費を安くすることができた。

氷のいいところのひとつは、基本的にただで手に入ることだった。テューダーは凍った湖から氷の塊を切り出す労働者に賃金を払うだけでいい。ニューイングランドの経済は、もうひとつ同じくらい無用の産物を生んでいた。それは製材所から出る主要廃棄物のおがくずである。何年もさまざまな解決策を試したすえ、テューダーはおがくずが氷にとってすばらしい断熱材になることを知った。氷の塊をおがくずで仕切って重ねると、むきだしの氷の倍近く長くもつ。これはテューダーの節約の才だった。氷、おがくず、空《から》の船という、市場でほとんど値のつかない三つを使って事業を起こしたのだ。

マルティニークへの最初の悲惨な旅で、管理できる現地保管庫の必要性がはっきりした。氷を夏の暑さから隔離する特別な工夫のない建物に、急速に解ける商品を保存するのは危険すぎる。彼は貯氷庫の設計をあれこれ研究し、最終的に、二枚の石壁のあいだの空気を利用して内部を涼しくしておく二重殻構造に決めた。

テューダーは分子化学を理解していたわけではないが、おがくずも二重殻建築も中心にあるのは同じ原理だ。氷が解けるには、氷を結晶構造にしている水素原子の四面体結合を切断するために、周囲から熱を引き寄せる必要がある（周囲の大気から熱を引き出すことは、氷には驚くべき冷却能力があることと同じなのだ）。熱交換が起こりうる唯一の場所は氷の表面であり、だから大きな氷の塊は――内部の水素結合が外気温から完璧に隔離されているので――非常に長くもつ。金属などの熱を効率的に伝えるような物質で、氷を外の熱から守ろうとしても、水素結合はすぐに壊れて水になってしまう。しかし外の熱と氷のあいだに熱伝導の悪い緩衝をつくれば、氷ははるかに長く結晶の状態を保つ。空気は熱導体として、金属のおよそ二〇〇〇倍、ガラスの二〇倍以上、効率が悪い。貯氷庫のなかでは、テューダーの二重殻構造が夏の暑さを氷から遠ざけておく空気の緩衝をつくり、船内では、彼のおがくず包装が氷を断熱する無数の空気のポケットをつくっていた。発泡スチロールのような現代の断熱材も、同じ技術を利用している。ピクニックに持って行くクーラーボックスがスイカを冷たいまま保てるのは、気体の小さなポケットが散らばるポリスチレン鎖でできているからである。

一八一五年までに、テューダーはようやく氷のパズルの主要なピースを集めていた。採取、断熱、輸送、そして保管だ。相かわらず債権者に追いかけられながら、彼はハバナに建てた最新式の貯氷庫に定期的に氷を運ぶようになった。ハバナではアイスクリームへの需要が次第に成熟しつつあった。最初の予感から一五年後、テューダーの氷商売はついに利益を生む。一八二〇年代には、彼はニューイングランドの氷の詰まった貯氷庫をアメリカ南部のあちこちに所有していた。一八三〇年代には、彼の船はリオとボンベイまで航行していた（インド市場は最終的に彼にとっていちばんの稼ぎ頭になった）。一八六四年に亡くなるまでに、テューダーは現在のドルに換算して二億ドル以上の富を築いたのである。失敗に終わった最初の航海から三〇年後、テューダーは日記に次のように書いている。

三〇年前の今日、私はピアソン船長率いる帆船フェイヴォリット号で、ボストンからマルティニークに向けて航海した――初めて氷を船積みして。昨年、私は氷の貨物を三〇回出荷し、さらにほかの人たちも四〇回出荷した。……事業は確立されている。もう中断できないし、一代で終わるわけでもない。私がすぐに死のうと長く生きようと、人類は永久にその恩恵を受けるだろう。[*7]

冷たさの価値

氷を世界中に売るというテューダーの（かなり時間はかかったにしても）輝かしい成功が、いまの私たちに信じがたく思えるのは、氷の塊がボストンからボンベイまでの航海を乗り切ることが想像しがたいからだけではない。氷のビジネスにはさらに、哲学的とも言える興味深い点がある。天然財の貿易にはだいたい、高エネルギーの環境でよく成長する原料が関係する。サトウキビ、コーヒー、茶、綿など、一八世紀から一九世紀にかけての貿易主要商品はすべて、熱帯と亜熱帯の灼熱に依存していた。現在、タンカーやパイプラインで地球を巡っている化石燃料は、何億年も前に植物によってとらえられ、保存された太陽エネルギーである。一八〇〇年には、高エネルギーの環境でのみ育つものを収穫し、低エネルギーの気候帯に出荷することで、富を築くことができた。しかし氷の商売は――おそらく世界貿易史上一度限りのこととして――そのパターンを逆転させた。氷を価値あるものにしたのは、まさしくニューイングランドの冬の低エネルギー状態と、そのエネルギー欠如を長期にわたって保存できる氷の特異な能力である。換金作物を栽培できるので、耐えがたい暑さの熱帯地方の人口が膨れ上がり、それが今度は、その熱から逃れることを可能にする商品の市場を生み出したのだ。人間の交易の長い歴史のなかで、エネルギーはつねに価値と相関していた。熱が高ければ高いほど、太陽エネルギーが多ければ多いほど、たくさんのものを産出できる。しかしサトウキビや綿の農園で豊かな実りを生む熱に依存する世界では、冷たさも価値あるものになりえた。それを見抜いたところがテューダーの偉大さだったのだ。

一八四六年の冬、ヘンリー・ソローはフレデリック・テューダーの雇った氷切りたちが、馬に引かれた鋤《すき》のような道具でウォールデン池から氷の塊を切り出すのを見ていた。ブリューゲルの絵のような光景だっただろう。冬景色のなか、男たちが単純な道具を使って働いているさまは、どこかで猛進している産業化時代とは別世界だ。しかしソローは、彼らの労働がもっと広いネットワークにつながっていることを知っていた。そして世界規模の氷貿易の展開について、日記に軽快な空想を書いている。

つまり、うだるように暑いチャールストンやニューオーリンズ、あるいはマドラスやボンベイやコルカタの住民たちは、この泉で水を飲んでいるようなものだ。……ウォールデンの清らかな水が、ガンジス川の聖水と混ざり合う。ウォールデンの氷は順風に吹かれ、伝説のアトランティス島や幸福の島があった場所を軽やかに通りすぎ、カルタゴの航海者ハンノが行った海路を進み、テルナテ島とティドレ島、そしてペルシャ湾入り口のそばをただようときに、インド洋を吹く熱帯の強風に解けながら、アレクサンダー大王が名前を聞いたことしかなかった港で陸揚げされる。[*8]

そのグローバルネットワークの広がりはソローの思い描いていたもの以上だった。なにしろテューダーが確立した氷貿易には、凍った水のほかにもさまざまなことが関係している。テューダーが初めてマルティニークに出荷した氷を、人々はぽかんとした顔で見つめていたが、氷への依存はゆっくりだが確実に広がっていった。氷で冷やした飲みものは、

湖から切り出される氷の塊は、いったん水面に浮かべられてから、氷室につながる通路に引き上げられる。1950年

南部諸州の生活必需品になった（現在でも、アメリカ人はヨーロッパ人より氷を飲みものに入れて楽しむことがはるかに多く、これは遠い昔のテューダーの野心が遺《のこ》した習慣である）。一八五〇年までに、テューダーの成功をまねする人が続々と出てきて、ボストンの氷は年に一〇万トン以上も世界中に出荷されていた。一八六〇年には、ニューヨークの家庭の三軒に二軒が毎日氷を配達させていた。当時のある記事は、氷が日常生活の慣習にいかに深く結びつくようになったかを伝えている。

作業場で、植字室で、会計事務所で、工員が、植字工が、事務員が、毎日氷を仕入れるためにお金を出し合っている。人間の顔が明るく輝いているオフィスはどこも、水晶のように澄んだ相棒のおかげで冷えている。……車輪にとっての油と同じくらい役に立つ。おかげで人間の機能すべてが心地よく働き、商業の歯車が回り、事業のエンジンが活発に駆動する。*9

天然氷への依存があまりに強くなったため、新聞はおよそ一〇年ごとの異常な暖冬による「氷飢饉」についての憶測を騒ぎ立てた。一九〇六年にも、《ニューヨーク・タイムズ》紙はただならぬ大見出しをつけている。「氷価格、四〇セントまで上昇、飢饉迫る」。同紙はさらに歴史的な状況も説明している。「ニューヨークでこれほど氷が不足する見通しになるのは、一六年ぶりのことである。一八九〇年にかなり大きな問題になり、氷を求めて国中を探しまわらなくてはならない状況に陥った。しかしそれから氷の需要は大幅に増えており、飢饉は当時よりいまのほうがはるかに深刻な問題である」。一世紀とたたないうちに、氷は珍奇なものからぜいたく品へ、そして必需品へと進化していた。

氷によってできた街

氷による冷却はアメリカの地図を塗り替えたのだが、とくにシカゴの変容がどこよりも大きかった。シカゴが最初に爆発的成長をとげたのは、運河と鉄道がつながったことで、メキシコ湾と東海岸の都市群の両方と直結してからのことだ。自然の条件と世紀の大規模土木工事が相まって、シカゴが幸運にも交通の要衝となったおかげで、小麦は豊かな平原から北東の人口密集地に流れるようになった。しかし、肉を腐らせずに長い道のりを運ぶことはできない。シカゴでは一九世紀の半ばごろから、保存豚肉の大規模な取引が発展し、町はずれに建てられた初の家畜収容所で豚が解体処理され、商品が樽《たる》に詰められて東部に送られていた。しかし新鮮な牛肉は相かわらず、主として地元でしか提供できないごちそうだった。

しかし年を経るにつれ、北東部の貪欲《どんよく》な都市と中西部の畜牛の需給アンバランスが生まれた。一八四〇年代から五〇年代にかけて、移民でニューヨークやフィラデルフィアなど都会の人口が増加すると、地元で供給できる牛肉の量が成長する都市の需要急増に追いつかない。一方、大平原を征服したおかげで、牧場主は大規模な牛の群れを飼育することができるようになったが、それに見合うだけの牛肉を食べる人口基盤はない。生きた畜牛を列車で東部の州に出荷し、地元で解体処理することはできるが、牛を丸ごと運ぶのはコストがかかり、動物が途中で栄養失調になったり、けがをしたりすることも多い。ニューヨークやボストンに到着するまでに、半分近くが食べられなくなっていた。

最終的に、この難局を回避する方法をもたらしたのが氷だった。ドナルド・ミラーが一九世紀のシカゴ史について著した『世紀の都市（City of the Century）』によると、一八六八年に豚肉王のベンジャミン・ハッチンソンが建設した新しい加工包装工場の目玉は、「天然氷を詰め込んだ冷却室のおかげで一年中、豚肉を加工処理できることであり、これは業界の重要なイノベーションである」[*10]。それはシカゴだけでなく、アメリカ中部の自然景観全体をも変えることになる革命の始まりだった。一八七一年の大火のあと数年間に、ハッチンソンの冷却室から着想を得て、ほかの企業家たちも食肉加工業に氷で冷却する設備を組み入れた。冬に無蓋貨車で東部まで牛肉を輸送しはじめた者もいた。大気の温度を頼りにステーキ肉を冷やしておくのだ。一八七八年、グスタフス・フランクリン・スウィフトがエンジニアを雇って、一年中、東部の沿岸地域まで牛肉を運べるように一から設計した

ハーレムの歩道で氷の配達を見ている二人の子ども。
1936年

最新式の冷蔵車をつくり出した。氷を肉の上方に取りつけた箱に入れる。途中の停車場で、作業員は新しい氷の塊を上から交換できるので、下の肉を傷つけずにすむ。「この初歩的な物理学の応用こそが、昔ながらの牛肉加工処理業を地方の商売から国際的ビジネスに変容させた。なぜなら冷蔵車は自然に冷蔵船につながり、シカゴの牛肉は四大陸に運ばれるようになったからである」[*11]とミラーは書いている。その世界貿易の成功がアメリカの平原の自然景観を変え、その様子はいまなお目に見えている。広大なゆらめく草地が工業的な肥育場に取って代わり、ミラーの言葉を借りれば、そこで生み出された「都市と地方の「食料」システムは環境への強い影響力をもち、氷河期の氷河が最後の後退を始めて以来、最も大きくアメリカの風景を変えた」[*12]

一九世紀最後の二〇年に出現したシカゴの家畜収容所は、アメリカの小説家アプトン・シンクレアが書いているように、「一カ所に集められた労働と資本の集合体として最大級」[*13]だった。平均して一年に一億四〇〇〇万頭の動物が解体処理される。いろいろな意味で、昨今の「スローフード」唱道者からひどく軽蔑されている工業的食品コンビナートの始まりは、シカゴの家畜収容所と、ゾッとする肥育場や食肉処理場から延びた氷冷蔵輸送網である。シンクレアのような進歩主義者は、シカゴをダンテの地獄《インフエルノ》の産業化版として描いているが、現実には、家畜収容所で採用されていたテクノロジーの大半は、中世の精肉業者にもわかっただろう。一連の工程で最も高度なテクノロジーが冷蔵貨車だ。アメリカの作家セオドア・ドライサーが家畜収容所の流れ作業を「絶命、解体、そして冷蔵庫への直通傾斜路」[*14]と表現したのは正解だった。

シカゴについては、鉄道の発明とエリー運河の建設のおかげで成立したと一般的に言われている。しかしこの説明はすべてを語ってはいない。水の特異な化学特性なしには、シカゴの急成長は不可能だっただろう。その特性とは、ほんのわずかな人間の介入だけで冷たさを蓄え、ゆっくり放出する能力である。もしどういうわけか水の化学特性がちがっていたら、地球上の生命は根本的にちがうかたちになっていただろう（あるいは、そもそも進化しなかった可能性が高い）。そして水に凍るという特異な能力がなかったら、一九世紀のアメリカが描く軌跡もちがっていたことはほぼ確実である。冷却技術の強みがなくても、香辛料を地球の反対側まで送ることはできるが、牛肉を送ることはできない。氷が新たな食料ネットワークを可能にしたのだ。私たちはシカゴを「シティ・オブ・ブロードショルダー」（訳注：ゲルマン系の移民の町だったため肩幅《ブロードショルダー》の広い大柄な人が多い）、あるいは鉄道帝国や食肉処理場の町と考える。しかし、水素の四面体結合の上に築かれたというのも真実である。

人工の冷たさ

視野を広げて、氷貿易をテクノロジーの歴史に照らして見ると、テューダーのイノベーションには不可解で時代錯誤とさえ思える面がある。なんだかんだ言って、これは一九世紀半ばの話であり、石炭を動力源とした工場が稼働し、鉄道や電信線が多くの都市を結んでいた時代のことだ。それなのに最先端の冷却テクノロジーの基本はすべて、相もかわらず湖から氷の塊を切り出すことだった。人間は火の支配――おそらくホモ・サピエンスの初めてのイノベーション――から一万年以上にわたって、加熱するテクノロジーをいろいろと試してきた。しかし温度スペクトルの反対端のほうは一筋縄ではいかない。産業革命から一世紀たっても、人工の冷たさはまだ夢物語だったのだ。

しかし氷に対する商業ニーズ――熱帯地方からニューイングランドの氷王に流れる何千万ドルという利益――は、冷たさがもうけになるというメッセージを世界中に送り、当然のことながら一部の発明の才ある人たちが、論理的な次のステップとして人工の冷たさを模索しはじめる。テューダーの成功がきっかけで、同じように金目当ての起業家や発明家の新しい世代が、人為的冷却の革命を起こしたのだろうと、あなたは思うかもしれない。

しかし、私たちがいくら現代のテクノロジー世界の起業文化を称賛しようと、重要なイノベーションが民間部門の研究から生まれるとは限らない。新しいアイデアは、テューダーの場合のように「もてあますほどの富」を築く夢が動機で生まれるとは限らない。人間の発明という芸術をつかさどる女神はひとりではない。氷貿易は若者が莫大《ばくだい》な富を夢見たことから始まったが、人工の冷たさの物語は、もっと差し迫った人道的ニーズから始まっている。それは、患者を生かそうとする医師の話である。

物語の始まりは小さな虫だ。フロリダ州アパラチコラは、一万人が亜熱帯気候の沼地のそば――蚊が繁殖するのに最適な環境――で暮らす町である。一八四二年には、蚊が多いということは必然的にマラリアのリスクを意味した。地元の小さな病院でジョン・ゴリーという医師が、高熱に苦しむ大勢の患者をどうすることもできずにいた。

患者の熱を下げる方法を必死で探すゴリーは、病院の天井から氷の塊をつるしてみた。するとそれが効果的な解決策であることがわかった。氷塊が空気を冷やし、空気が患者を冷やしたのだ。熱が下がって病気を克服した患者もいた。しかし、亜熱帯気候が生む危険と闘うためにゴリーが考えた賢い試みは、結局、その環境の別の副産物によって台なしになってしまう。フロリダを蚊にとって非常に快適な気候にする亜熱帯の湿気は、別の脅威も生む。それはハリケーンだ。続けざまに船が難破したせいで、ニューイングランドから送られたテューダーの氷の入荷が遅れ、ゴリーのところにいつもどおりに届かなかった。[*15]

そこで若い医師は、病院のためにもっと根本的な解決策をじっくり考えはじめた。自分で氷をつくるのだ。ゴリーにとって幸いなことに、このアイデアを考えるのにたまたま完璧なタイミングだった。何千年ものあいだ、人間の文明にとって人工の冷たさをつくるという考えはほぼありえないことだった。私たちは農業や都市、水道や印刷機を発明したが、長年にわたって冷たさは可能な領域の境界線の外だった。それでも一九世紀半ばには、人工の冷たさもどうにか想像できるようになった。複雑性理論家のスチュアート・カウフマンの見事な表現どおり、冷たさはその時期に「隣接可能領域」に入り、扉をひとつ開けて踏み込めば実現可能なところまで来ていた。

この大躍進をどう説明しよう？ 誰よりも賢いひとりの天才が、すばらしい発明を引っ提げて登場したという話ではない。なぜなら、アイデアというものは根本的にほかのアイデアとのネットワークだからである。私たちはいまの時代の道具と具体例と概念と科学的認識を取り込み、それを練りなおして新しいものにする。しかしあなたがどんなに優秀でも、正しいパズルのピースがなければ突破口を開くことはできない。世界でいちばん頭のいい人でも、一七世紀半ばに冷蔵庫を発明することはできなかった。とにかく、その時代には隣接可能領域に入っていなかったのだ。しかし一八五〇年までにピースは集まっていた。

まず必要だったことは、現代の私たちにはこっけいにさえ思える。つまり、空気は物と物のあいだの空っぽの空間ではなく、実際に何かでできていることを突き止める必要があっ

ジョン・ゴリー医師

たのだ。一六〇〇年代、素人科学者が奇妙な現象を発見した。それは真空だ。文字どおり何もないように思えて、ふつうの空気とは異なるふるまいをする。たとえば炎は真空のなかで消える。真空包装は非常に強くて、両側から馬の群れで引っ張っても裂くことができない。一六五九年、イギリス人科学者のロバート・ボイルが、鳥を広口瓶のなかに入れて、真空ポンプで空気を吸い出した。ボイルが推測したとおり鳥は死んだが、おかしなことにさらに鳥は凍りついた。真空が命を消せるほどふつうの空気とちがうなら、ふつうの空気をつくる目に見えない物質があるにちがいないことになる。そして、気体の体積や圧力を変えると、その温度が変わる可能性があることもうかがえる。一八世紀に入ると、エンジニアたちは蒸気機関のために熱とエネルギーが正確にどう変換されるのかを解明する必要に迫られて、一連の熱力学という分野をつくり上げ、そのおかげで人々の知識は広がった。摂氏や華氏のような標準的尺度とともに、熱と重さを正確に測定する道具が開発された。科学とイノベーションの歴史ではよくあることだが、何かを測定する精度が飛躍的に高まるとき、新たな可能性が出現する。

このようなパズルのピースすべてが、気体の分子のようにゴリーの頭のなかをグルグル回り、互いに跳ね返し合いながら、新しく結びついた。彼は空き時間に冷却装置をつくりはじめた。ポンプのエネルギーを利用して空気を圧縮する。圧縮が空気を暖める。そのあと装置は圧縮された空気を、水で冷やしたパイプに流すことによって冷却する。空気が膨張すると周囲から熱を奪い、水素の四面体結合がほどけて水になるときと同じように、その熱抽出が周囲の空気を冷やす。この仕組みは氷をつくるのにも使える。

ゴリーの装置は驚くほどうまく機能した。はるばる二〇〇〇キロ近くも船で運ばれる氷に頼ることなく、ゴリーは自家製の冷気で患者の熱を下げたのだ。彼は特許を申請し、未来を正しく予測してこう書いている。人工の冷たさは「もっと人類の役に立つ可能性がある。……果物、野菜、肉を輸送中に私の冷却システムで保存すれば、誰もがおいしく味わえるようになる！」[*16]

しかし、ゴリーは発明家として成功したにもかかわらず、実業家としては行き詰まった。テューダーの成功のおかげで、嵐による取引の混乱がない限り、天然氷は豊富で安い。さらに良くないことに、テューダーがゴリーの発明を中傷するキャンペーンを打って、彼の装置でつくられた氷には細菌が入っていると主張した。既存の有力産業が、はるかに強い新たなテクノロジーを軽んじる典型的な例である。初めてグラフィカル・インターフェースを搭載したコンピューターが、ライバル会社によって「本格的なビジネス用マシン」ではない「オモチャ」だと一笑に付されたのと同じだ。ジョン・ゴリーは装置を一台も売ることなく、無一文で亡くなっている。

しかし人工の冷たさという考えがゴリーとともに死ぬことはなかった。何千年ものあいだ無策だったのに、突然、少しずつちがう人工冷却の特許が世界のあちこちで出願された。

急にそのアイデアがいたるところで出てきたのは、人々がゴリーのアイデアを盗んだからではなく、それぞれ独自に同じ基本構造を思いついたからである。概念の構成要素がようやくそろったおかげで、人工的に冷たさをつくるという考えが突如「飛び立った」のだ。

地球上に波紋のように広がったこの人工冷却の特許は、イノベーションの歴史のなかでもとりわけ興味深いものの事例であり、現代の学者は「多重発明」と呼ぶ。発明や科学的発見はまとまって生じる傾向がある。地理的に散らばっている数人の研究者が、たまたま独自にまったく同じことを発見するのだ。ひとりの天才がほかの誰も夢にも思わないアイデアを考えつくというのは、じつは例外であって通例ではない。たいていの発見は、歴史上のここぞという瞬間に想像がつくものになり、そのあと複数の人々が想像しはじめる。電池、電報、蒸気機関、デジタル音楽ライブラリー、すべて二～三年のあいだに複数の個人が独自に発明している。一九二〇年代初期、コロンビア大学の二人の学者が「発明は不可避なのか?」という優れた論文で、発明の歴史を調査した。そして同時発明を一四八例突き止めており、そのほとんどが一〇年以内に起こっている。それ以降、同様の例は何百件と見つかっている。

冷却も同じだ。熱力学の知識と空気の基本化学に、氷貿易で築かれつつあった経済的な富が相まって、人為的に冷たくする発明の機が熟したのである。この同時発明家のひとりがフランス人エンジニアのフェルディナン・カレーで、ゴリーのものと同じ基本原理にしたがった冷却装置を独自に設計した。彼はパリで冷却装置の試作品をつくったが、そのアイデアが最終的に成功した要因は、大西洋の向こうで展開していた出来事にあった。それはアメリカ南部で起こった別の種類の氷飢饉である。一八六一年の南北戦争勃発後、北軍は南部連合の経済活動を不能にするために、南部の州を封鎖した。北軍の海軍は、メキシコ湾流を激しく波立たせる嵐よりもっと効果的に、氷の流通を止めたのだ。うだるように暑い南部の州は、経済的にも文化的にも氷の取引に依存していたため、いきなり人工の冷たさがどうしても必要になった。

戦争が激しくなると、密輸品の貨物が夜間に封鎖をすり抜け、大西洋やメキシコ湾の海岸に陸揚げされることもあった。密輸業者が運んでいたのは、火薬や武器だけではない。もっとはるかに珍しい商品も運んでいた。カレーの設計にもとづいた製氷機である。この新しい装置は冷媒としてアンモニアを使用し、一時間に一八〇キロの氷をつくることができる。カレーの装置ははるばるフランスからジョージアやルイジアナやテキサスまで密輸されたのだ。そしてイノベーターたちのネットワークがカレーの装置に手を加え、その効率を上げた。さらに商業用製氷工場もいくつか開設され、産業化の表舞台にデビューを果たした。一八七〇年までに、南部諸州は世界中のどこよりもたくさん人工の氷をつくっていた。[*17]

南北戦争以降の数十年で人工冷却は爆発的に広まり、天然氷貿易はゆっくり衰退していき、最終的に廃れた。取引金額という意味でも、装置の純然たる大きさという意味でも、冷却は巨大産業になった。蒸気動力のばかでかい機械は重さが何百トンもあり、常時大勢のエンジニアによってメンテナンスが行なわれる。二〇世紀が始まったとき、ニューヨークのトライベッカ地区は——現在、世界で最も家賃の高いロフトアパートがある場所だが——基本的に巨大な冷蔵庫になっていて、いくつもの区画がのきなみ、近くのワシントン食品市場からたえまなく流れてくる農産物を冷やすために設計された、窓のない建物だった。

一九世紀の冷たさについての話はほぼすべて、より大きく、より大胆にすることだった。しかし人工的な冷たさの次の革命は正反対の方向に進み、小さくなろうとしていた。トライベッカの冷蔵庫はほどなく、アメリカのあらゆるキッチンに収まるほど縮小することになる。しかし人工的な冷たさのその省スペース化が、皮肉にも最終的には、宇宙からも見えるほど大きな変化を人間社会に引き起こすことになる。

イヌイットの瞬間冷凍

一九一六年の冬、博物学者でもある変わり者の企業家が、妻子をカナダのラブラドール地方にある人里離れたツンドラに呼び寄せた。彼はそこで数回の冬をひとりで過ごし、キツネを飼育する毛皮会社を立ち上げ、ときどき動物と報告書をアメリカの生物学調査局に送っていた。息子の誕生から五週間後、妻と子どもが合流した。ラブラドールは、控えめに言っても新生児に最適な環境ではない。気候は過酷で、気温はふつうに氷点下三五度まで下がり、しかもその地域には近代的な医療施設がまったくない。食料も残念なところが多い。ラブラドールの寒冷な気候では、冬に食べるものはすべて凍っているか保存食のどちらかになる。魚以外、新鮮な食料は手に入らない。典型的な食事は地元民が「ブルーイス」と呼ぶもので、塩漬けタラと岩のように固いパンを煮込んで、小さい塩漬けの豚の脂を揚げた「スクランチオン」が添えられている。凍った肉や青果は解凍されるとドロドロになって味がしない。[*18]

しかしその博物学者は食の冒険家であり、さまざまな文化の料理に魅せられていた（ガラガラヘビからスカンクまで、あらゆるものを食べたことを日記に記録している）。そんなわけで、彼は地元のイヌイットとともに穴釣りに出かけた。凍った湖に穴を開けて、マスを釣ろうと糸をたれる。氷点を大幅に下回る気温では、湖から引き上げられた魚がものの数秒でコチコチに凍ってしまう。

若き博物学者はラブラドールで家族とともに食事をしながら、偶然、すばらしい科学実験に巡りあった。穴釣りで凍ったマスを解凍したところ、ふだん食べるものより格段に新鮮な味わいだと気づいたのだ。その差があまりに大きかったため、凍ったマスがなぜそれほどうまく風味を保っているのかを解明することに夢中になった。そうしてこの博物学者クラレンス・バーズアイが始めた研究のおかげで、最終的に彼の名が世界中のスーパーマーケットで売られている冷凍の豆や魚フライのパッケージに記されることになった。

当初バーズアイは、マスが新鮮さを保っているのは、単純に取れたてだったからだと考えたが、現象を研究すればするほど、ほかの要因が作用していると考えるようになった。第一に、穴釣りのマスはほかの冷凍魚とちがって、風味が何カ月も保たれる。彼は凍った野菜で実験を始め、真冬に凍結した青果のほうが晩秋や早春に凍結したものより、味がいいことを発見する。さらに食品を顕微鏡で分析し、凍結の過程で形成される氷の結晶が驚くほどちがうことに気づいた。風味を失っている凍結産物の結晶のほうがかなり大きくて、それが食品そのものの分子構造を壊しているように見えた。

やがてバーズアイは、味の劇的なちがいに関する筋の通った説明を思いついた。すべてが凍結プロセスのスピードの問題なのだ。ゆっくり凍らせると、氷の水素結合が大きな結晶をつくる。しかし数秒で起こる凍結――いまで言う「瞬間冷凍」――によってできる結晶はずっと小さくて、食品そのものに与える損傷が少ない。イヌイットの漁師はそのことを結晶や分子の観点から考えたことはなかったが、何世紀も前から、生きた魚を自然に極寒の空気へと引き上げることによって、瞬間冷凍の恩恵を味わっていたのだ。

実験を続けるうちに、あるアイデアがバーズアイの頭のなかでかたちになりはじめた。

A gift in a million...for a wife in a million!

8-cu-ft model (NH-8), illustrated. Also available in 10-cu-ft size. Features include special butter conditioner in door . . . ample bottle space with room for tall bottles . . . sliding shelves . . . two deep drawers for fruits and vegetables (can be stacked to make extra room for bulky items). Freezer compartment has 3 ice trays and covered dessert pan.

General Electric 1949 Two-door Refrigerator-Home Freezer Combination

This year—if you want to make your wife the happiest woman in the world—let your major present be a new General Electric Refrigerator-Home Freezer Combination.

You might not appreciate all that it means to have this most advanced refrigerator.

But you can be sure your wife will! She'll know you're giving your family years and years of better living—greater kitchen convenience—tastier foods on the table—and new economies in buying and keeping foods.

She'll fall in love with that big, separate home freezer compartment, with its own separate door. For it freezes foods and ice cubes quickly . . . maintains zero temperature at all times! The 10-cubic-foot model holds up to 70 pounds of frozen foods.

And she'll thrill over the moisture-conditioned refrigerator compartment that gives as much refrigerated fresh-food storage space as in ordinary 8- and 9-cubic-foot refrigerators!

It never needs defrosting . . . no need to cover dishes.

And she'll know, of course, that the General Electric trademark means utmost dependability . . . dependability based on an unexcelled record for year-in, year-out performance.

We can't begin to tell you here the story of this most wonderful of gifts for the home.

So why not do this: Take your wife to the nearest General Electric retailer. Let him give you a demonstration of the General Electric Refrigerator-Home Freezer Combination.

Then—later on—when your wife gets through talking about how much she'd like one of those great refrigerators, just say quietly: "I'm giving you one for Christmas, darling!"

General Electric Company, Bridgeport 2, Connecticut.

More than 1,700,000 General Electric Refrigerators in service ten years or longer.

GENERAL ELECTRIC

ゼネラル・エレクトリック社の冷凍冷蔵庫の広告。1949年

人工冷却がますます一般的になっているので、品質の問題を解決できるとすれば、冷凍食品の市場は巨大なものになるだろう。先人のテューダーと同じように、バーズアイも冷たさに関する実験のメモを取りはじめた。そしてテューダーと同様、アイデアは一〇年間、彼の頭から消えず、そのあと商業的に実現可能なものに変わった。それは突然の瞬間的なひらめきではなく、もっとはるかにゆったりしたもので、アイデアが時間をかけて少しずつかたちになっていく。私はそれを「スローな予感」と呼びたい。「瞬間的ひらめき」の反対で、数秒ではなく数十年のうちに、はっきりしてくるアイデアだったのである。

バーズアイにとって最初のきっかけは、まさに新鮮さの極みと言える、凍った湖から引き上げたマスだった。しかし次のきっかけは正反対で、腐りかけのタラを満載した商業用漁船だった。ラブラドールでの冒険のあと、バーズアイはニューヨークの本来の自宅にもどり、漁業組合に就職したが、そこで商業漁業にありがちなゾッとする状況を直接目の当たりにする。「鮮魚の流通における非効率と不衛生に胸が悪くなった」[*19]と、のちにバーズアイは書いている。「そのため、傷みやすい食品が食べられなくなる無駄を生産時点でなくし、コンパクトで便利な容器に包装し、本来の新鮮さそのままに家庭の主婦に届ける手法の開発に取りかかった」

二〇世紀の最初の数十年、冷凍食品は食品事業の底辺と考えられていた。冷凍の魚や農産物を買うことはできたが、食べられたものではないと一般に思われていたのだ(実際、

クラレンス・バーズアイ、カナダのラブラドールにて。
1912年

冷凍食品はあまりにひどいので、ニューヨーク州刑務所では囚人の食事基準を満たさないとして禁止されていた）。主要な問題のひとつは、食品が冷凍される温度があまり低くないこと、だいたい氷点下二〜三度だったことだ。しかしそれまでの数十年で科学が進歩し、ラブラドール並みの温度を人工的につくることができるようになっていた。一九二〇年代初めまでにバーズアイは、魚を入れた段ボール箱を積み重ねて氷点下四〇度で凍らせる、瞬間冷凍のプロセスを開発。そしてヘンリー・フォードのT型車工場の新しい工業生産モデルにヒントを得て、「ダブルベルト冷凍装置」を考案した。より効率的な生産ラインで冷凍処理を行なうのである。彼はこの新たな生産技術を利用して、ゼネラル・シーフードという会社を立ち上げた。そして、この手法で冷凍されたものは、果物でも肉でも野菜でも、ほぼすべて、解凍後驚くほど新鮮であることがわかった。

冷凍食品がアメリカ人の食事の必需品になるのは、まだ一〇年以上先のことだった（最低限の数の冷凍庫が——スーパーおよび家庭のキッチンに——必要だったが、それが十分に出回るようになったのは戦後である）。しかしバーズアイの実験はとても有望だったので、一九二九年、ウォール街の株価大暴落のわずか数カ月前、ゼネラル・シーフードはポスタム・シリアル社に買収され、ほどなくゼネラルフーヅに改名された。穴釣りでの意外な体験のおかげで、バーズアイは億万長者になったのだ。彼の名前はいまなお冷凍魚フライの包装に印刷されている。

さまざまなかき混ぜ速度と気流速度が食品に与える影響を判断するために、刻んだニンジンで実験をしているクラレンス・バーズアイ

バーズアイの画期的な冷凍食品はスローな予感として具体化したが、いくつかのまったく異なる地理的空間と知的理解がぶつかり合って生まれたようなものでもあった。瞬間冷凍食品の世界を思い描くには、バーズアイは厳寒の北極の気候帯で家族を養うという難題を経験する必要があった。イヌイットの漁師とともに過ごす必要があり、ニューヨーク港でタラ漁のトロール漁船の不潔な容器を検査する必要があり、氷点を大きく下回るまで温度を下げる方法についての科学的知識を必要とし、生産ラインを組み立てる方法についての工業的知識を必要とした。あらゆる重大なアイデアと同様、バーズアイの大発明もひとつの見識ではなく、さまざまなアイデアのネットワークであり、それが新たなかたちにまとまったのだ。バーズアイのアイデアがなぜそんなに強力だったかというと、たんに彼個人に天賦の才があったからではなく、彼が多様な場所と分野の専門知識を結集したからである。

現代では地元で採れた素材を職人技で調理する食が喜ばれるようになり、バーズアイの発見から十数年後に誕生した冷凍のいわゆる「テレビディナー」(訳注：メインディッシュとつけ合わせなどが区分けされた一枚のトレイに盛りつけられて、手軽に用意して食べられる冷凍食品)は人気を失っている。しかし当初、冷凍食品は健康にプラスの効果をおよぼし、アメリカ人の食事の栄養価を高めた。瞬間冷凍食品は食品ネットワークの広がりを時間的にも空間的にも広げている。夏に収穫された農産物を数カ月後に食べられるし、北大西洋

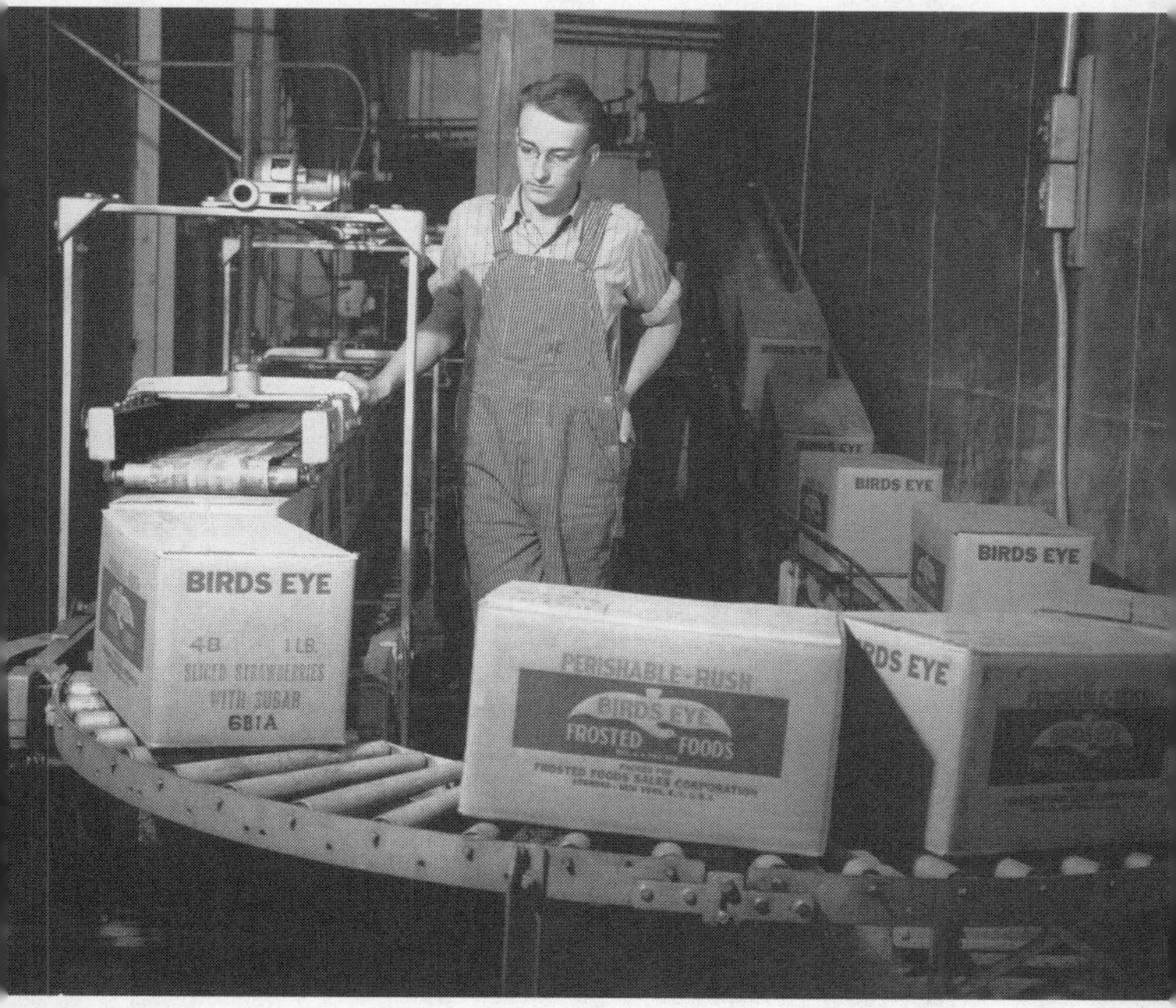

オーバーオールに身を包み、ベルトコンベアーを流れるバーズアイの冷凍食品の箱を検査する作業員。1922～50年ごろの日付のない写真

でつかまえた魚をデンバーやダラスで食べられる。一月に冷凍豆を食べるほうが、生のものを食べるために五カ月待つより、よほどましだったのだ。

エアコンの誕生と人口移動

一九五〇年代までに、アメリカ人のライフスタイルには人工の冷たさが深く浸透していた。地元のスーパーで冷房の効いた通路を行き来して冷凍ディナーを買い、最新の製氷技術を取り入れた新型冷蔵庫の冷凍室に詰め込む。そんな光景の裏側で、冷たさを扱う経済全体が、バーズアイの冷凍豆(およびたくさんのコピー商品)を全国に輸送する膨大な数の冷蔵トラックに支えられていた。

そんな一九五〇年代のアメリカの象徴的な家庭にあった最新の冷却装置は、夕食のための魚フライを保存したり、マティーニのための氷をつくったりするものではなかった。家全体を冷やして(さらに除湿して)いたのだ。「空気を処理する装置」を初めて思い描いたのは、ウィリス・キャリアという若いエンジニアで、一九〇二年のことだ。キャリアの発明物語は、偶然の発見の年譜のなかでも典型と言える。二五歳のエンジニアだったキャリアは、ブルックリンの印刷会社に雇われて、湿気の多い夏にインクがにじまないようにする策を考案した。キャリアの発明は印刷室から湿気を取りのぞいただけでなく、空気を冷

サケット・アンド・ウィルヘルムズ印刷会社のエアコンシステム

やす効果もあった。突然みんなが印刷機の隣で昼食をとりたがるようになったことに気づいたキャリアは、屋内空間の湿度と温度を調整することを目的とする仕掛けの設計に取りかかる。二、三年後、キャリアはその技術の産業用途に重点を置く会社を設立した。その会社はいまだに世界最大級のエアコンメーカーである。しかし、エアコンは一般大衆にも広まるべきだと、キャリアは確信していた。

彼にとって初めての大きな挑戦は、一九二五年、メモリアルデーの週末のことだった。[*20] キャリアは実験的なエアコンシステムを、パラマウント・ピクチャーズがマンハッタンに建てた新しい旗艦映画館で披露したのだ。長年、劇場は夏に訪れるには不快な場所だった（実際に一九世紀には、マンハッタンの多くの芝居小屋が氷による冷房を試したが、予想どおり、じめじめする結果に終わっていた）。エアコンが誕生する前、夏の超大作映画という考え自体が非常識に思われていた。暑い日にいちばん行きたくない場所は、汗だくの人たちでいっぱいの部屋である。そこでキャリアは、映画館の集中冷房装置に投資することで稼げると、パラマウントの伝説的社長、アドルフ・ズーカーを説得したのだ。

メモリアルデーの週末の試運転にはズーカー自身が姿を見せ、目立たないようバルコニー席にすわった。キャリアと彼のチームはエアコンを組み立てて始動させるのに、いくつか技術的な問題に遭遇し、映画が始まるまで、室内はせわしなくあおがれる扇子でいっぱいだった。キャリアはのちにその光景を回想録で振り返っている。

1920年代のアーヴィン・シアター

暑い日に、早々と満員になった劇場の温度を下げるのには時間がかかり、大入りの観客にとってはさらに長い時間だった。しかしエアコンシステムの効果がはっきりしてくると、ほとんど気づかれないくらい徐々に、扇子は膝の上に置かれていった。習慣的にあおぐ人が二、三人ばかりいたが、その人たちもやがてあおぐのをやめた。……私たちはロビーに行き、ズーカー氏が下りてくるのを待った。彼は私たちを見ると、意見を聞かれるのを待たずに、簡潔に言った。「ああ、みんな気に入るだろう」[*21]

一九二五年から五〇年まで、ほとんどのアメリカ人がエアコンを体験する場所は、映画館、デパート、ホテル、オフィスビルのような大規模な商業スペースだけだった。キャリアにはエアコンが家庭用に向かっていることはわかっていたが、中流家庭に設置するには機械がとにかく大きすぎたし高価すぎた。キャリアの会社は一九三九年の万国博覧会の出し物「明日のイグルー」で、この未来をちらりと見せている。五層に盛りつけたバニラアイスのように見えるおかしな構造物のなかで、キャリアはロケットガールズ（訳注：アメリカの有名なダンスカンパニー「ザ・ロケッツ」の団員）風の「スノー・バニー」の一団を引き連れて、家庭用エアコンのすばらしさを紹介した。

しかし家庭を涼しくするというキャリアの未来像は、第二次世界大戦勃発によって先延

「明日のイグルー」。セントルイスの万国博覧会で、エアコンをデモンストレーションするウィリス・H・キャリア博士。イグルーの展示のなかで温度計を持っている。温度調節されているイグルーの内部は安定して20度に保たれている

ばしにされた。一九四〇年代末になってようやく、五〇年近い実験の成果として、窓に取りつける可搬型が初めて市場に登場し、エアコンはついに家庭へと向かった。それから五〇年とたたないうちに、アメリカでは年に一〇〇〇万台以上が設置されていた。二〇世紀のダウンサイジングについて考えるとき、私たちの心は自然とトランジスターやマイクロチップに引かれるが、エアコンの小型化もイノベーション史に記録するに値する。かつて平台トラックより大きかった装置が、窓に取りつけられるサイズまで小さくなったのだ。

その小型化を引き金に、たちまち一連の驚異的な出来事が起こることになる。それはいろいろな意味で、アメリカにおける開拓のパターンに自動車が与えた影響にも匹敵する。フレデリック・テューダーが若いときに暑い夏をじっと耐えた都市を含めて、耐えがたいほど暑くて湿度の高い場所が、突如、大部分の一般市民にとって耐えられるようになった。一九六四年までに、南北戦争後の時代の特徴だった南から北への人の流れが逆転する。南部のサウスカロライナ州からカリフォルニア州にいたるサンベルト地帯が、寒い州からの新たな移住者で膨らんだ。彼らは家庭用エアコンのおかげで、熱帯の湿気や炎暑の砂漠の気候に耐えられるようになったのだ。ツーソンの人口はわずか一〇年で四・五万人から二一万人に急増し、ヒューストンは同じ一〇年で六万人から九四万人に膨れ上がった。一九二〇年代、ウィリス・キャリアがアドルフ・ズーカーにリヴォリ・シアターで初めてエアコンのデモンストレーションをしていたころ、フロリダの人口は一〇〇万人に満たなかっ

冷気を床面の高さで拡散させる、キャリア社の新しい700ドルの6部屋対応セントラルエアコン装置の実験室試験。冷気を目に見えるようにするための煙が、この居間では床から90センチの高さまで上昇。1945年

た。半世紀後、この州の人口はアメリカ全土で四本の指に入ろうとしていて、一〇〇〇万人が蒸し暑い夏をエアコンの効いた家でしのいでいた。キャリアの発明は酸素と水の分子を動かしただけではない。最終的に人も動かしたのだ。

人口統計上の大きな変化は必ず政治に影響を与える。サンベルトへの移住は、アメリカの政治地図を塗り替えた。それまで民主党の地盤だった南部に、政治に関しては保守的な退職者がどっと流入したのだ。歴史学者のネルソン・W・ポルスビーが著書『議会の進化(How Congress Evolves)』に示しているように、エアコン後の時代に南下した北部の共和党員は、公民権運動への反対を弱めただけでなく、「ディキシークラット」(訳注：州権尊重や人種分離主義を主張する南部の白人を中心とする民主党離反派)の基盤をも揺るがした。このことが議会では、自由主義改革の波を引き起こすという逆説的な効果を上げる。なぜなら、民主党議員が南部の保守主義者と北部の進歩主義者に分裂することがなくなったからだ。しかしエアコンが最も重大な影響をおよぼしたのは、ほぼまちがいなく大統領選である。フロリダ、テキサス、そして南カリフォルニアの人口急増は、選挙人団をサンベルト地帯に移すことになり、一九四〇年から八〇年までのあいだに、温暖な気候の州の選挙人が二九人増えたのに対し、北東部とミシガン州からペンシルベニア州にかけてのラストベルト地帯の寒冷な州では三一人減っている。[*22] 二〇世紀前半、サンベルトの諸州から出た大統領・副大統領はたった二人だった。しかし一九五二年以降、二〇〇八年にバラク・オバマとジョー・バイデンが連続記録を途切れさせるまで、勝利した正副大統領候補チームすべてにサンベルトの候補者が入っていた。

これはロングズームで見た歴史である。ウィリス・キャリアがブルックリンでインクのにじみを防ぐ策について考えはじめてからほぼ一世紀後、空気と湿気の小さな分子を操る能力は、アメリカの政治地図を一変させるのに一役買った。しかしアメリカにおけるサンベルト地帯の台頭は、いま地球規模で起こっていることのリハーサルにすぎなかった。世界中で急成長している大都市のほとんどは熱帯気候帯にある。チェンナイ、バンコク、マニラ、ジャカルタ、カラチ、ラゴス、ドバイ、リオデジャネイロ。人口統計学者は、このような暑い都市の人口は二〇二五年までに一〇億人以上増えると予想している。言うまでもないことだが、このような新たな移住者の多くは、少なくともいまのところ、自宅にエアコンを持っていないし、これらの都市が、とくに砂漠気候にある場合、長期的に持続できるかどうかは議論の余地がある。しかし、オフィスビルや店舗や裕福な家庭で温度と湿度を調整できるおかげで、これらの都市の中心地は経済基盤を誘致することができ、その結果としていきなり大都市の地位を得ることができたのだ。二〇世紀後半までは、ロンドン、パリ、ニューヨーク、東京といった世界最大級の都市が、ほぼ例外なく温暖な気候帯にあったことは偶然ではない。私たちがいま目にしている人口移動は、おそらく人類史上最大規模であり、初めて家庭電化製品によって引き起こされたものだ。

冷却革命

冷却革命を先導した夢想家と発明家に「ピンときた瞬間」はなく、彼らの優れたアイデアがたちどころに世界を変えることはほとんどなかった。彼らには予感があったが、その予感を何年、あるいは何十年も辛抱強く温めておいて、最終的に必要なピースが集まったのだ。これらのイノベーションのなかには、現代の私たちには平凡に思えるものもある。何十年にもわたって大勢が注いできた発明の才はすべて、テレビディナーを無事に運ぶためだけのものだったのか？　いや、テューダーとバーズアイが出現させた冷凍の世界は、世の中に魚フライを増やしただけではない。人間の精子、卵子、そして受精卵の瞬間冷凍と凍結保存によって、世界に人も増やしている。人工冷却のテクノロジーのおかげで存在する人間が、世界中に何百万といる[*23]。現在、卵母細胞凍結保存の新技術のおかげで、女性たちは若いときの健康な卵子を保存することができ、多くの場合、妊娠能力を四〇代、五〇代まで維持できる。妊娠のために精子バンクを利用するレズビアンのカップルやシングルマザーから、二〇年働いたあと子づくりについて考える女性まで、現代人に与えられている新たな子づくり方法の自由はおおむね、瞬間冷凍の発明がなければ不可能だっただろう。

新しい時代を開いたアイデアについて考えるとき、私たちは最初の発明のスケールにしばられがちだ。人工的に冷たさを生み出す方法がわかったら、それは部屋がもっと涼しくなるとか、暑い夜にもっとよく眠れるとか、ソーダ用の角氷が安定して供給されるとか、それだけのことだと思い込む。そこまでは理解しやすい。しかし冷たさの話をただそういうふうに語ると、その壮大さをとらえそこなう。フレデリック・テューダーが氷をサヴァナまで運ぶことについて考えはじめてからわずか二世紀後、私たちが冷たさを操れるようになったおかげで、地球全体の定住パターンが再編され、大勢の新生児が生まれている。氷は一見ささいな進歩のように見える。ぜいたく品であって必需品ではなかった。しかしロングズームで見ると、この二世紀にわたる氷の影響は驚異的だ。大平原の景観が変わり、胚の凍結保存によって新たな命とライフスタイルが生まれ、さらには砂漠のなかに広大な都市が栄えている。

第3章
音

Sound

Paleolithic	ネアンデルタール人が洞窟内の音響学的効果を利用？
around 1500	音波の発見
1857	音を記録する機械「フォノートグラフ（音の自動筆記）」ができる
1872	ベルが音をとらえ、伝える手法を発見
1877	エジソンが蓄音機を発明
1910	無線装置で史上初めて人間の声を船から海岸に送信することに成功 初の公共ラジオ生放送
around 1920	真空管の発明
1920s	拡声器ができる

nd

- early 1920s　ラジオが家庭で聴けるようになる
- late 1920s　ラジオによってジャズがアメリカ全土に広がる
- 1920s〜30s　ヒトラーが真空管アンプとマイクを使って演説
- early 1950s　真空管アンプを使うギタリストが魅力的な音の「ひずみ」に気づきはじめる
- 1956　北米とヨーロッパの間で初めて大西洋横断電話線が敷かれる
- 1960s　ビートルズが真空管アンプとマイクを使ってライブを行う
- late 1960s　ジミ・ヘンドリクスが新しいサウンドをつくる
- NOW　ソナーによる海洋探査、超音波による妊婦健診

Sou

古代洞窟の歌

およそ一〇〇万年前、現在のパリを囲む盆地から海が後退し、かつて活発なサンゴ礁だった環状の石灰石堆積を残した。その石灰石塊をブルゴーニュのキュール川が長年かけてゆっくり浸食し、そこにできた網の目のような洞窟とトンネルがやがて、雨水と二酸化炭素によって形成された鍾乳石と石筍《せきじゅん》で飾られた。考古学者による調査結果は、ここの洞窟群をネアンデルタール人と初期現生人類が何万年にもわたって、雨風をしのぎ儀式を行なう場所として使っていたことを示している。一九九〇年代初頭、アルシー゠シュル゠キュール洞窟群の壁に大量の古代絵画が発見された。野牛、毛で覆われたマンモス、鳥、魚の絵が一〇〇点以上あり、とくに印象深いものとして子どもの手形も見つかっている。放射年代測定により、それらの絵画は三万年前のものと断定された。これより古いとされているのは、フランス南部のショーヴェ洞窟の壁画だけである。

洞窟壁画は世界を絵で表わしたいという原始的衝動の証として、引き合いに出されるのが慣例だ。映画が発明されるはるか前、私たちの祖先は火の明かりに照らされた洞窟に集まって、揺らめく壁画を見つめていたのだろう。しかし近年、ブルゴーニュの洞窟群が原始時代にどう使われていたかについて、新たな説が出現している。その説が注目している

フランスのアルシー＝シュル＝キュール洞窟の発見。
1991年9月

のは、地下道の絵ではなく音である。

アルシー=シュル=キュールの壁画が発見された二、三年後、イゴール・レズニコフというパリ大学の音楽民族誌学者が、その洞窟をコウモリのようなやり方で研究しはじめた。洞窟地帯のさまざまな場所で生まれる反響や残響に耳を傾けたのだ。かなり前から、ネアンデルタール人の絵は洞窟内の特定の部分に集まっていて、とくに凝った緻密な絵は一キロ以上も奥まったところに描かれていることは明らかになっていた。そしてレズニコフは、壁画が一貫して洞窟の音響学的に興味深い部分に配置されていることを突き止めた。反響音が最も強い部分なのだ。アルシー=シュル=キュール洞窟群の突き当たりに描かれた旧石器時代の動物の壁画の下に立って大きな声で叫ぶと、自分の声のこだまが七つ別々に聞こえる。声帯の振動が止まったあと、その反響音が消えるまで五秒ほどかかる。音響学的に言うと、その効果は一九六〇年代にフィル・スペクターが、ザ・ロネッツやアイク&ティナ・ターナーなどのアーティストのためにプロデュースしたレコードに使った、いわゆる「ウォール・オブ・サウンド（音の壁）」テクニックとよく似ている。スペクターのやり方では、録音されたサウンドがスピーカーとマイクだらけの地下室の隅々を巡ることで、重厚な人為的反響音がつくり出されている。アルシー=シュル=キュールでは、その効果が洞窟そのものの自然環境から生じている。

レズニコフの説では、ネアンデルタール人コミュニティは自分たちの描いた絵のそばに集まり、シャーマンによる何かの儀式で呪文を唱えたり歌を歌ったりして、その声を洞窟の反響を利用して魔術をかけたように広げていたというのだ[*1]（レズニコフは、洞窟内の音響が豊かな箇所に小さい赤い点が描かれているのも発見している）。私たちの祖先は、目に見える世界を壁画に記録したように、聞こえる音を記録することはできなかった。しかしレズニコフが正しいなら、初期人類は原始的なかたちの音響工学の実験をしていたことになる——人間の声という、最も魅惑的な音を拡大し、強めるのだ。

人間の声を拡大したい、そして究極的には再現したいという衝動はやがて、一連の社会とテクノロジーの飛躍的発展、すなわち通信とコンピューター、政治、そして芸術における革新への道を開く。科学とテクノロジーが私たちの視力を大幅に高めてきたという考えは受け入れやすい。眼鏡しかり、ケックの望遠鏡しかりだ。しかし、話したり歌ったりするときに震える私たちの声帯も、人工的にかなり強められてきた。私たちの声は大きくなって、海底に敷かれた電線を伝わるようになり、地球の束縛をすり抜けて、衛星に当たって跳ね返るようになった。重要な視覚革命は、おもにルネサンスから啓蒙《けいもう》運動時代までに展開された。眼鏡、顕微鏡、望遠鏡が生まれて、よりはっきり見えるようになり、はるか遠くまで見えるようになり、とても細かく見えるようになった。一方、声のテクノロジーが本格的に出現したのは、ようやく一九世紀末になってからのことだ。そして出現したときには、ほぼあらゆるものを変化させた。しかし、始まりは声の拡大ではない。人間の声への執着に初めて大きく突破口が開けたのは、それを書きとめるという単純な行為からだった。

音をつかまえ、再生する

ネアンデルタール人の歌い手たちがブルゴーニュの洞窟で反響が生じる場所に集まっていた時代から何千年ものあいだ、音を記録するという考えは、妖精を数えるのと同じくらい非現実的だった。たしかにその期間、声や楽器の音を拡大するよう音響空間を設計する技術が磨かれた。中世の大聖堂の設計もやはり、見た目を壮大にすることと同じくらい音響工学を重視していた。しかし音を直接とらえようとは、誰もわざわざ考えることさえしなかった。音は空気のようなもので、触れることはできない。できることと言えばせいぜい、自分の声や楽器で音をまねることくらいだった。

人間の声を記録する夢が隣接可能領域に入ったのは、二つの重要な発展が、ひとつは物理学、もうひとつは解剖学で実現したあとのことだ。科学者は一五〇〇年ごろから、音は目に見えない波となって空気を伝わるという仮定のもとで研究を始めた（そしてすぐに、水中のほうが四倍速く伝わることを発見したが、その奇妙な事実が有益だとわかるのは、さらに数世紀たってからのことだった）。啓蒙運動の時代までに、解剖学の詳細な書物には人間の

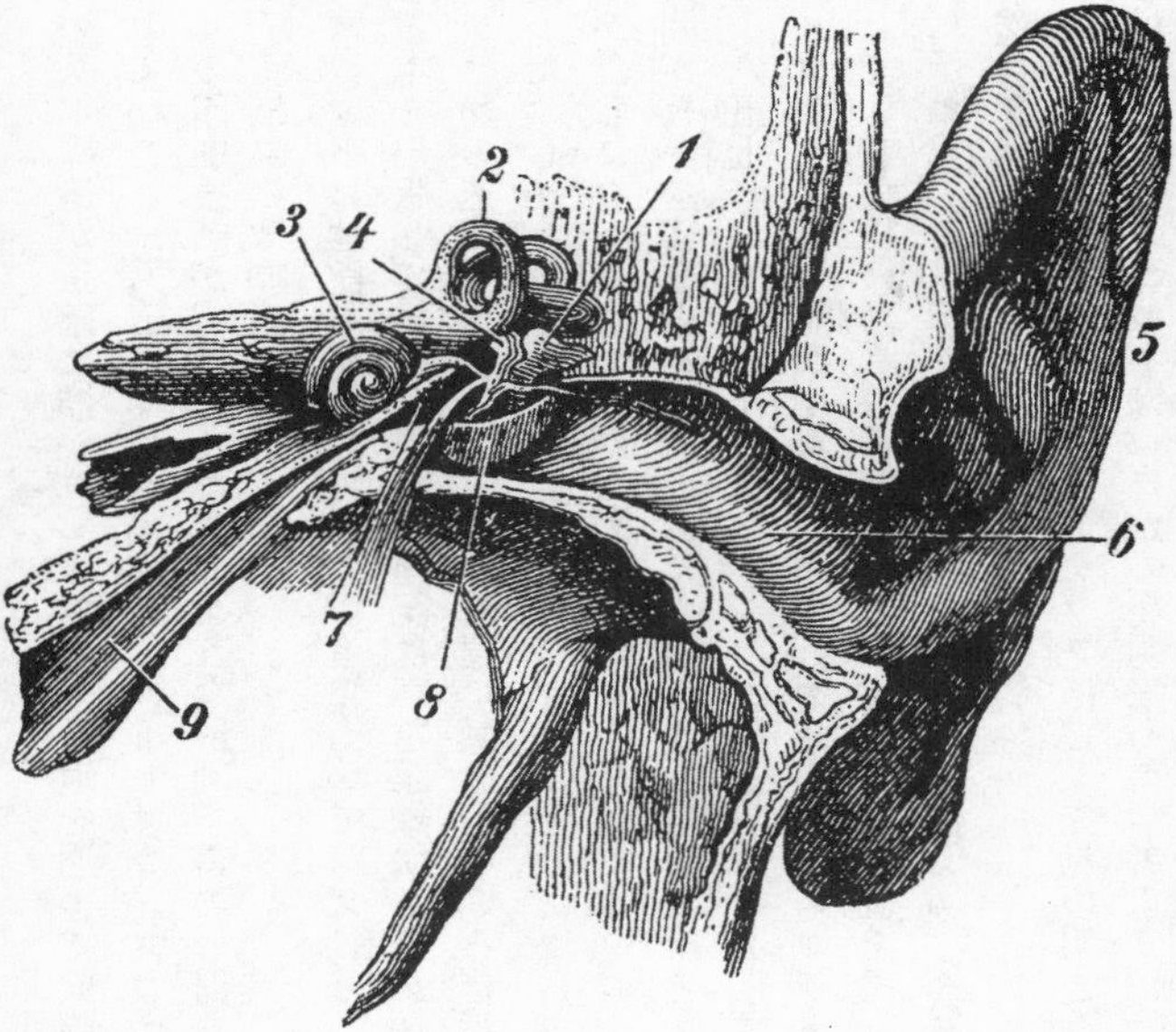

人間の耳

耳の基本構造が正確に描かれ、音波が外耳道を通って鼓膜の振動を引き起こす様子も記録されていた。一八五〇年代、エドアール゠レオン・スコット・ド・マルタンヴィルというパリの印刷技師が、たまたまそのような解剖学書の一冊を見つけ、音の生物学と物理学に愛好家として興味を抱いた。

スコットは速記も研究していて、音について考えはじめる数年前に、速記術の歴史に関する本を出版していた。当時、速記は声を記録するテクノロジーとしては最先端であり、ベテランの速記者ほど、正確かつ迅速に話されている言葉をとらえるシステムはほかになかった。しかし耳の内部の詳細なイラストを見たとき、スコットの頭のなかで新しい考えがかたちになりはじめた。人間の声を文字に起こすプロセスを自動化できるかもしれない。人間が言葉を書きとめる代わりに、機械が音波を記せるのではないか。

一八五七年三月、トーマス・エジソンが蓄音機を発明する二〇年前、フランスの特許庁がスコットに音を記録する機械の特許を認めた。スコットの装置は、端が羊皮紙の膜で覆われている角状の器具に音波を通す。音波が羊皮紙を振動させ、それが豚の剛毛でできた針に伝わる。針は油煙のすすで黒くした紙に波形を刻み込む。彼は自分の発明を「フォノートグラフ」、つまり音の自動筆記と呼んだ。

発明史のなかでもフォノートグラフほど、先見の明と近視眼が奇妙に入りまじった話はない。[*2]一方でスコットは、ほかの発明家や科学者より一〇年以上も前に、音波を空中から

エドアール＝レオン・スコット・ド・マルタンヴィル、
フランスの印刷技師、著述家、そしてフォノートグラフ
の発明者

取り出して記録媒体に刻み込むことができるという、重大な発想の飛躍をとげることができた（エジソンより二〇年も先を行っているとしたら、独力でうまくやっていると確信していい）。しかしスコットの発明は、ひとつの決定的な——こっけいとさえ言える——弱点のせいで役に立たなかった。彼は史上初の音を記録する装置を発明した。しかし再生のことを忘れていたのだ。

もっとも、「忘れていた」というのは言いすぎだ。音を記録する「装置」に、記録したものを実際に聞ける機能が搭載されているべきであることは、現代の私たちにとって自明に思える。再生機能のないフォノートグラフの発明は、自動車を発明しながらタイヤが回転する部分を組み込むのを忘れるようなものだ。しかしそれは私たちがスコットの成果を、分岐点の反対側から評価しているからである。別の場所で生じた音波を機械が伝えられるという考えは、けっして直感的に理解できるものではなかった。アレクサンダー・グラハム・ベルが電話線の向こう側で音波を再現するようになってようやく、再生が理解できる飛躍になったのだ。ある意味で、スコットは二つの重要な盲点、すなわち音を記録することは可能で、なおかつ記録されたものは音波に変換しなおすことができることを、考慮する必要があった。スコットは前者を理解することはできたが、後者まではたどり着けなかった。再生の機能を忘れていたとか、その実現に失敗したというわけではない。その考え自体、まったく浮かばなかったのだ。

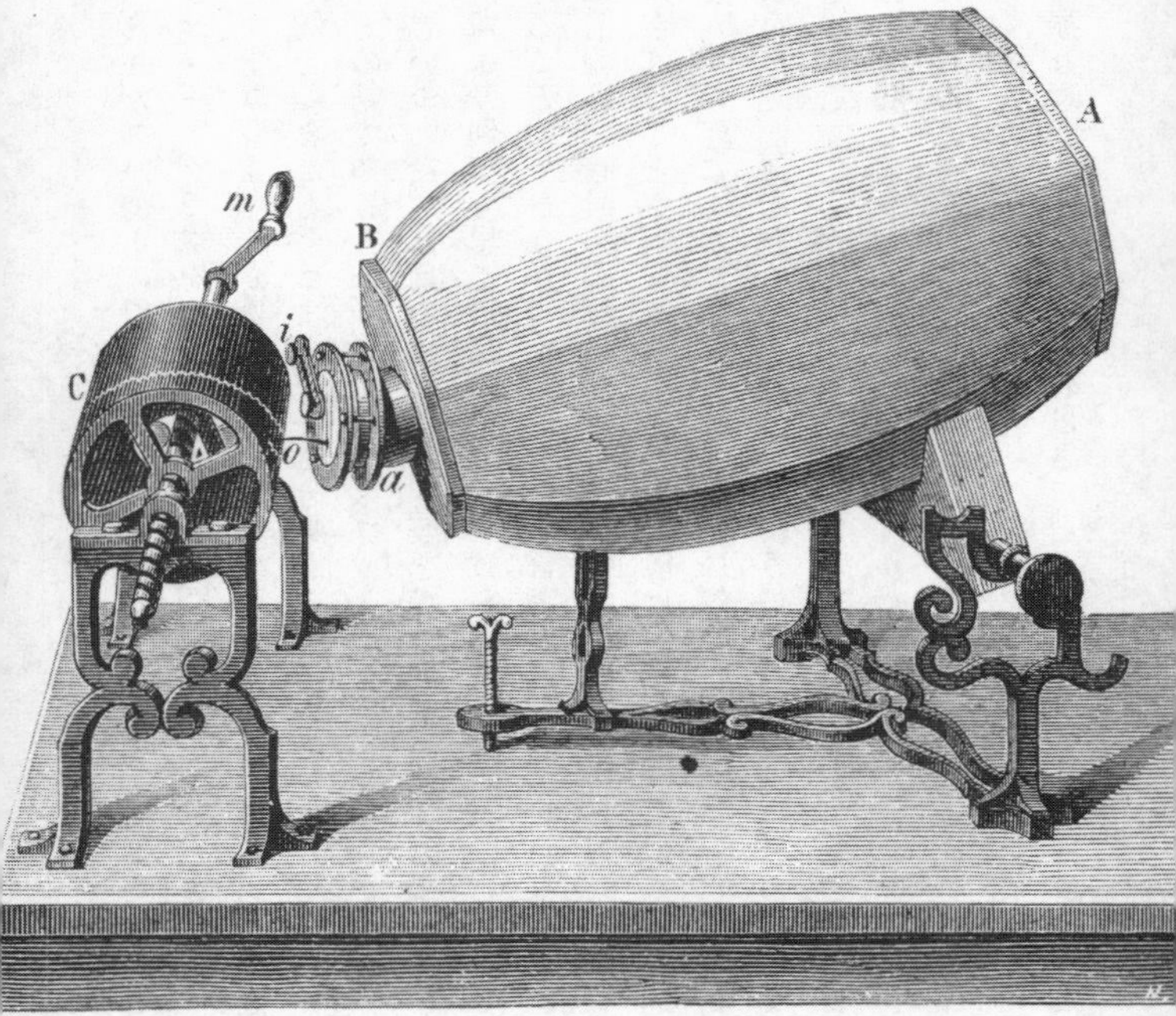

1857年ごろのフォノートグラフ

再生がスコットの計画に入っていなかったのなら、そもそもいったいなぜ彼はわざわざフォノートグラフをつくったのか、疑問に思うのはもっともだ。レコードを再生しないレコードプレーヤーがなんの役に立つのか？　ここで私たちが直面しているのは、有力な具体例を頼ること、つまりほかの分野からアイデアを借りて新しい状況に当てはめることは、両刃《もろは》の剣であるという問題だ。スコットは音を記録するアイデアを、速記という具体例から思いついた。言葉の代わりに音波を書けばいい。その体系的な具体例のおかげで、彼は同輩より何年も早く最初の飛躍をとげることができたが、そのせいで逆に、次の飛躍をとげることができなかった。いったん言葉が速記の暗号に変換されると、そこにとらえられた情報は、暗号を理解している読み手によって解読される。スコットはフォノートグラフにも同じことが起こると考えた。装置は波形を油煙の紙に刻み込むが、針の動きそれぞれが人間の声によって発せられる音素に対応している。そして人間はミミズが這《は》ったようなような速記録を読むことができるようになったように、そのミミズが這ったような針の線を「読む」ことができるようになる。言ってみれば、スコットはそもそも音を記録する装置を発明しようとしていたのではなかった。究極の文字起こしシステムを発明しようとしていたのだ。ただし、その起こした文字を読み取るためには、まったく新しい言語を習得しなくてはならなかった。

振り返ってみると、これはさほどおかしな考えではない。人間は視覚的パターンの認識が非常に得意であることは実証されていた。私たちはアルファベットをとてもうまく自分のものにするので、いったんやり方を習得すれば、考えなくても読むことができる。音波でも、ひとたび紙にとらえることができたのなら、同じことではないのか？

悲しいことに、人間の神経ツールキットには音波を目で見て読み取る能力は入っていないようだ。スコットの発明から一五〇年が過ぎ、私たちはスコットが知ったらびっくりするほど、音の芸術と科学をきわめてきた。しかし、印刷された音波に埋め込まれた話し言葉の構文解析を視覚的にできるようになった人は、ただのひとりもいない。それは見事な賭けだったが、最終的には負けだった。記録された音を解釈するつもりなら、網膜ではなく鼓膜によって解釈できるように、音に変換しなおす必要があったのだ。

私たちは波形を読むことはできないかもしれないが、手をこまねいていたわけでもない。スコットの発明から一世紀半のあいだに、波形の視覚像を「読んで」、それを音に変換しなおせる装置が発明された。それはコンピューターである。ほんの数年前、デイヴィッド・ジョヴァンノーニ、パトリック・フィースター、ミーガン・ヘネシー、リチャード・マーティンからなる音響史研究者チームが、パリの科学アカデミーでスコットのフォノートグラフの油煙の紙の山を発見し、そのなかに保存状態のすばらしい一八六〇年四月のものもあった。[*3] ジョヴァンノーニらは、リンカーンがまだ生きていたころに初めて油煙の紙に刻まれた、弱々しい不規則な線をスキャンした。そしてその像をデジタル波形に変換し、コンピューターのスピーカーをとおして再生した。

彼らは最初、聞こえているのは女性の声で、フランス民謡「月の光に」を歌っているのだと思ったが、しばらくして、記録時の倍の速度で再生していたことに気づいた。正しいテンポに落とすと、パチパチやシューシューという音のあいだから、男性の声が聞こえてきた。エドアール＝レオン・スコット・ド・マルタンヴィルの歌声がよみがえったのだ。当然のことながら、その録音は正しいスピードで再生しても、けっして最高品質とは言えない。短い録音の大半で、録音装置のランダムなノイズがスコットの声に勝っている。しかしこの装置の弱点でさえ、その録音の歴史的重要性を強調している。劣化した音声信号の奇妙なシューシュー音と減衰は、二〇世紀の人々の耳にはありふれたものになっている。しかしそれは自然に生じる音ではない。音波は自然環境のなかで減衰し、反響し、圧縮される。しかし割れて無秩序な機械的ノイズになることはない。空電の雑音は現代の音である。スコットはそれを初めてとらえたのだ。たとえ聞くのに一世紀半を要したにしても。

しかしスコットの盲点は、完全に行き詰まったままだったわけではない。彼が特許を取ってから一五年後、別の発明家がフォノートグラフを使って実験していた。音響学をよく理解するために、スコットの当初の設計を修正して、解剖用の死体から提供された本物の耳を組み込む。そしていろいろ試しているうちに、音をとらえ、なおかつ伝える手法を思いついた。彼の名前はアレクサンダー・グラハム・ベル。[*4]

ベル研究所とエジソン研究所

どういうわけか、音のテクノロジーは最も先を行くパイオニアたちのあいだに、不思議なある種の馬耳東風を引き起こすようだ。音を新たな方法で共有したり伝えたりするための新しいツールが実現するが、そのツールが最終的にどう使われるのかを、発明者が想像できないという事態が一度ならず起こっている。トーマス・エジソンがスコットの始めたプロジェクトを完成させ、一八七七年に蓄音機を発明したとき、彼はそれが郵便で音声の手紙を送る手段として、定期的に使われることを思い描いていた。個人がロウを塗った巻物に蓄音機で書状を記録し、ポストに投函し、数日後にそれが再生される、というわけだ。ベルは電話を発明するにあたって、ほぼ同じ誤算をしていた。彼は電話のおもな用途のひとつとして、生の音楽を共有する手段を想像していたのだ。電話線の片端にオーケストラか歌手がすわり、反対端にリスナーがすわって、電話のスピーカーから聞こえる音声を楽しむ、というわけだ。つまり、二人の伝説的発明家がまったくあべこべのことを考えていた。結局、人々は音楽を聴くのに蓄音機を使い、友人と連絡するのに電話を使っている。伝達手段のかたちとして、電話は郵便サービスの一対一ネットワークといちばんよく似ていた。その後のマスメディア時代には、新しいコミュニケーションの舞台は必然的に、マスコミの制作者と受け身で視聴する消費者というモデルに引き寄せられていくことになる。電話システムは一〇〇年後に電子メールが現われるまで、もっと親密な――一対多ではなく一対一の――コミュニケーション・モデルのひとつだった。電話の影響は甚大かつ多様である。国際電話は世界の結びつきを強めたが、結びつける糸はごく最近まで細いものだった。一九五六年、初めて大西洋横断電話線が敷かれたおかげで、一般市民が北米とヨーロッパのあいだで電話をかけられるようになった。当初の構成では、そのシステムで同時にかけられるのは二四通話。ほんの五〇年前、それが二大陸間の音声通話で使える帯域幅のすべてだった。数億いる人々のあいだで一度にわずか二四組の会話だ。興味深いことに、世界で最も有名な電話――ホワイトハウスとクレムリンをつなぐホットラインだった「レッドフォン」――は、もともと電話ではなかった。コミュニケーション手段の不足で核戦争が起こりかねなかったキューバ危機のあとにつくられたので、このホットラインは実際には、両大国間ですばやく確実にメッセージを送ることができるテレタイプだった。音声による電話は、即時通訳の難しさを考えるとリスクが高すぎるとされたのだ。

電話はあまり目立たない変化も可能にした。「ハロー」という言葉の現代的な――会話を始めるあいさつとしての――意味を世に広め、地球上のどこでも認識される言葉のひとつに変えた。そして電話交換機は、女性が初めて「専門職」階級に入り込むきっかけになっ

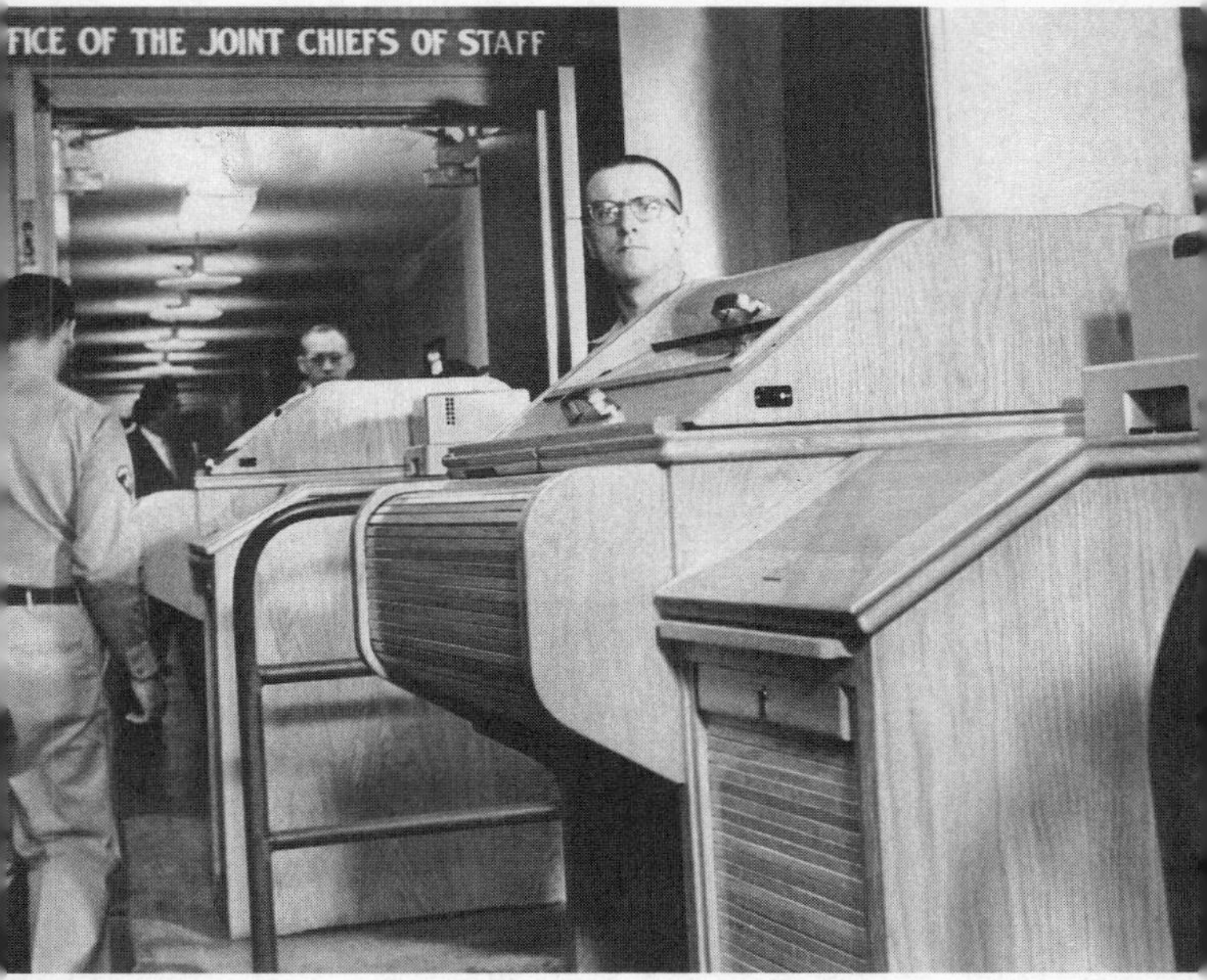

冷戦中にホワイトハウスとクレムリンをつないだ伝説の
ホットライン「レッドフォン」を設置する従業員たち。
1963年8月30日、ワシントンDCのホワイトハウスにてた（一九四〇年代半ばまでに、AT&Tだけで二五万人の女性を雇用している）。ジョン・J・カーティーというAT&Tの重役は一九〇八年に、電話は高層ビルの建設にエレベーターと同じくらい大きな影響を与えたと主張している。

ベルとその後継者が現代の商業建築、つまり超高層ビルの父だと言ったら、おかしく聞こえるかもしれない。しかしちょっと待ってほしい。たとえばシンガー・ビル、フラティロン・ビル、ブロード・エクスチェンジ・ビル、トリニティ、なんであれ巨大なオフィスビルを考えてみて。毎日、どれだけたくさんのメッセージがそのようなビルを出入りしているだろう？　もし電話がなくて、すべてのメッセージを人間のメッセンジャーが運ばなくてはならないとしたら？　必要なエレベーターを完備したらオフィス用のスペースがどれだけ残るだろう？　そのような構造は経済的に不可能だ。[*5]

しかしおそらく電話の最も重要な遺産は、そこから生まれた異色のすばらしい組織、ベル研究所にある。二〇世紀のほぼあらゆる主要なテクノロジーの誕生に、不可欠の役割を果たすことになった組織である。ラジオ、真空管、トランジスター、テレビ、太陽電池、同軸ケーブル、レーザー光線、マイクロプロセッサー、コンピューター、携帯電話、光ファイバー、これらの現代生活に欠かせないツールはすべて、もともとベル研究所で生み出さ

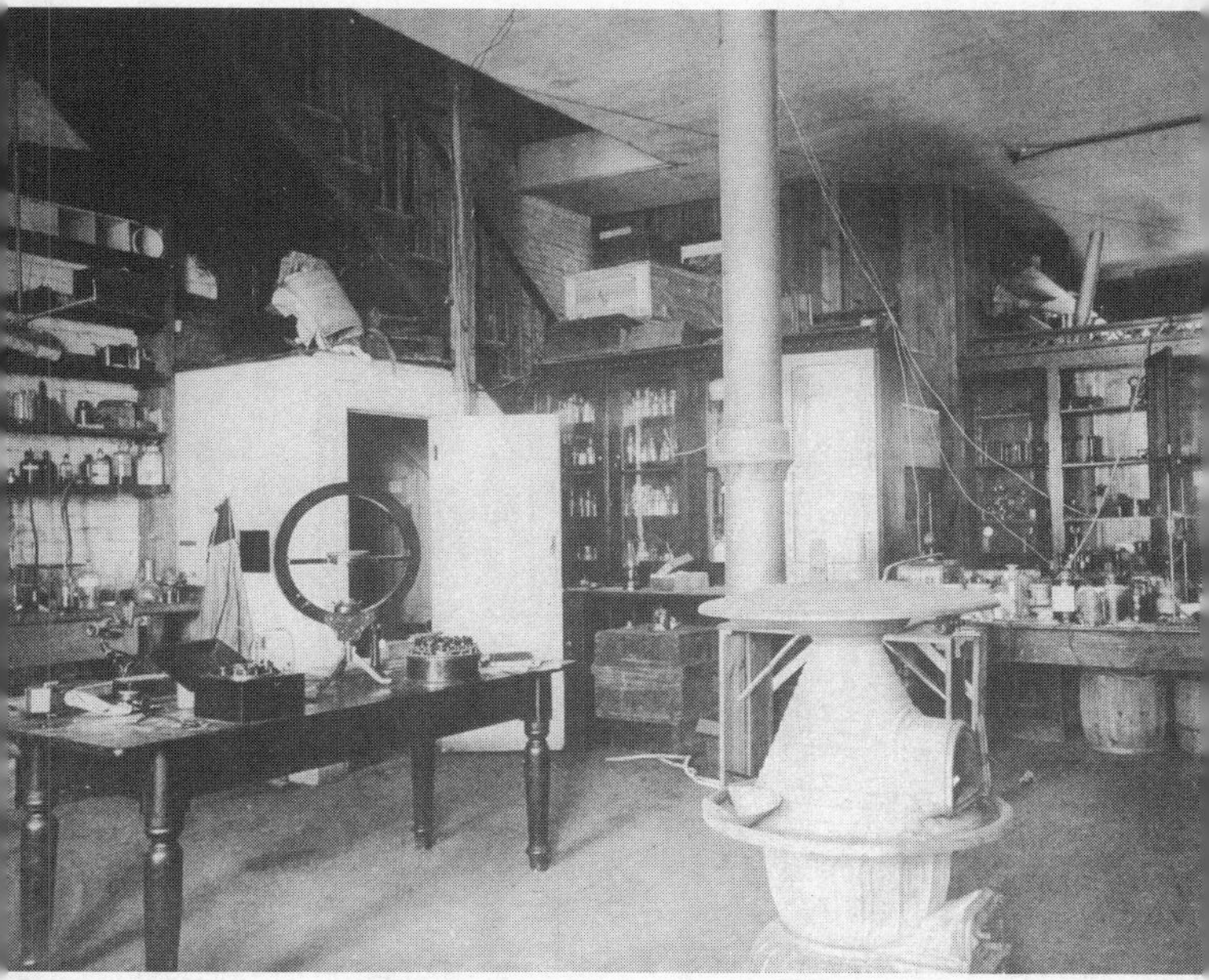

1886年に電気による音の伝送の実験が行なわれた、発明家アレクサンダー・グラハム・ベルの実験室

れたアイデアに由来する。だてに「アイデア工場」と呼ばれているわけではない。ベル研究所の興味深いところは、何を発明したかではない（その答えは簡単、ほぼすべて、なのだ）。ほんとうの疑問は、なぜベル研究所が二〇世紀の発明の大半を生み出すことができたのか、である。最も信頼のおけるベル研究所史と言えるジョン・ガートナーの『世界の技術を支配するベル研究所の興亡』（文藝春秋）は、同研究所が無類の成功を収めた秘訣を明らかにしている。才能の多様性、失敗に対する寛大さ、そして大きな賭けをする意欲だけではない。このような要素はすべて、ベル研究所だけでなく、メンローパークにあったエジソンの有名な研究所にも、さらには世界中のほかの研究所にも共通する特徴だ。ベル研究所の根本的なちがいには、集められた天才たちも関係しているが、それと同じくらい独占禁止法も関係している。

AT&Tは早くも一九一三年から、国の電話サービスの独占的支配をめぐってアメリカ政府と争っていた。事実、独占であることは明白だった。一九三〇年から八四年までのあいだにアメリカで電話をかけていた人は、ほぼ例外なくAT&Tのネットワークを使っていた。その独占力のおかげで会社は莫大な利益を上げていた。なにしろ、たいしたライバルがいないのだ。しかし七〇年にわたってAT&Tは、電話網は「自然独占」であって必要なものだと説得することによって、なんとか規制当局を食い止めることができていた。アナログ電話回線はとにかく複雑すぎて、競合他社の寄せ集めでは運営できない。アメリカ人が信頼できる電話網を望むのなら、一社によって運営される必要があったのだ。最終的に、司法省の独占禁止法担当の法律家たちが魅力的な妥協案をつくり上げ、一九五六年に正式に決着した。[*6] AT&Tは電話サービスの独占維持を許されるが、ベル研究所によって生み出された特許発明はどれも、それを有益と考えるアメリカ企業に無償で使用許可を与えなくてはならず、新たに取得する特許はすべて安価な料金で使用を認めなくてはならない。事実上、政府はAT&Tに対し、利益を守ることはできるが、その代わりアイデアは提供しなくてはならないと告げたのである。

これは異例の申し合わせであり、二度と見られそうもない。独占力のおかげで会社は研究のための信託資金をほぼ無限に手に入れたが、その研究から生まれた興味深いアイデアすべてを、ほかの企業もすぐに採用できたのである。トランジスターからコンピューター、そして携帯電話まで、戦後のエレクトロニクスにおけるアメリカの成功の大部分は、もとをただせば、その一九五六年の取り決めにさかのぼる。独占を禁止する決定のおかげで、ベル研究所は資本主義の歴史のなかでも、とりわけ異色のハイブリッド組織になった。巨大な利益を稼ぐマシンだが、生み出す新しいアイデアはあらゆる実用目的のために公営化される。アメリカ人はAT&Tに電話サービスの料金を払わなくてはならないが、AT&Tが生み出す新たなイノベーションはみんなのものだったのである。

勘ちがいから生まれた真空管

ベル研究所の歴史で最も斬新な技術革新のひとつは、一九五六年の取り決めまでの数年に出現した。もっともな話だが、当時はほとんど注目されなかった。その技術が最終的に実現した革命は半世紀近く先のことであり、その存在自体が国家機密で、マンハッタン計画(訳注:第二次世界大戦中の原子爆弾開発計画)と同じくらい厳重に守られていた。しかしそれでも画期的な出来事であり、やはりきっかけは人間の声である。

そもそもベル研究所をつくり出したイノベーション——ベルの電話——によって、私たちはテクノロジー史上きわめて重要な一線を越えた。初めて、自然の要素が直接的に電気エネルギーで表わされたのだ(電報は人間がつくった符号を電気に変換していたが、音は人間がつくるだけでなく、自然界にも存在する要素でもある)。受話器に向かって誰かが話して音波を発生させると、それが電気パルスになり、電話の向こうで再び音波になる。言ってみれば、音は私たちが感じるもののなかで初めて電化したのだ(同じころ、電球のおかげで私たちは世界をはっきり見ることはできたが、私たちが見るものを電気が記録したり伝えたりするようになるのは数十年後だった)。そしてひとたび音波が電気になると、長大な距離を驚異的なスピードで伝えられるようになった。

その電気信号はたしかにすばらしかったが、絶対確実ではなかった。銅線で都市から都市へと伝えられるその信号は、減衰や信号喪失、ノイズに弱かった。あとで見ていくように、線を伝わる信号を強める増幅器が問題を解決するのに役立った。しかし最終的な目標はきれいな信号、つまり電話網を進むうちに劣化しない完璧な声の表現だ。興味深いことに、最終的にその目標につながった道は、別の目的で始まっていた。私たちの声をきれいに保とうとするのではなく、秘密にしておこうとすることである。

第二次世界大戦中、伝説の数学者アラン・チューリングとベル研究所のA・B・クラークが、傍受される危険のない通信回線の共同研究を行なった。コードネームはSIGSALY。人の発話の音波を数学的表現に変換するものだ。SIGSALYは一秒に二万回、波の振幅と振動数をとらえながら音波を記録する。しかしその記録方法は、波を電気信号やワックスシリンダーの溝に変換するのではない。情報を数字に変え、0と1の二進言語にコード化するのだ。実際、「記録する」という言葉は正しくない。彼らがそのプロセスを表現するのに使った「サンプリング」という言葉は、五〇年後にヒップホップや電子音楽のミュージシャンのあいだで共通の業界用語になった。じつは音波のスナップ写真を一秒に二万回撮っているようなもので、そのスナップ写真が0と1で書き出されるのだ。[*7] つまりアナログではなくデジタルである。

デジタル・サンプルを扱うことで、安全に伝えるのがはるかに容易になる。従来のアナログ信号を探している人には、デジタルのノイズ音しか聞こえない（ＳＩＧＳＡＬＹが「グリーン・ホーネット」とも呼ばれたのは、未処理の情報が同名のラジオ番組のテーマ曲「熊蜂《ホーネット》の飛行」に似た虫の羽音のように聞こえたからだ）。しかもデジタル信号のほうがアナログ信号より、はるかにうまく数学的に暗号化できる。ドイツ人はＳＩＧＳＡＬＹの送信信号を何時間も傍受して記録したが、それを解釈することはできなかった。

ベル研究所の研究者の監督下で、陸軍通信隊の特殊部門によって開発されたＳＩＧＳＡＬＹは、一九四三年七月一五日、ペンタゴンとロンドンの歴史的な大陸間通話で稼働を開始した。通話の冒頭、話題が差し迫った軍事戦略の問題に入る前に、ベル研究所所長のＯ・Ｅ・バックリー博士が、ＳＩＧＳＡＬＹの象徴する画期的技術革新について前置きのコメントをしている。

私たちは本日、ワシントンとロンドンに新たなサービスとして秘密電話通信を開設するために集まっています。これは戦争遂行における重要な出来事ですが、そういう意味での評価は、私よりここにいるほかのみなさんのほうが適任です。私としては、電話通信技術の大きな進歩に数えられる技術的成果であることを指摘したいと思います。長年追求されてきた無線電話通信における完璧な秘密性という目標の達成だけでなく、電話通信の新手法が初めて実用的に応用されたことをも象徴するものであり、将来にわたる効果を約束しています。*8

むしろ、バックリーはその「新手法」の重要性を過小評価している。SIGSALYは、たんなる電話通信における画期的出来事ではなかった。もっと広く、メディアと通信の歴史的転換点となる瞬間だった。私たちの経験が初めてデジタル化されたのだ。SIGSALYを支えるテクノロジーはその後も、安全な通信回線を提供するのに役立った。しかしそのテクノロジーが解き放った真に破壊的な力は、別の不思議ですばらしい特性から生まれている。すなわち、デジタル・コピーは完璧なコピーになりうることである。音声のデジタル・サンプルは、適切な装置を使えば、完璧に忠実に伝送やコピーができる。現代メディア界の動向、たとえばナップスターのようなファイル共有サービスで始まった音楽ビジネス改革、ストリーミング・メディアの出現、従来のテレビ放送網の崩壊などは、おおかた、もとをたどればグリーン・ホーネットのデジタル電話にさかのぼる。未来のロボット歴史学者が「デジタル時代」開始の——コンピューターにおけるアメリカ独立記念日やフランス革命記念日にあたる——瞬間を指摘しなくてはならないとしたら、一九四三年七月の大西洋横断電話通信は、まちがいなくリストの上位に入るだろう。ここでもまた、人間の声を再現したいという衝動が隣接可能領域を広げていた。私たちが生きて感じていることが、初めてデジタルになったのだ。

SIGSALYのデジタル・サンプルは、ベル研究所が貢献した別の技術革新による通信サービスでも、大西洋を渡っていた。それはラジオである。ラジオは最終的に人の話や歌の音声があふれるメディアになったが、おもしろいことに、始まりはそんなふうではなかった。一九世紀の終盤に、グリエルモ・マルコーニをはじめ複数の人々によっておおよそ同時に発明された、最初の機能するラジオ送信はほぼすべて、モールス信号を送るためのものだった（マルコーニは自分の発明を「無線電信」と呼んだ）。しかしひとたび情報が電波によって流れるようになると、それにいろいろと手を加える人や研究所が、語られた言葉や歌をミックスさせる方法を考えはじめるのに、さほど時間はかからなかった。

いろいろ手を加えた人のなかに、二〇世紀屈指の優秀で風変わりな発明家、リー・ド・フォレストがいた。シカゴの自宅の実験室で研究していたド・フォレストは、マルコーニの無線電信とベルの電話を組み合わせることを思い描いていた。[*9] そしてスパークギャップ送信機で一連の実験を始める。この装置は、何キロも離れた場所にあるアンテナで検波できる電磁エネルギーの鮮明で単調なパルスを発生させるので、モールス信号を送るにはぴったりだ。ある夜、ド・フォレストは連続してパルスを発生させているとき、部屋で妙なことが起こっていることに気づいた。彼がスパークを起こすたびに、ガス灯の炎が白く大きくなるのだ。どういうわけか電磁パルスが炎を強めているのだ、とド・フォレストは考えた。そのチカチカするガス灯の光が、ド・フォレストの頭にひとつの種をまいた。どうに

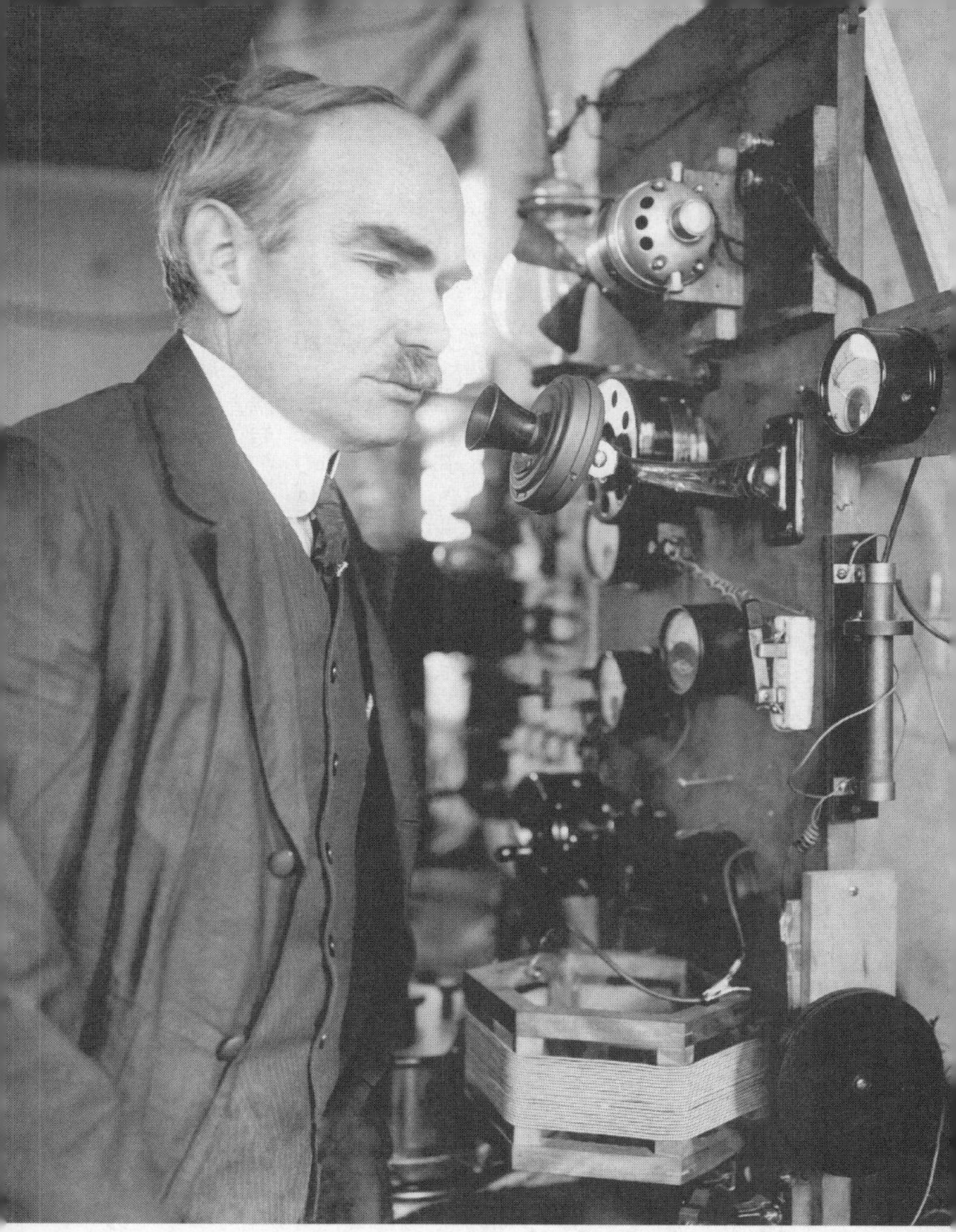

アメリカの発明家リー・ド・フォレスト。1920年代末

かすれば、ガスを使って弱いラジオ受信を増幅して、ひょっとするとモールス信号の断続的パルスだけでなく、情報豊富な話し言葉の信号を伝えられるくらい、強くできるかもしれない。彼はのちに彼らしく大げさに書いている。「私は見えざる電波帝国を発見した。触知できないが、花崗岩《かこう》のように揺るぎない」

ド・フォレストは数年の試行錯誤を経て、精密に設計された三個の電極を含むガス入り電球に行きついた。入ってくる無線信号を増幅するように考えられている。名づけてオーディオン。語られた言葉の伝送装置として、オーディオンには明瞭な信号を伝えられる力があった。*10 一九一〇年、ド・フォレストはオーディオンを搭載した無線装置を使って、史上初めて人間の声を船から海岸に送信している。しかしド・フォレストは自分の装置に関して、はるかに意欲的な計画を練っていた。自分の無線技術が軍や企業の通信だけでなく、大衆の楽しみのためにも、とくに自分の大好きなオペラを誰もが楽しめるようにするためにも、利用される世界を思い描いていたのだ。「オペラがあらゆる家庭に入り込める日を待ち望んでいる」*11 と、彼は《ニューヨーク・タイムズ》紙に語り、やや現実的にこうつけ加えている。「いつの日か、広告も無線で送られることになるだろう」

一九一〇年一月一三日、ニューヨークのメトロポリタン歌劇場で『トスカ』が上演されたとき、ド・フォレストは劇場の天井に伝送装置の送話機を吊《つ》り下げて、初の公共ラジオ生放送を行なった。おそらく近代の発明家で最もロマンチストだったド・フォレストは、のちにその放送に対する自分の理想像を次のように語ることになる。「天の波動が高くそびえるタワーの上を通過し、そのあいだに立つ人々は、両端を行きかう無音の声に気づかない。……そして、愛に満ちたこの世の調べが語りかけてくるとき、彼の感嘆は深まる」[*12]

悲しいかな、この初放送は感嘆より冷笑を引き起こした。ド・フォレストは、町のあちこちに設置した無線受信器で放送を聴くように、大勢の記者やVIPを招いていた。ところが信号強度はひどく、聴衆が聴いたのは愛に満ちたこの世の調べというより、グリーン・ホーネットのよくわからないブンブンいう音に近かった。《タイムズ》はその実験全体を「大惨事」と断言している。ド・フォレストは、無線技術におけるオーディオンの価値を誇大宣伝したかどで連邦検事から告訴され、しばらく収監された。弁護料を支払う現金が必要だったド・フォレストは、オーディオンの特許を格安でAT&Tに売却する。

ベル研究所の研究者がオーディオンを調べはじめると、驚くべきことがわかった。そもそもリー・ド・フォレストは、自分の発明をおおかた完全に誤解していたのだ。ガスの炎の拡大は電磁放射となんの関係もない。スパークが立てる大きなノイズからの音波によって生じていた。ガスは無線信号を検出も増幅もしない。それどころか装置の効果を弱めていたのである。

しかしどういうものか、ド・フォレストが重ねた勘ちがいの陰で、すばらしいアイデアが出現しようと待ちかまえていた。[*13] 次の一〇年のあいだにベル研究所などのエンジニアたちが、彼の基本的な三極設計を修正し、電球からガスを抜いて完璧な真空状態にして、それを送信機兼受信機に変えた。その結果生まれたのが真空管である。これがエレクトロニクス革命の最初の重大な突破口となる、電気信号を必要とするあらゆるテクノロジーにおいて、その信号を強化する装置だった。テレビ、レーダー、録音、ギターのアンプ、X線、電子レンジ、SIGSALYの「秘話技術」、初のデジタルコンピューター——すべてが真空管を頼ることになる。しかし、真空管を初めて家庭に持ち込んだ主流のテクノロジーはラジオである。ある意味で、それはド・フォレストの夢の実現だった。愛に満ちた調べをあらゆる場所のリビングルームに無線で伝える力だ。ところが再びド・フォレストの理想像は、現実の出来事によってくじかれる。その魔法のような装置によってかなでられるようになった調べを、ほとんど誰もが深く愛したが、ド・フォレスト自身は例外だった。

真空菅アンプ、大衆、ヒトラー、ジミヘン

ラジオは双方向メディアとして生まれた。今日もアマチュア無線として続いている活動だ。個人の愛好家が互いに電波を介して話し、ときどきほかの人の会話を盗み聞きする。しかし一九二〇年代初めまでに、このテクノロジーを方向づけることになる放送モデルが出現した。プロの放送局が一括してニュースや娯楽を消費者に向けて流し、消費者は家庭

のラジオ受信機でそれを聴く。するとほとんどすぐに、まったく予想もされていなかったことが起こった。音を届けるマスメディアの存在が、新しい種類の音楽を全米に解き放ったのだ。それまでニューオーリンズやアメリカ南部の川沿いの町、そしてニューヨークとシカゴのアフリカ系アメリカ人居住区に、ほぼ限定されていたジャズという音楽が、ラジオによって、ほぼ一夜にして全国的に流行する現象が起きた。*14 そしてデューク・エリントンやルイ・アームストロングのようなミュージシャンの名を、誰もがよく知るようになる。一九二〇年代末から、エリントンのバンドの演奏が毎週ハーレムのコットン・クラブから全国放送されるようになり、アームストロングはそのあとすぐ、アフリカ系アメリカ人として初めて、全国放送で自分のラジオ番組の司会をするようになった。

この事態にリー・ド・フォレストは衝撃を受け、彼らしい風変わりな非難の手紙を全米放送事業者協会に書いている。「あなたがたは私の子どもであるラジオ放送に、何をしてくれたのだ？　ラグタイムだの、スイングだの、ブギウギだのといったぼろを着せて、この子の品位を落としている」。実際には、ド・フォレストが発明に一役買ったテクノロジーは、本質的にクラシックよりジャズに向いていた。ジャズは初期のAMラジオのスピーカーから出る圧縮された金属性の音でもよく響くが、交響曲の非常に広いダイナミクスレンジは中継で大幅に失われてしまう。シューベルトの繊細さより、サッチモのトランペットの鳴り響く音のほうが、ラジオではうまく再現される。

ジャズとラジオの遭遇がきっかけで、実際、次々と文化の波が二〇世紀の社会に押し寄せた。世界のごく一部で――ジャズの場合はニューオーリンズで――ゆっくり生まれつつあった新しいサウンドが、ラジオというマスメディアに乗って、大人を怒らせ、若者をしびれさせていく。もともとジャズによって生み出された流れに、その後、メンフィスからのロックンロール、リバプールからのブリティッシュ・ポップス、そして中西部とブルックリンからのラップとヒップホップがあふれた。ラジオと音楽にまつわる何かが、テレビや映画にはなかったかたちで、このパターンを促したように思われる。音楽を共有するための全国的なメディアが出現してほとんど間髪入れずに、さまざまなサウンドのサブカルチャーがそのメディアで勢いをつけてきたのだ。ラジオが生まれる前にも、貧しい詩人や画家など「アンダーグラウンド」のアーティストはいたが、ラジオのおかげででき上がったひとつのパターンが、ごく当たり前のことになった。すなわち、アンダーグラウンドのアーティストが一夜にしてセレブになるのだ。

ジャズの場合、当然、きわめて重要な別の要素もあった。一夜にしてセレブになった人たちのほとんどが、アフリカ系アメリカ人だったことだ。エリントン、アームストロング、エラ・フィッツジェラルド、ビリー・ホリデイ。これは非常に画期的だった。初めて白人中心のアメリカが、AMラジオのスピーカーをとおしてとはいえ、アフリカ系アメリカ人の文化を家庭の居間に迎えたのだ。ジャズ界のスターは、アフリカ系アメリカ人が有名に

ステージに立つ作曲家デューク・エリントン。1935年ごろ

なり、裕福になり、唱道者ではなくエンタテイナーとしてのスキルで称賛される事例を、白人中心のアメリカに示した。もちろん、このようなミュージシャンの多くは、南部の私刑にまつわるむごい話を歌った「奇妙な果実」のビリー・ホリデイのように、強力な唱道者にもなった。ラジオの信号には彼らにとってある種の自由があり、それが現実世界で彼らに自由をもたらしたのだ。当時社会がどう区分されていたか、黒人の世界と白人の世界のちがいも、経済的階級のちがいも、ラジオの電波は意に介さなかった。電波信号に色のちがいなどわからない。インターネットと同様、障壁を取りのぞいたというより、障壁とは無縁の世界で息づいていたのだ。

公民権運動の誕生は、全米へのジャズ音楽の広がりと密接に関係している。多くのアメリカ人にとって初めて、アフリカ系アメリカ人が主体となって、黒人のアメリカと白人のアメリカとに共通の文化基盤が築かれた。そのこと自体、人種差別政策にとって大きな打撃だった。マーティン・ルーサー・キング・ジュニアは、一九六四年のベルリン・ジャズ・フェスティバルで述べた言葉のなかで、そのつながりを明らかにしている。

アメリカの黒人によるアイデンティティの追求が、こんなにもジャズ・ミュージシャンによって支持されたことは当然である。現代の評論家や学者が「人種アイデンティティ」について多民族世界の問題として書くようになるずっと前に、ミュージシャンたちは自分のルーツにもどり、自分の魂の内側でわき上がっているものを確認していた。アメリカにおける解放運動は、この音楽から多くの力を得ている。勇気がくじけはじめたとき、その快いリズムで私たちを強くしてくれる。精神的に弱くなったとき、その豊かなハーモニーが私たちを落ち着かせてくれる。そしていま、ジャズは世界に輸出されている。[*15]

二〇世紀の多くの政治家と同様、キングは別の理由でも真空管に負うところがある。ド・フォレストとベル研究所が、ラジオ放送を可能にするために真空管を使いはじめてからすぐ、このテクノロジーはもっと差し迫った場面で、人間の声を拡大するのに使われるようになった。マイクにつなげたアンプを強化することで、人々が史上初めて、大勢の群衆に向けて話したり歌ったりすることができるようになったのだ。真空管アンプのおかげでついに私たちは、新石器時代から広まっていた音声工学から解放された。もう自分たちの声を大きくするのに、洞窟や聖堂やオペラハウスの反響に頼る必要はない。電気が反響の役割を果たすことができるようになり、しかもその威力は一〇〇〇倍も強い。アンプはまったく新しい種類の政治イベントを生み出した。演説者個人を中心とする大規模集会である。それまで一世紀半のあいだ、政治的な大変革には大勢の人々の波が重要な役割を果たしていた。二〇世紀より前の革命に象徴的なイメージがあるとしたら、それは一七八九年（訳注：フランス革命）や一八四八年（訳注：フランスの二月革命を発端にヨーロッパ各地で三月革命が起き、「諸国民の春」と呼ばれている）の都市の街路にあふれた人の群れである。しかしアンプはそのようなごった返す群衆をとらえ、そこに中心をつくった。広場や競技場や公園に響き渡るリーダーの声である。真空管アンプが生まれる前、人間の声帯には限界があるため、一〇〇〇人以上の人々に一度に話しかけるのは難しかった（オペラの複雑な歌唱スタイルは、声の生物学的限界からできる限りはっきりした音を引き出すように、いろいろと考えられている）。しかし複数のスピーカーにつなげられたマイクは、声が聞こえる範囲を数倍に広げた。この新たな力に誰よりも早く気づき、そして利用したのが、アドルフ・ヒトラーである。彼のニュルンベルクでの集会には一〇万人を超える信奉者が集まり、全員が総統の増幅された声に聴き入った。二〇世紀のテクノロジーの道具箱からマイクとアンプを取りのぞいたら、ニュルンベルクやキング牧師の「私には夢がある」といった、この世紀の決定的な政治集会が消滅することになる。

真空管アンプのおかげで、政治集会の音楽版も可能になった。ビートルズがシェイ・スタジアムで、ウッドストックで、ライヴ・エイドで演奏した。しかし真空管テクノロジーの独自性は、二〇世紀の音楽にもっと微妙な影響も与えている。ただ音を大きくしただけでなく、騒がしくもしたのだ。

生まれたときから脱工業化世界で暮らしてきた私たちには、一～二世紀前の人間の耳にとって、工業化の音がどれだけ衝撃的だったかを理解するのは難しい。まったく新しい騒音のシンフォニーが、日常生活の領域にいきなり入ってきたのだ。とくに大都市ではひどかった。金属と金属がぶつかって鳴り響き、蒸気機関が大きな白色雑音を立てる。騒音はいろいろな意味で、群衆や大都市の悪臭と同じくらい衝撃的だった。一九二〇年代になると、電気的に拡大された音声がその他の都会のざわめきと一緒に鳴り響くようになり、マンハッタン騒音防止協会などの組織が、静かな大都市を求める主張を始めた。協会の目標に共感し、ハーヴィー・フレッチャーというベル研究所のエンジニアが、最新式の音響装置を積んだトラックを開発し、ベルのエンジニアがニューヨーク市の騒音のひどい地域をゆっくり走らせて音響測定を行なった[*16]（音量の測定単位のデシベルは、フレッチャーの研究から生まれた）。フレッチャーとそのチームは、都市の音のなかには、聴覚に痛みを感じるデシベルの閾値《いきち》に達するもの――建設現場のリベット打ちやドリルの音、地下鉄の轟音《ごうおん》――があることを発見している。「ラジオ通り」と呼ばれるコートランド・ストリートでは、最新のラジオ・スピーカーを展示している店頭の騒音があまりに大きくて、高架線の列車の音さえかき消されるほどだった。

しかし、騒音防止団体が規制や公共広告によって現代の騒音と闘う一方で、別の反応も現われた。人間の耳はその音に不快を感じるのではなく、そこに美しいものを見つけるようになったのだ。一九世紀初め以来、日常生活の習慣的な経験が、じつは騒がしい音に対する美的感覚を鍛える実習になっていた。しかし最終的にそういう騒がしい音を大衆に広めたのは、真空管である。

一九五〇年代以降、真空管アンプを使って演奏するギタリストは、アンプを過剰に効かせることによって、魅力的な新種の音を生み出せることに気づいた。ギターの弦そのものをかき鳴らすことで生まれる音の上に、バリバリというノイズの層が重なる。これは厳密に言えばアンプの不調の音であり、再現するはずの音をひずませている。たいていの人の耳には装置が壊れているように聞こえたが、ごく一部のミュージシャンはその音に魅力的なものを感じるようになった。一九五〇年代初期にも、ギターのトラックの控えめなひずみを特徴とするロックンロールのレコードがなくもなかったが、ノイズの芸術が実際に本格化するのは六〇年代のことである。一九六〇年七月、グラディ・マーティンというベーシストがマーティ・ロビンスの「ドント・ワーリー」という曲のためにリフ(反復楽句)を録音していたとき、アンプがおかしくなって、いまでは「ファズ音」と呼ばれているひどくひずんだ音をつくり出した。最初、ロビンスはそれを曲から取りのぞきたかったが、そのままにしておくようにプロデューサーから説得された。「サックスの音のように聞こえるから、誰も気づかなかった」[*17]と、ロビンスは何年もあとに言っている。「離陸するジェット機のエンジンのようにも聞こえる。いろんな音があった」。マーティンのリフのその奇妙な特定できないノイズに刺激を受けて、ザ・ベンチャーズという別のバンドが友人に、

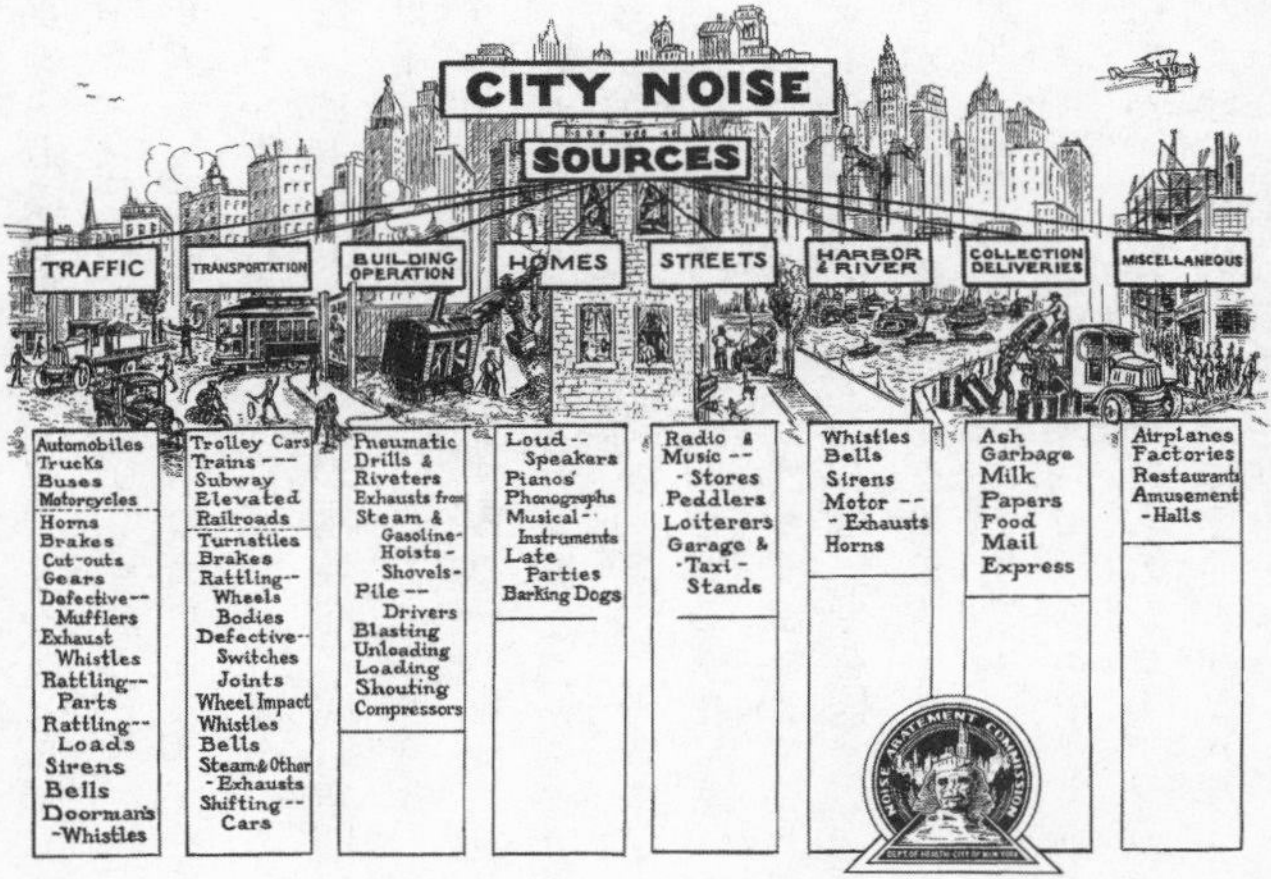

『都市の騒音（City Noise）』に示された音の分類図

ファズ音を意図的に加えられる装置を一緒につくろうと依頼した。一年もたたないうちに、市販のディストーション（ひずみ）ボックスが市場に出回り、三年とたたないうちに、キース・リチャーズが「サティスファクション」の出だしのリフを目いっぱいひずませ、六〇年代を象徴するサウンドが生まれていた。

アンプのつながったスピーカーとマイクが物理的に同じ空間にあるときに生じる斬新な――そしてもともとは不快な――音にも、同じようなパターンが生じた。頭がくらくらするような甲高いハウリングのノイズだ。ひずみは一八世紀に初めて現われた工業的な音に、少なくとも聴覚的には似たところのある音だった（だからグラディ・マーティンのベースラインは「ジェットエンジン」の音だったのだ）。しかしハウリングはまったく新しい産物である。約一世紀前にスピーカーとマイクが発明されるまで、まったく存在しなかったものだ。音響エンジニアは、レコーディングやコンサート会場からハウリングを取りのぞくために は労を惜しまない。マイクがスピーカーからの信号を拾って、無限ループの甲高いハウリングを引き起こすことがないように、マイクの位置を決めるのだ。しかしここでもまた、ある人にとっての不調が別の人にとっては音楽になり、ジミ・ヘンドリクスやレッド・ツェッペリンのようなアーティスト――そしてのちにはソニック・ユースのようなパンクのエクスペリメンタリスト――が、その音を自分たちのレコーディングや演奏に取り入れた。真の意味で、ヘンドリクスは一九六〇年代末にそのようなハウリングだらけのレコーディングでギターを演奏していただけでなく、ギターの弦の振動、ギターそのものに取りつけたマイクのようなピックアップ装置、そしてスピーカーを利用し、これら三つのテクノロジーの複雑で予測不能な相互作用を土台に、新しいサウンドをつくっていたのだ。

文化的イノベーションはときとして、新しいテクノロジーを思いがけない用途に利用することから生まれる。ド・フォレストとベル研究所が初めて真空管の略図を思いついたとき、大規模集会をやろうとしていたわけではないが、ひとりの声をそれだけ大勢の人々に伝えるためのアンプがあると、大規模な集会を行なうのが容易だとわかった。しかしイノベーションはときとして、もっとありえないようなアプローチから生まれることもある。機械の不調を意図的に利用し、ノイズやエラーを有益な信号に変えるのだ。まったく新しいテクノロジーは、まったく新しい壊れ方をする——そしてその故障が、隣接可能領域に新たな扉を開くことがある。真空管の場合、リー・ド・フォレストが聞いたらまちがいなく恐ろしさに後ずさりするような音を、私たちの耳が楽しむように鍛えた。新しいテクノロジーの壊れ方は、その働き方と同じくらいおもしろい場合もある。

命を救う音、終わらせる音

ブルゴーニュの洞窟で歌ったネアンデルタール人から、フォノートグラフに向かって歌いかけたエドアール＝レオン・スコット・ド・マルタンヴィル、そしてコットン・クラブから放送していたデューク・エリントンにいたるまで、音響テクノロジーの話はつねに、私たちの声が届く範囲を広げたり聴力を高めたりすることが主題だった。しかしほんの一世紀前、何よりも意外な展開が起こった。そのとき人間は初めて、音を別のことにも利用できると気づいた。すなわち、私たちの視覚を助けるのだ。

光を使って船乗りに危険な海岸線の存在を知らせるのは、大昔からの慣習だった。キリストが生まれる数世紀前に建設されたアレクサンドリア灯台は、世界最古の七不思議のひとつである。しかし灯台は、いちばん必要とされるときにあまりうまく機能しない。嵐のとき、灯台が発する光は霧と雨でぼやけてしまう。多くの灯台は追加の信号として警鐘を使うが、これもまたうなりをあげる海の音によって、簡単にかき消されてしまう。ところが、音波には興味深い物理特性があることが判明した。水中では空気中より四倍速く進み、しかも海上の混沌とした音にもほとんど乱されない。

一九〇一年、ボストンを本拠地とするサブマリン・シグナル・カンパニー（SSC）という会社が、この水中音波の特性を利用する通信ツールシステムの製造を始めた。一定の間隔で鳴る水中ベルと、水中で受信するよう特別に設計された「ハイドロフォン」と呼ばれるマイクである。SSCは世界中のとくに危険な港や海峡に一〇〇以上の観測所を設け、そこの水中ベルが同社のハイドロフォンを装備した船に、岩や浅瀬に近づきすぎたことを警告する。とても工夫に富んだシステムだったが、やはり限界があった。そもそも、SSCが警鐘を設置した場所でしか機能しない。さらに、ほかの船や氷山のような予測が難しい危険を検出するのには、まったく役に立たないのだ。

海上交通に対する氷山の脅威は、一九一二年四月、北大西洋でのタイタニック号沈没によって世界に生々しく知らされた。沈没のわずか二、三日前、カナダの発明家のレジナルド・フェッセンデンが、たまたまSSCのエンジニアと駅で出会い、しばらくしゃべった結果、フェッセンデンが最新の水中信号伝達テクノロジーを見にオフィスに立ち寄るべきだと、二人の意見が一致した。[*18] フェッセンデンは無線通信のパイオニアであり、初の人間による発話の無線伝送と、初のモールス信号の大西洋横断双方向無線伝送、両方に貢献していた。SSCはその専門知識を頼って、水中音響の背景ノイズをもっとうまく除去するように、ハイドロフォンシステムの設計に協力してほしいと彼に依頼した。SSC訪問のわずか四日後、タイタニック号のニュースが流れたとき、フェッセンデンは世間の人たちと同じようにショックを受けたが、彼らとはちがって、そのような悲劇を将来的に防ぐ方法について考えがあった。

フェッセンデンの最初の提案は、無線電信での経験を取り入れて、ベルの代わりに、モールス信号も伝えられる電気による連続音を使うことだった。しかしその可能性をいろいろ考えているあいだに、システムをもっと欲張ったものにできることに気づいた。フェッセンデンの装置は、特別に設計・設置された警告基地が発生する音をただ聞くのではなく、船内でみずから音をつくり、その新しい音が水中の物体に跳ね返って生じる反響音を聞くのだ。ちょうどイルカが海を泳いでいくときに、反響定位を利用するのと同じである。アルシー=シュル=キュール洞窟で歌う人たちが、とくによく反響する場所に引きつけられたのと同じ原理を取り入れて、フェッセンデンは装置が周波数スペクトルのごく一部、ちょうど五四〇ヘルツあたりだけを反響させ、音響環境の背景ノイズをすべて無視できるように調整した。その装置を数カ月間、なんとなく妙な感じに「振動器《バイブレーター》」と呼んでいたが、最終的に「フェッセンデン発振器《オシレーター》」と名づけた。それは水中電信の送受信システムであり、世界初の実用的なソナー装置だった。

そしてまたしても、そのタイミングで起こった世界史に残る出来事が、フェッセンデンの装置の必要性を強めた。実用レベルの試作機第一号を完成させてわずか一年後、第一次世界大戦が勃発する。北大西洋をうろつくドイツの潜水艦が、海上交通に対してタイタニック号の氷山よりも大きな脅威となった。[*19] その脅威はフェッセンデンにとってとくに痛切だった。彼はカナダ国民として、イギリス帝国に強い愛国心を抱いていたのだ（彼はぎりぎりの人種差別主義者でもあったようで、のちに回想録のなかで、なぜ「イギリス系の金髪男性」がこれほど現代のイノベーションの中心にいたかについて、自説を提示している）。しかしアメリカが参戦するのはまだ二年以上先のことで、SSCの重役たちは彼ほどユニオンジャック

発明を試しているラジオ開発者のレジナルド・フェッセンデン。1906 年

きへの忠誠心を持っていなかった。革命的な新技術を二つ開発する財政的リスクを考えたとき、SSCはもっぱら無線電信装置としてのオシレーターを製造・販売することに決めた。フェッセンデンは最終的に自腹を切ってはるばるイギリスのポーツマスまで出かけ、自分のオシレーターに投資するようイギリス海軍を説得しようとしたが、彼らもこの奇跡の発明に対して半信半疑だった。フェッセンデンはのちにこう書いている。「とにかくボックスを開けて、装置がどんなふうかを説明だけでもさせてほしいと、私は懇願した」[20]。しかし彼の懇願は結局無視された。ようやくソナーが海軍戦の標準装備になるのは、第二次世界大戦以降のことである。一九一八年の第一次大戦停戦までに、一万人もの命がドイツの潜水艦に奪われる。イギリス軍とやがてアメリカ軍は、この獰猛《どうもう》な潜水艦をかわすための攻撃と防御の手法を数限りなく試した。しかし皮肉なことに、最も有益な防衛兵器は、攻撃艦の船殻に当たって跳ね返る五四〇ヘルツの音波だったのである。

二〇世紀後半には、反響定位の原理は氷山や潜水艦の探知だけでなく、じつにさまざまなことに使われるようになった。漁船は——そして素人の釣り人も——フェッセンデンのオシレーターの修正版を使って、獲物を見つけている。科学者はソナーを使って海洋の最後の大きな謎を調査し、隠れた地形や天然資源、あるいは断層線を明らかにした。タイタニック号の沈没がきっかけで、レジナルド・フェッセンデンが最初のソナーを思い描いてから約七〇年後、アメリカとフランスの研究者チームがソナーを使って、大西洋の水深三六五〇メートルの海底で、その船体を発見した。

しかしフェッセンデンのイノベーションが最も画期的な効果をおよぼしている場所は陸上にある。母親の子宮内を見るのに音を使う超音波装置は、妊婦健診に革命を起こした。そのおかげで現在では赤ん坊と母親を、一世紀前には致命的だった合併症から、ごくふつうに救うことができている。フェッセンデンは、音を使って見るという自分のアイデアが、人の命を救うことを願っていた。彼はドイツの潜水艦を探知するのに使うと当局を説得できなかったが、最終的にオシレーターは、海だけでなくフェッセンデンが予想もしなかった場所、すなわち病院でも、大勢の命を救っている。

もちろん、超音波のいちばんよく知られている用途は、妊娠初期における赤ん坊の性別診断である。私たちは現在、情報を二値の観点から、つまり0か1か、回路がつながっているか切れているかで、考えることに慣れている。しかしあらゆる人生経験のうち、まだ生まれていない子どもの性別ほど、二値的な岐路はめったにない。生まれてくるのは男の子か、女の子か。その単純な情報から、どれだけたくさんの人生を変える結果が生じることか。妻と私もご多分に漏れず、超音波を使って子どもの性別を知った。現在、胎児の性別を診断するもっと正確な方法はほかにあるが、初めてその情報を教えてくれたのは、まだ生まれていない子どもの成長しつつある体に音波を跳ね返らせる方法だった。ネアンデルタール人がアルシー＝シュル＝キュール洞窟を進んだときと同様、反響が道案内をしたのだ。

しかし、そのイノベーションには暗い面もある。文化として男の子を強く望む中国のような国では、超音波の導入が性別を選択する中絶の増加につながっている。一九八〇年代初期、中国全土に超音波装置が大量に導入され、その直後に政府が性別診断のために超音波を使うことを正式に禁じたが、性別選択のためのテクノロジーの「裏口」利用が広まっている。一九八〇年代末までに、中国全土の病院で生まれる赤ん坊の男女比は、女児一〇〇に対して男児が一一〇近く、一部の田舎では一〇〇対一一八という高い比率も報告されている。[*21] これはあらゆる二〇世紀のテクノロジーのうち、最も驚異的で悲劇的なハチドリ効果に数えられるかもしれない。氷山に跳ね返る音波を聞く機械がつくられ、それから数世代後、まったく同じテクノロジーによって何百万という女の胎児が中絶されているのだ。

現代中国の偏った性比には、中絶そのものや、性別にもとづく中絶の問題とは別に、いくつか重要な教訓が含まれている。第一に、効果がプラスだけに働くテクノロジーの進歩はないことを思い知らされる。氷山から救われた船一隻につき、数えきれないほどの妊娠がY染色体の欠如のせいで中絶されているのだ。テクノロジーの進歩には独自の論理が内在するが、そのテクノロジーの応用にまつわる倫理は私たち次第である。私たちは超音波を使って命を救うこと、あるいは終わらせることを、決断できる（さらに難しい話だが、超音波を使ってわずか数週の胎児の心拍を検出して、生命の境界そのものさえもぼやけさせることができる)。だいたいにおいて、テクノロジーと科学の進歩の隣接可能領域が、次に発明できるものを決定する。あなたがどんなに賢くても、音波発見の前に超音波を発明することはできない。しかし私たちはその発明をどうすることにするのか？　そのほうが難しい問いであり、答えるために別のスキルが必要とされる。

しかし、ソナーと超音波の物語には、別のもっと希望に満ちた教訓もある。私たちの創意工夫の力は、従来の境界をさっと飛び越えることができる。私たちの祖先は最初、何万年も前に、人間の声の音響特性を変化させる反響と残響の力に気づいた。そして大聖堂から「ウォール・オブ・サウンド」まで数世紀にわたって、その特性を利用して声の届く範囲と強さを拡張してきた。しかし、二〇〇年前に音響物理学を研究していた人たちが、そのような反響音を使って水中の兵器を追跡したり、胎児の性別を判定したりすることになると予想していたとは想像しがたい。人間の耳にとって最も感動的で直感的な音、つまり歌ったり、笑ったり、ニュースやゴシップを伝えたりする私たちの声で始まったものが、戦争と平和、死と生、両方の道具に変化したのだ。真空管アンプのひずんだ物悲しいサウンドと同様、それは幸せな音とは限らない。それでも繰り返し、思いもよらない反響を巻き起こしている。

第4章 清潔

Clean

early 19th C.	一般の人に入浴という概念は無縁
1847	患者の処置前に手を洗うことを提案した医師が非難される
1850s	シカゴでコレラや赤痢が定期的に流行
1854	コレラの原因が汚染水であることを特定
1855	シカゴ下水道委員会が結成
around 1860	アメリカで初の下水管敷設工事
1869	毎日体を洗うことが唱道される
early 1870s	シカゴ川に流れた下水が浄水されないまま飲料水に
1898	塩素が細菌を水から除去し、適量であれば溶解した水の飲用が無害だとわかる

an

1905
コッホがコレラ菌を特定した功績によりノーベル賞を受賞

1908
史上初の都市水道水の大規模塩素消毒実験が成功
塩素消毒が全米の地方自治体に採用され、世界的に広まる

1913
アメリカ初の家庭向け市販漂白剤「クロロックス」が誕生

after WW I
1918〜
全米各地に塩素消毒された公共の浴場やプールが一万カ所開業

around
1930
塩素消毒や浄水技術により病気による死亡率を三〇年間で四三パーセント減少させる

2011
日光と食塩だけで排泄物を処理できるトイレが考案される

NOW
コンピューターのマイクロチップの製造に使う、
きれいすぎて飲めない超純水がつくられる

Cle

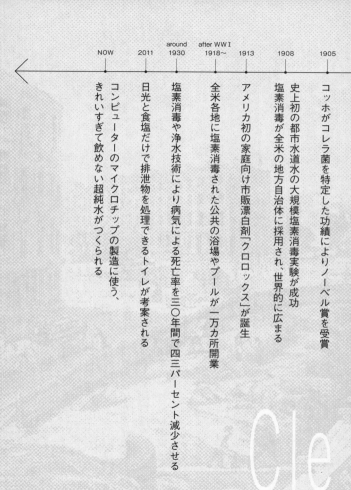

汚すぎたシカゴ

一八五六年一二月、エリス・チェスブロウというシカゴの中年エンジニアが、ヨーロッパ大陸の重要な偉業を視察するために大西洋を渡った。[*1] 訪問先はロンドン、パリ、ハンブルク、アムステルダムなど六都市ほど――典型的なヨーロッパ主都巡りの旅である。しかしチェスブロウは、ルーブルやビッグ・ベンの建築を研究するために長旅をしたのではない。そうではなく、ヨーロッパの工学技術の目につかない成果、すなわち下水道を研究するためだった。

一九世紀半ばのシカゴは、排泄《はいせつ》物の除去に関する専門知識を早急に必要とする都市だった。グレートプレーンズから沿岸都市まで小麦と保存豚肉を運ぶ、輸送の中心地としての役割が大きくなったおかげで、シカゴはものの数十年のあいだに集落から主要都市になっていた。しかし同時期に猛スピードで成長したほかの都市（ニューヨークやロンドンなど）とちがって、シカゴには深刻な影響をもたらす特性がひとつあった。最初の人間が住み着く何千年も前に、そこをゆっくり動いていた氷河の名残で、どうしようもないほど平坦《へいたん》なのだ。更新世のあいだ、広大な氷原がグリーンランドからじわじわと下りてきて、現在のシカゴを厚さ一五〇〇メートル以上の氷河で覆った。[*2] その氷が解けて、現在の地質学者が

エリス・チェスブロウ、シカゴにて。1870 年ごろ

シカゴ湖と呼ぶ広大な水域ができた。その湖がゆっくり干上がってミシガン湖になるとき、氷河に取り残された粘土層を平らにならしたのだ。ほとんどの都市には、発達の中心である川や港まで、しっかりした下り勾配がある。ところがシカゴはまるでアイロン台だ――いかにもアメリカ大平原の大都市にふさわしい。

真っ平らな土地に都市を築くのは問題ないように思える。サンフランシスコ、ケープタウン、リオデジャネイロのような、山の多いけわしい地形のほうが建設や輸送上の技術的問題が多いと、あなたは考えるだろう。しかし平坦な地形は水がはけない。そして一九世紀半ばの都市の下水システムにとって、重力による排水が鍵だった。しかもシカゴの地層は無孔質で水の行き場がないため、夏に豪雨が降るとほんの数分で表土が汚いぬかるみになってしまう。のちにシカゴの初代市長になったウィリアム・バトラー・オグデンは、初めて雨でずぶぬれの町を歩いたとき、気がつくと「膝までぬかるみに沈んで」いた。大胆にも将来性を見込んでその辺境の町に土地を買った義兄にあてて、「［こんな］買い物をするというひどい愚行の責めを負うべきだ」[*3]と書いている。一八四〇年代末、ぬかるみの上に木の厚板でつくられた道路が敷かれた。当時の人の記録によると、ときどき木の板が外れて「すきまから緑や黒のヘドロが噴き出した」[*4]。公衆衛生のための主要システムは、通りをうろついては人間が置き去りにしたゴミをあさってむさぼり食う豚だった。

鉄道と運河のネットワークが異常なスピードで広がったおかげで、シカゴは一八五〇年代のあいだに規模が三倍以上になった。その成長スピードのせいで住宅や交通の問題が生じたが、何より大きな不安はもっと汚いものから生まれた。町に新しい住民が一〇万人近く押し寄せれば、たくさんの排泄物が出てくる。[*5]ある地元新聞の社説がこう断じている。「側溝には汚物が流れ、豚でさえむかついて鼻をそむけるほどだ」。[*6]私たちはめったに考えないが、都市の成長と活力はつねに、人々が密集するとできる人間の排泄物の流れを管理できるかどうかにかかっている。そもそも人間が定住するようになってからというもの、すべての排泄物をどこに捨てるか見きわめることは、住居や広場や市場をどうやって建てるかを考え出すことと同じくらい重要だったのだ。

この問題は、巨大都市のスラム街やバラック集落で現在も見られるように、急成長をとげている都市でとくに深刻である。もちろん一九世紀のシカゴには、処理すべき人間の排泄物だけでなく、通りを行きかう馬や家畜収容所で解体されるのを待つ豚や牛などの動物の排泄物もあった（ある実業家によると、「川はラッシュ・ストリート橋の下から私たちの工場まで、血で真っ赤に染まっている。そのせいでどんな疫病が発生するか、私にはわからない」）。[*7]このような汚物の影響は、感覚的に不快なだけではなく命にかかわる。一八五〇年代にはコレラや赤痢の流行が定期的に起こった。一八五四年の夏、コレラの発生で一日に六〇人が死亡している。当時、当局は排泄物と病気の関係をきちんと理解していなかった。多くの人々が、そのころ広まっていた「毒気《ミアズマ》」説を支持し、疫病は人口の密集した都市で住民が「死の霧」とも呼ばれる有毒な蒸気を吸い込むことで発生すると主張していた。[*8] 真の伝染経路――給水設備を汚染する糞便《ふんべん》を介して運ばれる目に見えない細菌――が一般に理解されるのは、まだ一〇年先のことである。

細菌学は十分に進んでいなかったが、シカゴの当局は町の浄化と病気との闘いをきちんと根本的に結びつけた。一八五五年二月一四日、問題に取り組むためにシカゴ下水道委員会が結成され、最初にとった行動は「チーフエンジニアの職に対応できる最も有能なエンジニア」[*9]の求人を告知することだった。数カ月のうちに適任者が見つかった。エリス・チェスブロウ、鉄道職員の息子で、運河と鉄道のプロジェクトで働いた経験があり、当時はボストン水道のチーフエンジニアを務めていた。

これは賢明な人選だった。チェスブロウの鉄道と運河の土木工事での経験が、シカゴの平坦な地形と無孔質な地層の問題を解決する決め手となったのだ。地中深くに下水道を建設することによって人工的に勾配をつくるのは、コストがかかりすぎると思われた。地表のはるか下にトンネルを掘る作業を一九世紀の用具類でするのは難しく、しかも計画全体を考えると、工程の最後に排泄物を地表まで再びくみ上げる必要がある。ところがここで、チェスブロウはユニークな経歴のおかげで代案となるシナリオを思いついた。若いころ、鉄道の仕事をしていたときに見た道具のことを思い出したのだ。ねじジャッキと呼ばれる、重さ数トンの機関車を線路まで持ち上げるのに使う装置だ。排水に適した勾配をつくるた

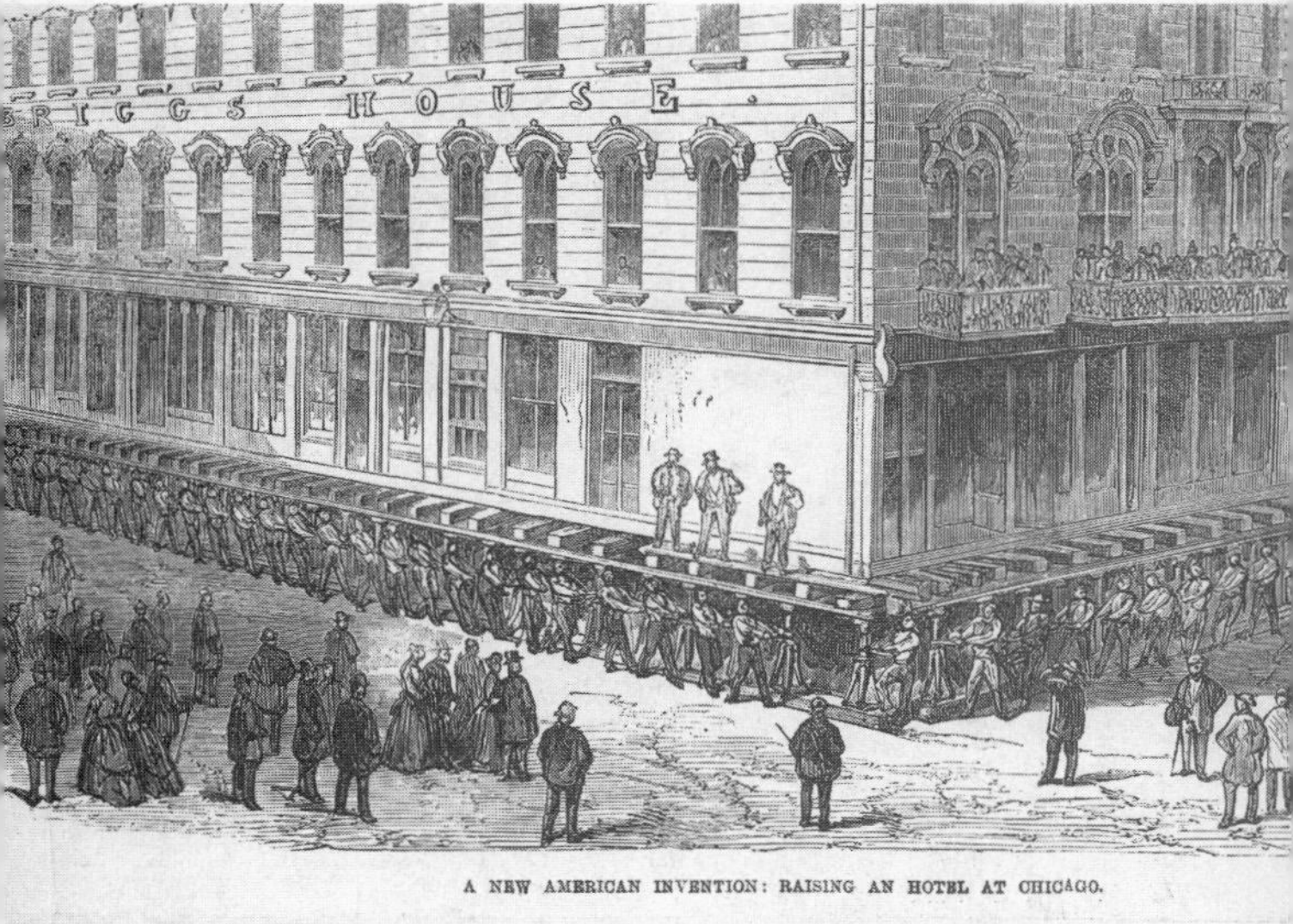
BRIGGS HOUSE.
A NEW AMERICAN INVENTION: RAISING AN HOTEL AT CHICAGO.

シカゴのれんが造りのホテル、ブリッグス・ハウスを持ち上げているところ。1857年ごろ

めに掘り下げられないのなら、ねじジャッキを使って町を持ち上げればいいではないか。

チェスブロウは、のちに鉄道車両の製造で一財産築いたジョージ・プルマンの協力を得て、一九世紀屈指の野心的な土木事業に着手した。シカゴの建物が一棟ずつ、ねじジャッキを持った大勢の作業員によって持ち上げられた。[*10] ねじジャッキが少しずつ建物を上げ、作業員が建物基部の下に穴を掘り、支えになる太い木材をかませると同時に、石工たちが大急ぎで構造物の下に新しい土台を築く。下水管は建物の下に差し込まれ、主配管は道路の中央に設置され、そのあとシカゴ川の底をさらった土で埋め立てられて、町全体が平均三メートル近くかさ上げされた。今日《こんにち》、シカゴ中心部を歩きまわる観光客は決まって、立ち並ぶ華やかな摩天楼が誇示する優れた工学技術に感嘆するが、足もとの地面もまた、見事な土木工事の産物であることには気づかない（当然のことながら、そのような怪力を必要とする大変な事業に参加していたジョージ・プルマンは、数十年後、モデル工場都市としてイリノイ州のプルマンの町づくりに着手したとき、あらゆる建設の着工前に、最初の一歩として下水道と上水道を整備した）。

驚いたことに、チェスブロウのチームがシカゴの建物を持ち上げているあいだも、生活はほとんどふだんどおりだった。あるイギリス人観光客は、七五〇トンのホテルが持ち上げられるのを見て、その奇想天外な経験を手紙にこう書いている。「人々はつねに出入りし、食事をしたり眠ったりしている――ホテルの営みがまったく途切れることなく進行しているのだ」[*11]。プロジェクトが進行するにつれ、チェスブロウと彼のチームは、どんどん大胆なやり方で構造物を持ち上げようと試みるようになっていく。一八六〇年、エンジニアたちは街区一ブロックの半分を一度に持ち上げた。五階建てビルが並ぶおよそ四〇〇〇平方メートル、重さにして推定三万五〇〇〇トンが、六〇〇〇以上のねじジャッキで持ち上げられたのだ。下水管に道を譲るために、建物を持ち上げるだけでなく動かさなくてはならない場合もあった。ある観光客はこう回想している。「私がこの町に滞在していたあいだ、別の地区に移されている家に遭遇しない日は一日としてなかった。九軒に遭遇した日もある。鉄道馬車に乗ってグレート・マディソン通りを行ったときは、家を横断させるために二回止まらなくてはならなかった」[*12]

その結果、アメリカのどこの都市よりも早く、総合的な下水道システムができ上がった。それから三〇年のあいだに、全国の二〇以上の都市がシカゴの先例にならい、独自の地下下水道トンネル網を計画し、整備している[*13]。これらの大規模な地下土木工事は、二〇世紀の主要都市を特徴づけることになる雛形をつくり出した。目につかない地下サービス網に支えられたシステムとしての都市という考えである。一八六三年、ロンドンの地下トンネルを初めて蒸気機関車が走った。一九〇〇年にパリの地下鉄が開業し、それからほどなくしてニューヨークの地下鉄が続いた。歩行者用通路、自動車専用道路、電気や光ファイバーのケーブルが、都市の街路の下を蛇行している。現在、地下にはまったくの別世界が存在し、地上の都市に電力やサポートを供給している。私たちはいま都市というと直感的に、天空に向かって伸びる堂々とした建物の景観から考える。しかしその都会の壮大な建築物が醸す威風も、地下の隠れた世界なしにはありえないだろう。

ありえない衛生観念

このような成果すべてのなかで、地下鉄や高速インターネットケーブルよりもっと重要なのに最も見過ごされやすいのが、下水道も実現に一役買っている小さな奇跡、すなわち、蛇口から出るきれいな水を飲めることである。ほんの一五〇年前、世界中のどの都市でも、水を飲むことは事実上ロシアン・ルーレットだった。一九世紀の都会を象徴する殺し屋を考えるとき、私たちの心は自然にロンドンの街路をうろつく切り裂きジャックへと向かう。しかしヴィクトリア朝時代の真の殺人者は、汚染された飲み水によって広がった病気だったのだ。

これはチェスブロウが考えたシカゴの下水道計画の――文字どおり――致命的欠点だった。彼は日常使われている通りや屋外トイレや地下室から排泄物を取りのぞくための戦略を鮮やかに考え出したが、彼の下水道管はほとんどがシカゴ川へとつながっていて、この川は市の飲料水の主要供給源であるミシガン湖に直接注いでいた。一八七〇年代初めまで

メトロポリタン線の地下鉄工事を進める作業員たち。ロンドンのキングス・クロスにて

に、シカゴの給水設備はひどいことになっていて、流しや浴槽はしょっちゅう死んだ魚であふれた。魚は人間の排泄物に汚染されて死んだあと、市の水道管に吸い上げられるのだ。ある観察者によると、夏には「魚がゆだって出てくるし、浴槽はどうかすると吐き気をもよおすようなものであふれ、市民はそれをチャウダーと呼んでいる」[*14]

アプトン・シンクレアの『ジャングル』(大井浩二訳、松柏社)は、一般に、世の中の汚い部分を暴き出す政治的能動主義の流儀に最も影響を与えた文学作品と考えられている。この本のパワーの一部は、文字どおり汚いものを暴き出すところから生まれている。世紀の変わり目のシカゴの不潔さを不快きわまりないほど詳しく描き出していて、その一例が、いみじくもバブリー・クリーク(泡だらけの川)と名づけられたシカゴ川支流の描写である。

そこに注ぎこむ獣脂や化学薬品に、あらゆる種類の不思議な変化が起こり、川の名前もそれに由来している。それは休みなくうごめきつづけ、巨大な魚が餌を食んでいるか、聖書に登場するレビヤタンのような怪獣が奥底で遊び戯れているかのようだ。炭酸ガスの泡が水面に浮かんではじけ、直径二、三フィートもの波紋を描く。そここで獣脂と汚物が固まっていて、川一面が溶岩流のように見える。その上をニワトリが歩き回って餌をついばんでいる。無用心なよそ者が川を歩いて渡りかけて、束の間、姿を消したことがこれまでに何回もあった。[*15]

シカゴが経験したことは世界中で繰り返された。下水道は人間の排泄物を地下室や裏庭から片づけたわけだが、たいていはそれを、シカゴの場合のように直接、あるいは激しい豪雨のときのように間接的に、飲料水の水源に流し入れているだけだった。大都市を清潔で衛生的な状態に保つには、都市の規模で上下水道の設計図を描くだけでは不十分である。微生物のレベルで何が起こっているかも理解しなくてはならない。病気の細菌説と、その細菌の害から自分たちを守る方法の両方が必要だったのだ。

細菌説に対する医学界の最初の反応を振り返ると、こっけいを通り越しているように思える。とにかく筋が通らない。有名な話だが、ハンガリー人医師のセンメルヴェイス・イグナーツは、一八四七年に初めて内科医も外科医も患者の手当てをする前に手を洗うことを提案したとき、医学界からばかにされ、厳しく非難された（基本的な消毒行為が医学界に根づくのはほぼ半世紀後、センメルヴェイスが職を失い、精神科病院で亡くなったあとのことだ）。それほど知られていないことだが、センメルヴェイスが当初の主張の根拠にしたのは、出産直後に母親が死亡する産褥《さんじょく》熱の調査だった。ウィーンの総合病院で働いていたとき、センメルヴェイスは驚きの自然実験に出くわした。[*16]その病院には二つの産科病棟があって、一方は富裕層向けで医師や医学生が担当し、もう一方は労働者階級向けで助産師が世話をしていた。そしてどういうわけか、産褥熱による死亡率は労働者階級向け病棟のほうがはるかに低かったのだ。センメルヴェイスは両方の環境を調査した結果、エリート医師や医学生は赤ん坊を取り上げる仕事と、死体安置所《モルグ》での死体による研究のあいだを行ったり来たりすることを突き止めた。なんらかの感染性因子が死体から出産直後の母親に運ばれていたことは明らかであり、塩素化石灰のような消毒剤を使うだけで、感染サイクルを断ち切ることができただろう。

この一世紀半のあいだに、清潔さに対する認識がどれだけ変わったかを示す例として、これほど衝撃的なものはないかもしれない。センメルヴェイスは、ただ医師が手を洗うことを提案したから、冷笑され追放されたのではない。もし医師が同じ日の午後に分娩と死体解剖を行ないたいのであれば、手を洗うべきだと提案したから、冷笑され追放されたのだ。

これは、私たちの基本的感性が一九世紀の人たちの感性とかけ離れている場面のひとつである。彼らは多くの点で現代人と同じに見えるし、同じように行動している。列車に乗り、会議の予定を組み、レストランで食事をする。しかしときとして、私たちと彼らとには妙なギャップがある。ひと目でわかるテクノロジーの複雑さのギャップだけでなく、もっと微妙な考え方のギャップである。現代世界とは衛生についての考え方が根本的にちがう。たとえば、一九世紀初め、入浴という概念はたいがいの欧米人には無縁だった。入浴するという考えになじみがなかったのは、水道や屋内トイレをいまの先進世界の一般人と同じ

中央衛生教育振興会（1927～69年）が発行したポスター。1955年

ようには利用できなかったからにすぎない、と考えるのが自然かもしれない。しかし、じつは話はもっとずっと複雑だ。ヨーロッパでは中世から二〇世紀になるまでほぼ一貫して、水に体を浸すのは明らかに不健康どころか危険でさえあるというのが、衛生についての社会通念だった。毛穴を土や油でふさぐことによって、病気から身を守れるとされていたのだ。「水浴びをすると頭が蒸気でいっぱいになる」と、一六五五年にフランス人医師が助言している。「これは神経と靭帯の敵で、だらしなくゆるめてしまう。そういうわけだから、水浴びのあと以外に痛風に苦しむ人はあまりいない」[*17]

この偏見の強さがとくにはっきり表われているのは、一六〇〇年代から一七〇〇年代にかけての王族に関する記述だ。彼らは言ってみれば、迷うことなく浴室をつくらせ、入浴の用意をさせるだけの金銭的能力がある人たちである。ところが、エリザベス一世は月に一度しか入浴せず、それでも同じ王族や貴族の人たちとくらべれば、まぎれもない潔癖症だった。ルイ一三世は七歳まで一度も入浴していない。[*18]裸で水たまりのなかにすわるのは、教養あるヨーロッパ人がやることではなかった。中東の浴場に見られる野蛮な伝統に属するものであって、パリやロンドンの上流階級のものではなかったのだ。

その考え方が一九世紀初頭から少しずつ変わりはじめ、とくにイギリスとアメリカで顕著だった。チャールズ・ディケンズはロンドンの自宅内に凝った冷水シャワーをつくり、毎日のシャワーが活力の源になり、衛生にもいいことをおおいに唱道した。入浴方法を教えるマイナーなジャンルの自助の本や小冊子が出現したが、いま見ると、まるで747型機を着陸させる訓練のような詳細な説明つきである。ジョージ・バーナード・ショーの戯曲『ピグマリオン』で、ヒギンズ教授がイライザ・ドゥーリトルの行ないを改めさせるための第一歩は、彼女を浴槽に入れることだった（「あそこに入って全身ずぶぬれになれというのですか？」と彼女は抵抗する。「いやですよ。風邪をひいてしまいます」）。ハリエット・ビーチャー・ストウと姉のキャサリン・ビーチャーは、一八六九年に発行されて大きな影響をおよぼしたハンドブック『アメリカ女性の家庭（The American Woman's Home）』のなかで、毎日体を洗うことを唱道している。[*19] 改革論者は全国の都市のスラム地区に共同の浴場とシャワーを建設するようになった。「一九世紀終盤までに、きれい好きは敬神だけでなくアメリカ人らしさとも、しっかり結びつくようになっていた」[*20]と、歴史学者のキャスリン・アシェンバーグが書いている。

体を洗うことの美徳は、現代人が考えるようには、自明のことではなかった。おもに社会改革と口コミをとおして、理解され奨励される必要があったのだ。興味深いことに、一九世紀に入浴が大衆に受け入れられるにあたって、せっけんについての議論はほとんどない。水で人が死ぬことはないと人々を説得するだけでも十分に困難だったのである（あとで見るように、二〇世紀にようやくせっけんが主流になったとき、宣伝という別の新しいしきたりによって促進されることになる）。しかし入浴の伝道者たちは、いくつかの重要な科学とテクノロジーの発展が集約したことに助けられた。公共インフラが進歩したということは、人々が自宅で浴槽に水をためるための水道を引く傾向がかなり強くなり、水が数十年前よりもきれいになったということだ。しかも、とくに重要なこととして、病気の細菌説が奇説から科学的コンセンサスに進化していた。

塩素革命

この新しいパラダイムは、並行する二つの研究によって実現した。第一に、ロンドンのジョン・スノウによる疫学的研究があった。彼はソーホーでの流行による死者を地図に示すことによって、コレラを引き起こすのは毒気《ミアズマ》でなく汚染水であることを初めて証明したのだ。コレラを引き起こす細菌を直接見ることは、スノウにはできなかった。当時の顕微鏡検査のテクノロジーでは、微生物（スノウは「微小動物」と呼んでいた）は小さすぎて見ることはほぼ不可能だったのだ。しかし彼は間接的に、ロンドンの街路に示された死亡のパターンに、その微生物を見つけることができた。スノウの病気水媒介説は最終的に、ミアズマ・パラダイムに初めて決定的な打撃を与えることになった。ただし、スノウ自身は自説の勝利を生きて見ることはなかった。一八五八年に彼が早すぎる死をとげたあと、《ザ・ランセット》誌は簡潔な死亡記事を載せたが、彼の画期的な疫学的研究にはまったく触れ

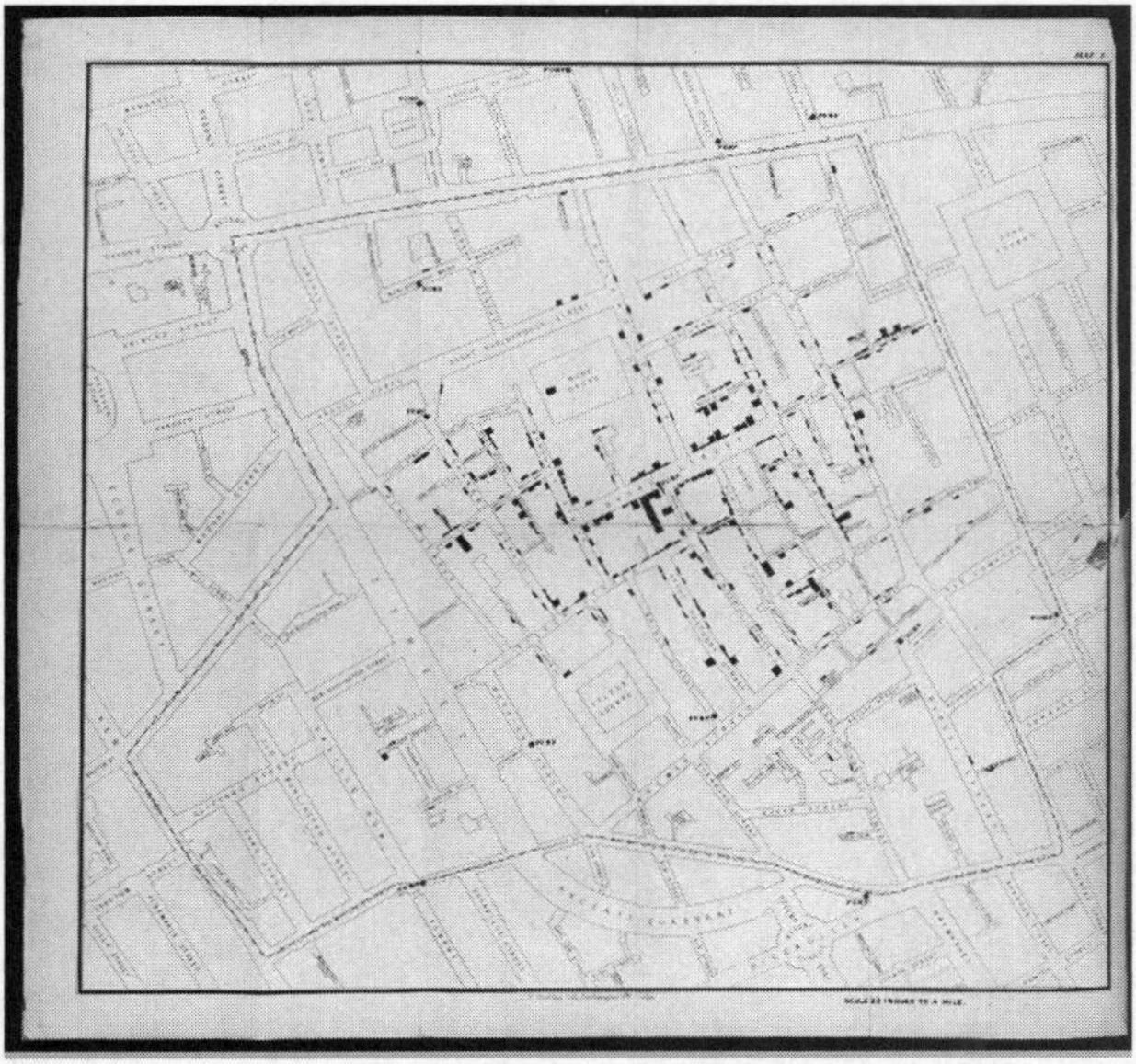

ジョン・スノウが作成したソーホーのコレラ感染地図

なかった。二〇一四年、同誌はその死亡記事にいささか遅きに失した「訂正」を行ない、このロンドンの医師による公衆衛生への重大な貢献を詳述している。

ミアズマ仮説と入れ替わることになった現代の総合説——コレラや赤痢のような病気の原因は毒気ではなく、汚染された水のなかで繁殖する目に見えない微生物であるという説——は最終的に、やはりガラスのイノベーションに支えられていた。ドイツのレンズメーカー、ツァイス・オプティカル・ワークスが、一八七〇年代初期に新しい顕微鏡をつくりはじめた。初めて、光の作用を表わす数式を中心につくられた装置だ。この新しいレンズのおかげで、ロベルト・コッホのような科学者による微生物学研究が可能になった。彼は初めてコレラ菌を特定した科学者のひとりである（一九〇五年にノーベル賞を受賞したあと、コッホはカール・ツァイスに「私の成功はあなたのすばらしい顕微鏡に負うところが大きい」[*21]と書いている）。偉大なライバルだったルイ・パスツールとともに、コッホと彼の顕微鏡は病気細菌説の展開と伝道に一役買った。テクノロジーの観点から見ると、公衆衛生における一九世紀の飛躍的発展、つまり目に見えない細菌が人を殺す可能性があるという理解は、言ってみれば感染地図と顕微鏡のチームワークの賜物《たまもの》である。

現在、コッホがツァイスのレンズで無数の微生物を特定したことは、きちんと世に知られている。しかし彼の研究は、それほど広く認識されていないがまったく同じくらい重要な、関連する大発明にもつながっている。コッホはただ細菌を見ただけではなく、所与の量の水に含まれる細菌の密度を測定する精巧な道具も開発したのだ。彼は汚染水を透明なゼラチンと混ぜ合わせ、ガラス皿の上で繁殖する細菌のコロニーを観察した。そして、どんな水量にも応用できる尺度を確立した。[*22] すなわち、一ミリリットル当たり一〇〇コロニー未満であれば、飲んでも安全だというのである。

新しい測定方法は新しい成功方法を生み出す。細菌の含有量を測定できるようになったおかげで、公衆衛生の課題に対するまったく新しいアプローチが可能になった。この尺度が採用される前には、水道システムの改良は旧式なやり方で試すしかなかった。つまり、新しい下水道や貯水場や水道管を設置し、死者が減るかどうかわかるのを、ただじっと待っているのだ。しかし水のサンプルを採取して、汚染がないかどうかを疫学的に判定できるということは、実験のサイクルを大幅に加速できるということだ。

顕微鏡と測定法のおかげで、まもなく病原菌との闘いに新たな戦線が生まれた。飲料水から汚物を追い出すことによって間接的に闘うのではなく、新しい化学物質を使って直接病原菌を攻撃できるのだ。この第二戦線に加わった重要な兵士のひとりが、ニュージャージーの医師、ジョン・レアルだった。先人のジョン・スノウと同様、レアルも患者を治療する医師だったが、広範の公衆衛生問題、とくに汚染された給水設備に関する問題に、強い関心を抱いていた。それは個人的な悲劇から生まれた関心だった。[*23] 彼の父親は南北戦争中に細菌に汚染された水を飲んだことで、じわじわと痛ましい死をとげている。戦時中の彼の父親の経験は、この期間に汚染水などの健康リスクによってもたらされた脅威の統計数字に説得力を与える。第一四四連隊のうち戦闘で死亡した人が一九人だったのに対し、戦争中に病死した人は一七八人だったのだ。

レアルは細菌を殺すためのさまざまな手法を実験したが、一八九八年に早くも、ある毒がとくに彼の興味をかき立てはじめた。それは次亜塩素酸カルシウム。一般には塩素剤として知られる命取りにもなりえる化学薬品で、「さらし粉」とも呼ばれる。この化学薬品は公衆衛生の救済策として、すでに広く流通していた。腸チフスやコレラが発生した住宅や近隣地区は必ずこの薬品で消毒されていたが、その介入は水媒介性疾患の撲滅とは関係ない。塩素剤を水に入れるという考えは、まだ根づいていなかった。さらし粉のツンとする刺激臭は、欧米各地の都市の住民にとって、疫病を連想させるものとして刻み込まれている。まちがいなく人が飲み水に感じたくない臭いである。ほとんどの医師と公衆衛生当局は、そのアプローチを拒否した。ある著名な化学者は「薬品による殺菌という考えそのものが不快だ」と抵抗している。しかし、腸チフスや赤痢のような病気の原因となる病原菌を確認し、しかもそれが合わせてどれだけ水中に存在するかを測定できるツールを手に入れたレアルは、塩素剤が――適正量であれば――どんな手段よりも効果的に危険な細菌を水から除去できるうえ、人間がその水を飲んでもいっさい害はないと、確信するにいたった。

コレラの犠牲者

最終的に、レアルはジャージーシティ水道会社に職を得て、パセーイク川流域で二六五億リットルの飲料水を管理することになった。この新たな仕事に就いたことで、公衆衛生史上、最もとっぴで大胆な介入のための舞台が整った。一九〇八年、会社は完成したばかりの貯水場と給水管の契約（現在の金銭価値で数億ドル）をめぐって、長引く法廷闘争にどっぷり浸かっていた。担当判事は、同社が「きれいで衛生的な」水を供給していないと非難し、市の飲料水に病原菌が入らないように、コストをかけて新たな下水道を建設するように命令した。しかしレアルは下水道の効果が限定的であり、大嵐が来ればなおさらだと知っていた。そこで、実験したばかりの塩素剤を最終テストすることに決めた。

レアルはほとんど極秘裡《り》に、政府当局から許可を得ず（そして一般市民になんの通知もせず）、ジャージーシティの貯水槽に塩素剤を加えることを決断した。そしてエンジニアのジョージ・ウォレン・フラーの助けを得て、ジャージーシティ郊外にあるブーントン貯水場に「さらし粉投入装置」をつくって設置する。当時の化学的浄水に対する世論の反対を考えれば、とてつもないリスクである。しかし裁判所の判決は厳しいスケジュールを課しているうえ、実験室でのテストは一般大衆にとって無意味であることはわかっていた。「レアルには予備実験のための時間がなかった。新しいテクノロジーを試すためにデモンストレーション用の装置をつくる時間はまったくなかった」[*24]と、マイケル・J・マクガイアが著書『塩素革命（The Chlorine Revolution）』に書いている。「さらし粉投入システムが投入する薬品の量を制御できなくなって、残留塩素量の多い水がジャージーシティに運ばれれば、それで工程の失敗が明らかになることをレアルは承知していた」

史上初の都市水道水の大規模塩素消毒だった。しかしひとたび報道されると、当初、レアルはまるで正気を失っている人物かテロリストであるかのような扱いだった。なにしろ、次亜塩素酸カルシウムの水溶液をコップに二、三杯飲んだら死ぬだろう。しかし、レアルは十分な実験を行なっていたので、その化合物はごく少量なら人間には無害だが、多くの細菌にとって致命的であることを知っていた。実験から三カ月後、レアルは自分の行動を弁明するために出廷を命じられた。審問中ずっと、彼は自分の考えた公衆衛生のイノベーションを断固とした態度で擁護した。

問　ドクター、このさらし粉を同じように人口二〇万の都市の飲料水に投入する実験が行なわれた場所が、世界でほかにどこにあるのでしょうか？

答　人口二〇万？　世界にそんな場所はありません。一度も試されていないのです。

問　一度も試されていない。

答　このような条件、このような状況では試されていませんが、ともかく将来的には何度も使われるでしょう。

問　ジャージーシティが最初ですか？

答　それで利益を得る最初の都市です。

問　ジャージーシティは、あなたの実験が成功か失敗かを証明するために初めて使われた都市なのですか?

答　いいえ、それで利益を得るのです。実験は終わりです。

問　あなたはこの実験を行なうことを市に通告しましたか?

答　いいえ、していません。

問　あなたはこの水を飲みますか?

答　はい。

問　奥さんや家族に飲ませることにためらいはないですか?

答　世界一安全な水だと思っています。

最終的に、裁判はほぼ完全なレアルの勝利で決着した。この裁判の特別判事補佐官は次のように書いている。「この装置には、ジャージーシティに送られる水をきれいで衛生的なものにすることが可能で……危険な病原菌を……水から除去する効果があると認定し、報告する」[*25]。数年のうちに、レアルの大胆な処置を支持するデータが決定的になっていた。飲み水を塩素消毒しているジャージーシティのような地域では、腸チフスなどの水媒介性疾患が劇的に減少したのだ。

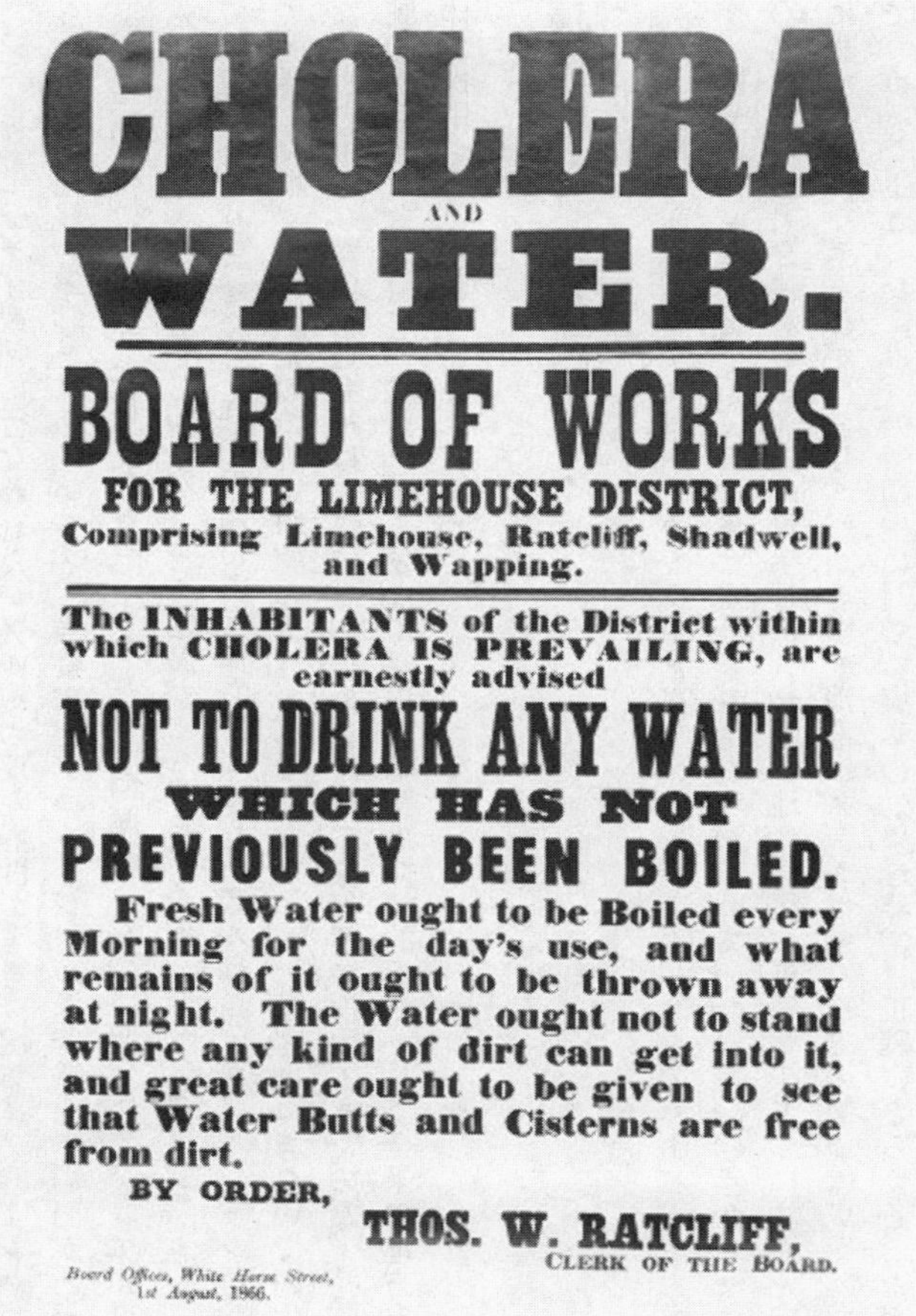

CHOLERA

AND

WATER.

BOARD OF WORKS

FOR THE LIMEHOUSE DISTRICT,

Comprising Limehouse, Ratcliff, Shadwell, and Wapping.

The INHABITANTS of the District within which CHOLERA IS PREVAILING, are earnestly advised

NOT TO DRINK ANY WATER
WHICH HAS NOT
PREVIOUSLY BEEN BOILED.

Fresh Water ought to be Boiled every Morning for the day's use, and what remains of it ought to be thrown away at night. The Water ought not to stand where any kind of dirt can get into it, and great care ought to be given to see that Water Butts and Cisterns are free from dirt.

BY ORDER,

THOS. W. RATCLIFF,
CLERK OF THE BOARD.

Board Offices, White Horse Street,
1st August, 1866.

コレラ警報。1866年

ジャージーシティ裁判で行なわれたレアルへの反対尋問のとき、塩素イノベーションからの莫大な金銭的報酬を求めていると、検察官がジョン・レアルを非難する場面があった。「もし実験が成功とわかれば、なんと、あなたは一財産築くというわけです」[*26]。レアルは証人席から肩をすくめて割り込んだ。「その財産がどこから来るのかわかりませんね。私にとっては何も変わりません」。ほかの人たちとはちがって、レアルは自分がブーントン貯水場で開発した塩素消毒技術の特許を申請しようとしていなかった。顧客に「きれいで衛生的な」水を供給したい水道会社はどこでも、彼のアイデアを無料で採用できたのだ。特許の制約やライセンス料に邪魔されることなく、塩素消毒は標準的手法として全米の地方自治体に採用され、やがて世界に広まった。

清潔さとアレルギー

一〇年ほど前、デイヴィッド・カトラーとグラント・ミラー、二人のハーバード大教授が、塩素消毒（およびほかの浄水技術）が全米各地で実践されていた一九〇〇年から一九三〇年までの効果を確かめる調査に着手した[*27]。全国各地に病気の罹患率《りかん》やとくに幼児死亡率に関する豊富なデータが存在し、しかも塩素消毒システムは驚くほどの勢いで広がったので、カトラーとミラーは、公衆衛生に対する塩素の効果を非常に正確にとらえることができた。きれいな飲料水は平均的なアメリカの都市で、総死亡率の四三パーセント減少につながった。さらに感動的なことに、塩素と浄水システムは幼児死亡率を七四パーセント、子どもの死亡率もほぼ同じくらい低下させた。

ここで少し立ち止まって、これらの数字の重要性をよく考え、公衆衛生の統計という無味乾燥の領域から、生きた実体験の世界に移してみることには意味がある。二〇世紀に入るまで、自分の子どもが一人以上幼いうちに死ぬ可能性がきわめて高いことは、親にとって既知の事実だった。子どもを失うというのは、私たちが直面する可能性のある経験のなかで最もつらいことなのに、それが生きていくなかで日常茶飯事だったのだ。現在、少なくとも先進世界では、その日常茶飯事はめったにない出来事に変わっている。子どもを害から安全に守るという、生きるうえで最も根本的な課題が劇的に小さくなったのは、ひとつには大規模な土木工事のおかげであり、ひとつには次亜塩素酸カルシウムという化合物と微細な細菌との目に見えない衝突のおかげである。その革命を陰で支えた人たちは金持ちになっていないし、有名になった人もごくわずかだ。しかし彼らが私たちの生活に残した影響は、いろいろな意味で、エジソンやロックフェラーやフォードの遺産よりも深い。

しかし、塩素消毒の話は救命にとどまらない。娯楽にも関係している。第一次世界大戦後、全米各地に塩素消毒された公共の浴場やプールが一万カ所も開業し、泳ぎを覚えることは通過儀礼となった。このような新しい水に関係する公共スペースは、両大戦間に起こった、古い公序良俗の規準に対する挑戦の最前線だった。市営プールが誕生する前、泳ぐ女性は一般的に、まるでそりに乗るかのように着込んでいた。ところが一九二〇年代半ばまでに、女性たちは膝下を露出するようになり、数年後には襟ぐりの深いワンピースの水着が出てきた。一九三〇年代に入るとすぐに背中の開いた水着、続いてツーピース型も出現する。「一九二〇年から一九四〇年までに、女性の腿《もも》、腰のライン、肩、腹、背中、胸のライン、すべてが公然と露出されるようになった」[*28]と、歴史学者のジェフ・ウィルツが水泳の社会史を著した『争いの水（Contested Waters）』に書いている。単純な素材の観点からもその変化を推定できる。二〇世紀に入るころ、平均的な女性の水着には九メートルの布地が必要だったが、一九三〇年代末には九〇センチで十分になっていた。私たちは一九六〇年代を、文化意識の変化によって日常のファッションが最も劇的に変化した時代と考えがちだが、両大戦間に次々と女性の体からベールがはずされた現象に匹敵するものはあまりない。もちろん、プールが誕生しなくても、女性のファッションは別の経緯で露出にいたっていただろう。しかし、これほど急速に起こった可能性は低いように思われる。泳ぐ女性の腿を露出させることは、ジョン・レアルがジャージーシティの貯水槽に塩素を投入したとき、彼の頭のなかになかったのはたしかだが、ハチドリの羽のように、ある分野での変化が引き金となって、それとは無関係に思える変化が異なる次元の生活様式に起こる。次亜塩素酸カルシウムの手にかかって無数の細菌が死に、そしてどういうわけか二〇年後、女性の体の露出に対する基本的意識が改革された。多くの文化的変化と同じように、塩素消毒の実施だけで女性のファッションが変容したのではない。初期フェミニズムのさまざまな要素、ハリウッドのカメラの熱狂的な視線、そして言うまでもなく露出度の高い水着を着たスターたちなど、さまざまな社会やテクノロジーの力が合流したからこそ、このように水着が小さくなったのだ。しかしレジャーとして大衆が水泳を選ぶことがなければ、このようなファッションは重要な展示の場をひとつ失うことになる。さらに、ほかの説明は――もっともではあるが――だいたいマスコミでさんざん注目されている。街で一般の人に女性のファッションを推進する要因を尋ねれば、必ずハリウッドや高級雑誌が挙がるだろう。しかし、次亜塩素酸カルシウムが話題にのぼることはあまりない。

一九世紀のあいだ、清潔さにまつわるテクノロジーは、大がかりな土木工事も大規模浄水システムも、おもに公衆衛生の分野で展開された。しかし二〇世紀の衛生学はもっとずっと身近な話である。レアルの大胆な実験からわずか数年後、サンフランシスコの五人の起業家が一〇〇ドルずつ投資して、塩素ベースの製品を発売した。振り返って考えると、それはいい発想だったように思えるが、彼らの漂白ビジネスは大規模産業向けで、売り上げは期待したほど急成長しなかった。しかし投資家のひとりの妻で、カリフォルニア州オークランドに店を持っていたアニー・マリーにはアイデアがあった。その塩素漂白剤は工場だけでなく、一般の家庭にとっても革命的な製品になる、というのだ。マリーの主張にしたがって、会社は薬品の弱いバージョンをつくり、小さい瓶に詰めた。マリーはこの製品の有望性を確信していたので、自分の店の客全員に無料サンプルを配った。数カ月後には瓶入り漂白剤は爆発的に売れていた。本人は当時気づいていなかったが、アニー・マリーはまったく新しい産業の創成を助けていた。アメリカ初の家庭向け市販漂白剤をつくり、新世紀に相次いであちこちに出現する洗剤ブランドの第一号、クロロックスを立ち上げたのだ。[*29]

クロロックスの瓶はごくありふれたものになったので、私たちの祖父母が残したその破片は現在、考古学者によって発掘現場の年代を定めるのに使われている（矢じりが鉄器時代を、コロニアル式陶器が一八世紀を示すように、塩素漂白剤の五〇〇ミリリットル入りガラス瓶は二〇世紀初期を示す）。同時期にはほかにも、パームオリーブせっけん、洗口液のリステリン、あるいは人気の制汗剤オドロノなど、よく売れた家庭向け衛生用品があった。このような衛生用品は、雑誌や新聞の全面広告で宣伝される製品の先駆けでもある。一九二〇年代のアメリカ人は、自分の体や家庭内の細菌をどうにかしないのは恥だと訴えるコマーシャル攻めに遭っていた（よく使われる「いつも花嫁付添い人ばかり、一度も花嫁になれない」というフレーズは、一九二五年のリステリンの広告が始まりだ）。ラジオとテレビが試しにドラマを放送するようになったとき、またもや新たな形式の宣伝を開拓する道を開いたのは、個人向け衛生用品の企業だった。その見事なマーケティング活動は、「ソープオペラ」（訳

A-ha!
SOLVED...the problem of cleansing plus disinfecting!
MADE BY ELECTRICITY
BLEACHES
DEODORIZES
LIQUID CLEANING
CLOROX
WASHING COMPOUND
GERMICIDE DISINFECTANT
SODIUM HYPOCHLORITE
CLOROX CLOROX CLOROX
CLOROX
BLEACHES · REMOVES STAINS · DESTROYS ODORS
KILLS GERMS . . . an Added Safeguard to Health

クロロックスの広告

注：せっけんの会社がスポンサーになることが多かった昼のメロドラマ）という言い回しに残っている。これもまた現代文化の不思議なハチドリ効果である。病気の細菌説は、幼児死亡率を一九世紀の数分の一のレベルにまで引き下げ、手術や出産をセンメルヴェイスの時代よりはるかに安全なものにした。しかしそれだけでなく、現代の広告ビジネスを生み出すのにも、きわめて重要な役割を果たしたのだ。

現在、洗浄産業は八〇〇億ドル規模と推定される。大型スーパーやドラッグストアに行くと、家庭から危険な病原菌を取りのぞくための製品が、何千ではないにしても何百点と並んでいる。流し、トイレ、床、食器、さらには歯や足をきれいにする製品だ。これらの店舗はいわば細菌との闘いのための巨大な武器庫である。当然のことながら、現代人の清潔さへのこだわりは、もはや行きすぎかもしれないと感じている人もいる。一部の研究によると、どこまでも清潔さを求める世の中は、じつは喘息《ぜんそく》やアレルギーの罹患率増加と関連している可能性がある。免疫系が子どもも時代に多種多様な病原菌にさらされないまま発育するからである。

きれいすぎて飲めない水

過去二世紀にわたって繰り広げられた人と細菌の闘いは、水着の流行スタイルのようなささいなことから、幼児死亡率低下という生命にかかわる改善まで、広範囲に影響をおよぼしている。微生物による病気の感染経路への理解が深まったおかげで、人間の文明全体を抑圧していた都市の人口増の限界が、突き破られることになった。一八〇〇年時点で、人口二〇〇万以上の都市をうまく築いて維持できていた社会はなかった。その壁に真っ先に挑んだ都市（ロンドンとパリ、すぐあとにニューヨーク）は、ごく狭い土地に大勢の人々が暮らしていると突然発生する病気にひどく悩まされていた。一九世紀半ばの都市生活を観察していた分別のある人はだいたい、都市はこんなに大きくなるべきではなく、二〇〇〇年近く前のローマと同じように、ロンドンも必然的にもっと扱いやすい規模にもどると確信していた。しかしきれいな飲料水と信頼できる排泄物処理の問題が解決されて、すべての状況が変わった。エリス・チェスブロウが初めてヨーロッパの下水道を巡る旅をしてから一五〇年後、ロンドンとニューヨークの住民は一〇〇〇万人に近づいていて、感染症罹患率はヴィクトリア朝時代よりはるかに低くなっていた。

もちろん、いま問題になっているのは二〇〇〇万や一〇〇〇万の都市ではない。ムンバイやサンパウロのような巨大都市は、まもなく三〇〇〇万の人口を抱えることになり、その住民の多くが、先進世界の現代都市より、チェスブロウがかさ上げしなくてはならなかったシカゴに近い、間に合わせのコミュニティ——バラック集落やスラム街——で暮らしている。現在のシカゴやロンドンだけを見れば、過去一世紀半の話は議論の余地なく進歩に思える。水はきれいになり、死亡率は大幅に下がり、疫病は実質的に存在しない。ところが現在も、きれいな飲み水や基本的な衛生システムを利用できない人々が世界中に三〇億人以上いる。絶対的な数字を見ると、ヒトという種としては後退している（一八五〇年には世界人口は一〇億にすぎなかった）。したがって、いま私たちの前にある疑問は、どうすればクリーン革命をミシガン通りだけでなくスラム街にも起こせるか、である。従来の考えでは、そのようなコミュニティも、スノウやチェスブロウやレアルなど、公衆衛生インフラの陰のヒーローたちが切り開いたのと同じ道を行く必要があるとされていた。排泄物を処理する大規模な下水システムにつながっているトイレが必要で、同じくらい複雑なシステムを介して浄化した水を家庭向けに送り出す貯水槽を清潔に保たなくてはならない、というわけだ。しかし、新しい巨大都市の市民たち――および世界的なイノベーション開発者たち――は次第に、歴史が繰り返される必要はないと考えるようになっている。ジョン・レアルがいかに大胆で決意に満ちていたにしても、彼が一世代前に生まれていたら、ジャージーシティの水を塩素消毒するチャンスはなかっただろう。なぜなら、塩素消毒を可能にする科学とテクノロジーはまだ考案されていなかったからだ。一九世紀後半に、感染地図とレンズと化学と測定法が集約したおかげで、彼に実験の舞台が用意されたわけで、もしレアルが塩素消毒を広めなかったとしても、少なくとも一〇年以内には、誰かほかの人がそうしていたと考えていいだろう。そう考えると、ある疑問が浮かぶ。細菌説と顕微鏡が水を化学的に処理するという発想を生んだように、新しいアイデアと新しいテクノロジーで新しい解決策を考えられるようになるなら、レアルの時代以降、都市を清潔に保つために、大がかりな土木工事という段階をまるごと迂回《うかい》するような新しいパラダイムを生む、新しいアイデアは十分に出てこなかったのか？　おそらくそのパラダイムは、私たちがみな共有する運命にある未来の先行指標になるだろう。発展途上世界は周知のとおり、有線の電話回線という面倒なインフラを迂回し、無線接続を基本に通信を構築することによって、より「進んだ」経済へと飛躍している。

二〇一一年、ビル・アンド・メリンダ・ゲイツ財団は、基本衛生サービスの考え方にパラダイム転換を促すためのコンテストを告知した。[*30]「トイレ再発明チャレンジ」と銘打たれたコンテストでは、下水道との接続も電力網も不要で、ユーザーにかかるコストが一日五セント未満のトイレの企画を募集した。優勝したのはカリフォルニア工科大学が応募したトイレシステムで、人間の排泄物を処理する電気化学反応装置に太陽電池を使って電力を供給し、洗浄のためのきれいな水と、燃料電池に蓄えられる水素を生成する。システムは完全に自給自足で、送電系統も、下水管も、処理設備も必要ない。日光と排泄物のほかにインプットする必要があるのは、ただの食塩だけで、それが電気分解されて水を消毒する塩素をつくる。

ジョン・レアルがいまここにいてそのトイレを見ても、理解できる要素はその塩素分子だけかもしれない。なにしろそのトイレは、二〇世紀に隣接可能領域に入った新しいアイデアとテクノロジーに依存していて、コストも労力もかかる大規模なインフラ工事を迂回できる望みのあるツールなのだ。レアルがジャージーシティの上水道をきれいにするためには、顕微鏡と化学と細菌説が必要だった。カリフォルニア工科大のトイレには、水素燃料電池、ソーラーパネル、さらにはシステムを監視・制御するための軽量で低価格のコンピューターチップが必要である。

皮肉なことに、マイクロプロセッサーそのものも、部分的にクリーン革命の副産物である。コンピューターチップはすばらしく複雑な創作物だ——つまるところ人間の知性の産物であるにもかかわらず、細部は顕微鏡でしか見えないし、私たちにはほぼ理解不能である。評価するにはマイクロメートル、つまりミクロンの尺度までズームしなくてはならない。一メートルの一〇〇万分の一だ。人間の髪の毛の太さはだいたい一〇〇ミクロン。皮膚の細胞ひとつは約三〇ミクロン。コレラ菌は直径約三ミクロン。二進コードの0と1を示す信号を伝えるマイクロチップ上で、電気が流れる経路とトランジスターは一ミクロンの一〇分の一という小ささだ。このサイズで製造するには、並はずれたロボット工学とレーザーツールが必要であり、手づくりのマイクロプロセッサーなどというものは存在しない。しかしチップ工場には、私たちが通常ハイテクの世界から連想することのない、別の種類のテクノロジーも必要だ。工場はばかばかしいほど清潔でなくてはならないのである。織細なシリコンウエハーに室内のほこりがつくのは、マンハッタンの町にエベレスト山が落ちてくるようなものだ。

テキサス州オースティン郊外にあるテキサス・インスツルメンツのマイクロチップ工場のような環境は、地球上で最も清潔である。その空間に入るためにさえ、完全なクリーンスーツに身を包んで、頭からつま先まで、毛羽落ちしない無菌素材で覆わなくてはならない。そのプロセスには妙な逆転がある。通常、あなたがそのような厳重な防護服を身に着けるのは、厳寒、病原菌、宇宙の真空空間など、なんらかの厳しい環境から身を守るためだ。しかしクリーンルームでは、スーツは空間をあなたから守るようデザインされている。あなたは病原体であり、誕生を待っているコンピューターチップの貴重な資源に脅威を与える。髪の毛包や表皮層や粘液が、あなたの体に群がっている。マイクロチップの視点から見ると、人間はみなピッグ・ペン（訳注：スヌーピーが主人公の『ピーナッツ』に登場するほこりが大好きな男の子）であり、不潔なほこりの塊なのだ。クリーンルームに入る前に体をきれいにするときには、せっけんを使うことさえ許されない。たいていのせっけんに含まれる香料は、汚染物になりかねないものを放つからだ。クリーンルームにとっては、せっけんさえ汚すぎるのである。

クリーンルームには奇妙な対称性もあって、エリス・チェスブロウ、ジョン・スノウ、ジョン・レアルといった、都市の飲料水を浄化しようと悪戦苦闘した最初のパイオニアまで話がもどる。マイクロチップを製造するには大量の水も必要だが、この水はあなたが飲む水道水とはまったくちがう。不純物を避けるため、チップ工場は純粋なH_2O、つまり細菌だけでなく、ふつうに浄化された水に含まれるミネラルや塩分やさまざまなイオンも、取りのぞかれた水をつくっているのだ。あらゆる余分な「汚染物質」を除去されたいわゆる超純水は、マイクロチップにとって理想的な洗浄剤である。しかしそのような成分が欠けているせいで、超純水は人間の飲用にはならない。コップ一杯を一気飲みしたら、その水があなたの体からミネラルを吸い取ってしまう。これで清潔さを一周して状況がもとにもどる。一九世紀の科学とエンジニアリングを駆使した最高に賢いアイデアのおかげで、私たちは汚すぎて飲めない水をきれいにすることができた。そして一五〇年を経たいま、私たちはきれいすぎて飲めない水をつくったのだ。

クリーンルームに立っていると、自然に町の道路の下に横たわる下水道のことが思い返される。二つは清潔の歴史の両極端である。現代世界を築くために、私たちは地下に汚物の川という想像できないほど不快な空間をつくり、それを日常生活から切り離す必要があった。同時に、デジタル革命を起こすためには過度に清潔な環境をつくり、またしてもそれを日常生活から切り離す必要があった。私たちにはそういう環境を訪れるチャンスがないので、意識することもない。そういう環境のおかげで生まれた、高くそびえる摩天楼やかつてない強力なコンピューターを賛美するが、下水道やクリーンルームそのものを世に喧《けん》

テキサス・インスツルメンツの室内

伝《でん》することはない。それでも、その成果は周囲のいたるところにあるのだ。

第5章

時間

Time

- 1583　ガリレオがピサの大聖堂にある祭壇ランプの振動量を脈拍で測定
- 1700s　ジョサイア・ウェッジウッドの工場がタイムカードを導入
- late 1840s　イギリス全土の時間をグリニッジ標準時で標準化
- early 1860s　標準化された部品で安価な時計「Ｗｍ・エラリー」がつくられる
- 1869　アメリカの大陸横断鉄道が開業
- 1880s　クオーツに圧力をかけると安定した頻度で振動する特性が発見される
- 1883　鉄道運行の便宜のため地域ごとに五〇種類あった時間を四種類に変更
- 1884　グリニッジ標準時が国際標準時となる
- early 1900s　原子の発見
- 1903　マリー・キュリーが放射線の研究の功績でノーベル賞を受賞
  夫のピエール・キュリーは炭素年代測定法の可能性に気づく

me

1920s
無線伝送にクオーツが使われる

1928
クオーツを使った時計を開発

1930s
アメリカの標準時をクオーツ時計で合わせるようになる

late 1940s
炭素年代測定法が確立される

mid 1950s
原子時計を製造

1967
原子秒の正確な測定の成功により国際度量衡総会にて時間の定義を変更

around 1970s
大衆市場向けにクオーツを使った腕時計が誕生

NOW
人工衛星に格納された二四個の原子時計のネットワークを使ったＧＰＳ（全地球測位システム）で自分の位置を割り出せる

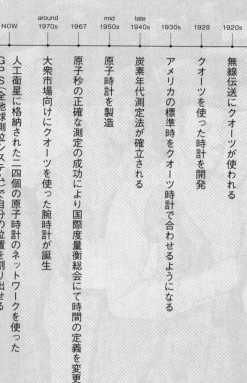

ガリレオと揺れる祭壇ランプ

一九六七年一〇月、「国際度量衡総会」という地味なタイトルの会議のために、科学者が世界中からパリに集まった。[*1] もしあなたが幸か不幸か、学術会議に出席した経験があるなら、事態がどう展開するかなんとなくわかるだろう。論文が発表され、果てしなくパネルディスカッションが続き、ときどきコーヒーを飲みながらのざっくばらんな人脈づくりが行なわれる。夜にはホテルのバーでうわさ話に花が咲き、内輪もめが起こる。誰もがまあまあ楽しく過ごし、たいしたことがなされるわけではない。しかし国際度量衡総会は、その昔からの伝統を打ち破った。一九六七年一〇月一三日、出席者はなんと時間の定義を変えることに同意したのである。

人類の歴史のほぼ全期間にわたって、時間は太陽系天体のリズムを追いかけることで計算されてきた。地球そのものと同じように、私たちの時間感覚も太陽を中心に回っている。一日は日の出と日の入りの周期によって、一カ月は月の周期によって、一年はゆっくりだが予測可能な季節のリズムによって、それぞれ定義される。もちろん、何がそういうパターンを引き起こしているかについては、長きにわたって誤解されていて、太陽が地球の周りを回っているのであって、その逆ではないと考えられていた。しかしだんだんに、人は時

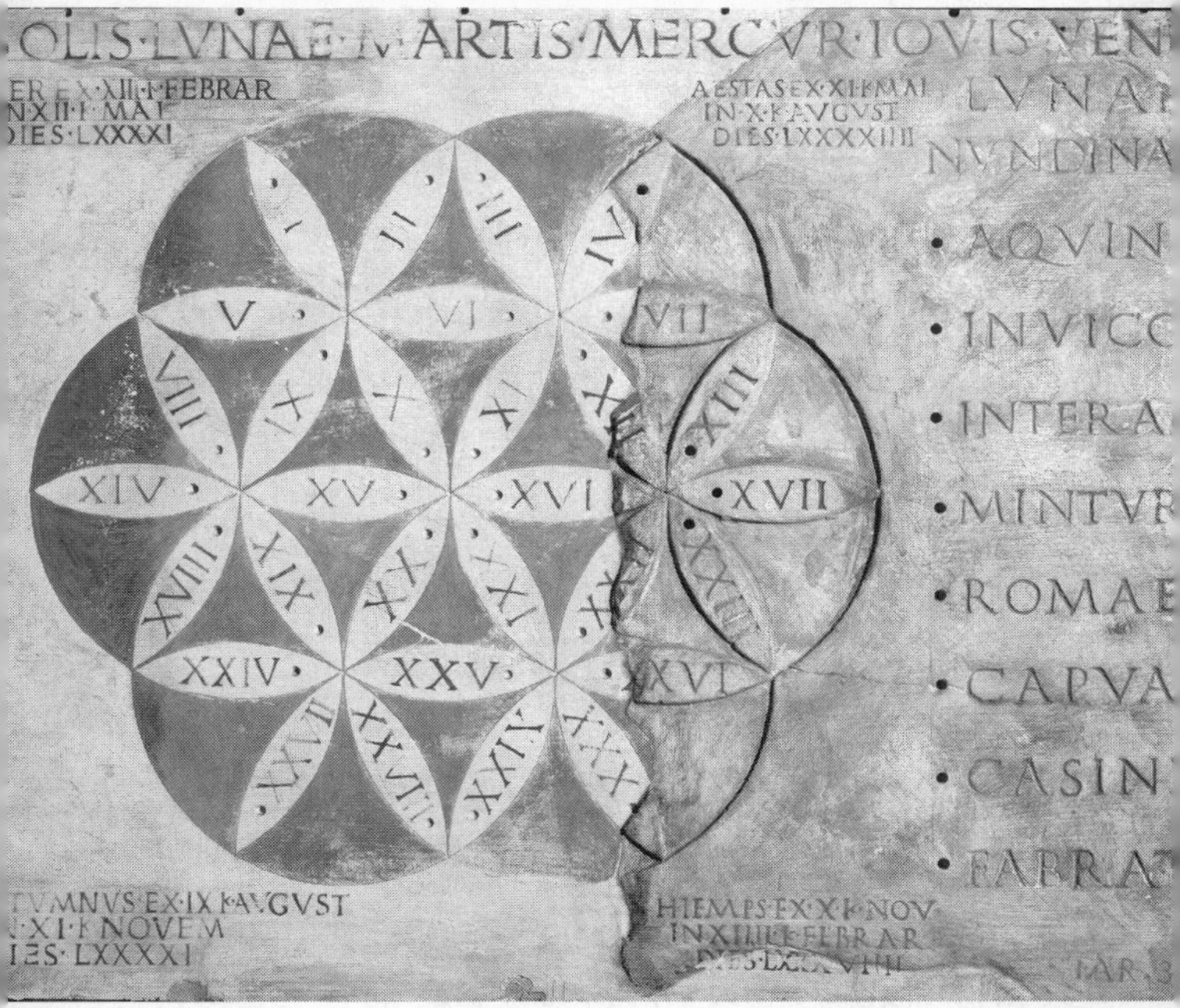

ローマのヌンディナエ暦。古代エトルリア人は紀元前８～７世紀ごろ、ヌンディナエ周期と呼ばれる８日目を市の日とする週間を考案した

間の流れを予測できるような測定道具をつくるようになった。日光の通り道をたどる日時計や、夏至のような季節の節目を追うストーンヘンジなどの天文台。そして時間はより短い単位――秒、分、時間――に区分けされるようになったが、その単位の多くは古代エジプト人やシュメール人から受け継がれてきた一二進法の計測システムである。時間の特徴は小学校で習う割り算で、一分は一時間の六〇分の一、一時間は一日の二四分の一という具合だ。そして一日は単純に、太陽が空のいちばん高いところにある瞬間から、次に同じ場所に来る時間までに経過する時間である。

しかしおよそ六〇年前から、時間を測定する道具の精度が上がるにつれ、私たちはその天体メトロノームの不備に気づきはじめた。天の時計仕掛けは、ちょっと不安定だとわかったのだ。そしてそれこそが、一九六七年に国際度量衡総会が対処に乗り出した問題である。時間をほんとうに正確に測定しようとすると、太陽系で最も大きい存在を最も小さい存在と交換する必要があった。

観光客の注目度だけで判断すると、ピサの大聖堂は有名な傾いた塔が隣にあるせいで一般に影が薄いが、一〇〇〇年の歴史を誇るこの大聖堂は、正面《ファサード》が白く輝く石と大理石でできていて、いろいろな意味で、隣の傾いた鐘楼よりも印象深い建築物である。身廊の入り口に立って、祭壇後方の一四世紀につくられたモザイクを見上げると、ある人がぼんやり上の空になっていた場面を、思い浮かべることができる。その出来事が最終的に、人間と

ピサの大聖堂内の揺れる祭壇ランプ

時間の関係を一変させることになった。天井から吊り下がっているのは一群の祭壇ランプ。いまはじっと動かないが、言い伝えによると、一五八三年、一九歳のピサ大学の学生が大聖堂での祈祷《きとう》会に参加し、信者席で空想にふけっているとき、祭壇ランプのひとつが前後に揺れているのに気づいた。周囲の仲間が律儀にニカイア信条を唱えているあいだ、その学生はランプの規則的な動きになんだか見とれてしまった。描かれる弧がどんなに大きくても、ランプが前後に揺れるのにかかる時間は同じように見える。弧の長さが短くなると、ランプのスピードも遅くなる。その観察結果を裏づけるために、学生はランプの振動量を、その場にあった唯一の信頼できる時計、すなわち自分自身の脈拍で測定した。[*2] たいていの一九歳はミサに出席しているとき、そんな科学的な気の紛らわし方をしないものだが、この大学一年生はたまたまガリレオ・ガリレイだったのだ。ガリレオが時間とリズムについて空想していたことは意外ではない。彼の父親は音楽理論家で、リュート奏者だった。一六世紀半ばには、日常の文化のなかでも音楽演奏はとりわけ時間に正確な活動だった(「テンポ」という音楽用語は、時間を表わすイタリア語に由来する)。しかしガリレオの時代、安定して拍子をとる機械は存在しなかった。メトロノームが発明されるのはまだ数世紀先のことである。そのため、祭壇ランプがそれほど規則的に前後に揺れているのを見たことが、ガリレオの若い心にアイデアの種を植えつけた。しかし例によって、その種が有益なものへと開花するには何十年もかかることになる。

ガリレオ・ガリレイ

ガリレオはそれからの二〇年を、数学の教授になることや望遠鏡の実験をすること、そして多少なりとも近代科学を考案することに費やしたが、その揺れる祭壇ランプの記憶は頭のなかにとどめられていた。彼は次第に動力学、すなわち物体がどういうふうに空間を移動するかの研究にのめり込んでいき、はるか昔にピサの大聖堂で目にしたものを再現する振り子をつくることにした。そして、振り子が揺れるのにかかる時間を左右するのは、弧の大きさでも揺れている物体の大きさでもなく、ひもの長さだけであることを発見した。彼は科学者仲間のジョヴァンニ・バティスタ・バリアーニにあてて、こう書いている。「振り子の驚くべき特性は、振れが大きくても小さくても、つねに等しい時間で振動することだ」[*3]

等しい時間で。ガリレオの時代には、このような正確なリズムを示す自然現象も機械的装置も、奇跡だったようだ。その時期のイタリアの町にはたいてい、正確な時刻をいい加減に指す大きくて扱いにくい機械時計があったが、たびたび日時計に合わせないと一日に二〇分も遅れる。要するに、最先端の計時テクノロジーは、一日単位でさえ正確さを保つことができなかった。秒単位まで正確な時計など、ばかげた考えだった。ばかげているし、必要もなさそうだ。フレデリック・テューダーの氷貿易のように、そもそも市場のないイノベーションだったのである。一六世紀半ばには、正確に時間を計ることはできなかったが、コンマ何秒という正確さは必要なかったので、誰も実際には気づいていなかった。乗り遅れてはいけないバスも、見るべきテレビ番組も、参加すべき電話会議もない。一日がだいたい何時間かを知っていれば、十分にうまくやっていけたのだ。コンマ何秒の正確さを必要としたのは、カレンダーではなく地図だった。なにしろ、これは世界航海の第一次黄金時代の話である。コロンブスに触発されて、たくさんの船が極東や発見されたばかりのアメリカ大陸へと航海していた。首尾よく大洋を渡れば、巨万の富が待っている（そして迷子になれば、待っているのはほぼ確実な死である）。しかし船乗りたちには、海上で経度を知る方法がなかった。緯度は空を見上げるだけで測ることができる。しかし近代的なナビゲーション技術が生まれる前、船の経度を知る唯一の方法には二つの時計が必要だった。ひとつは出発点の正確な時刻に合わせる（その場所の経度がわかっていることが前提）。もうひとつの時計は海上の現在地の現在時刻を指す。両者の時刻のちがいから、自分のいる位置の経度がわかる。四分の時刻差が経度一度、つまり赤道上の一一一キロということになる。

晴天であれば太陽の位置を正確に読み取れるので、船の時計は簡単にリセットできる。問題は母港の時計だ。一日に二〇分進んだり遅れたりする計時テクノロジーでは、航海の二日目には実質的に役に立たなくなる。ヨーロッパ全土で、海上での経度測定の問題を解決できる者に報奨金が用意された。スペインのフィリペ三世はダカット金貨での生涯年金を提案し、イギリスの有名な経度懸賞は現在の金銭価値で一〇〇万ドル以上を約束した。

これは緊急の課題だったし、解決した場合に金銭的報酬があったため、ガリレオの脳裏に、一九歳のときに初めて自分の想像力をとらえた「等しい時間」の探求がよみがえった。天体観測からは、木星の衛星に見られる規則的な食現象なら、航海者が海で正確に時間を計るのに役立ちそうだと思われたが、ガリレオが考案した手法は複雑すぎた*4（しかも彼が期待したほど正確でなかった）。そこで彼は最後にもう一度、振り子に立ち返った。

五八年のあいだ温められていた、振り子の「摩訶不思議な特性」に関する彼のスローな予感が、とうとうかたちになりはじめる。そのアイデアは、ガリレオの祭壇ランプについての記憶、物体の運動や木星の衛星に関する研究、世界規模の海運業の台頭、そこから生じた秒単位まで正確な時計のニーズなど、さまざまな分野と興味の交点に見いだされた。物理学、天文学、海洋航行、そして大学時代の空想、これらの異種系統すべてが、ガリレオの頭のなかで収斂《しゅうれん》した。そして息子の助けを借り、彼は初の振り子時計の設計図を描きはじめる。

次世紀の末には、振り子時計はイギリスをはじめヨーロッパ全土で――仕事場で、町の広場で、さらには裕福な家庭で――ふつうに見かけられるものになっていた。イギリス人歴史学者のE・P・トンプソンが、一九六〇年代末に出版された時間と産業化に関するすばらしい評論のなかで強調しているように、その時代の文学作品では、登場人物の社会経済的地位が一段二段上がったことを物語るしるしのひとつが、懐中時計を手に入れること

イタリアの物理学者、数学者、天文学者、哲学者だったガリレオ・ガリレイ設計の振り子時計のスケッチ。1638～59年

だった。しかし、その新しい時計はたんなるファッションのアクセサリーではなかった。以前のものより一〇〇倍も正確な——一週間に約一分しか狂わない——振り子時計は、時間に対する感覚にも変化を引き起こし、その感覚はいまもなお人々の生活に生きている。

時間に見張られる世界

産業革命を生んだテクノロジーについて考えるとき、私たちは当然、ごうごうと音を立てる蒸気機関や蒸気動力の織機を思い起こす。しかし工場の耳障りな音にかき消されるような、もっと優しい、それでいて同じくらい重要な音が、いたるところでしていた。振り子時計が静かに時を刻む音だ。

いまとはちがう歴史を想像してほしい。どういうわけか時計のテクノロジーが、産業化時代を促したほかの機械の発展より遅れたとしよう。産業革命は起こっていただろうか？答えはノーであることを、かなりうまく説明できる。時計がなければ、一八世紀半ばにイギリスで始まった産業の離陸は、脱出速度に達するまでに、もっとずっと長い時間がかかっていただろう。その理由はいくつかある。正確な時計があったからこそ海上で経度を測定できるようになったのであり、そのおかげで地球規模の海運網のリスクが大幅に縮小し、実業家の草分けたちは原材料を安定して手に入れ、海外市場に参入することができた。一

マリン・クロノメーター。ロンドンのギルドホール内にあるクロックメイカー博物館より

六〇〇年代末から一七〇〇年代初めにかけて、世界で最も信頼のおける懐中時計はイギリスで製造されていた。そのおかげで、精密な道具を製造する専門技術が蓄積され、それが産業イノベーションへの要求が生まれたとき、おおいに役立った。眼鏡をつくるガラス職人の専門技術が、望遠鏡や顕微鏡への扉を開いたのと同じである。時計職人はのちの生産工学の前衛部隊だったのだ。*5

しかしなんと言っても、産業労働者の生活では一日の労働時間がそれまでとちがっていて、それを管理するために時刻が必要だった。以前の農業経済や封建時代の経済では、時間の単位はだいたい、ひとつの仕事をやり終えるのに必要な時間という観点から表現された。一日は抽象的な数学の単位ではなく、一連の活動によって区分されていたのだ。時間は一五分などと示されるのではなく、牛の乳をしぼったり新しい靴に靴底を打ちつけたりするのに必要な長さとして表現される。職人は時間給をもらうのではなく、つくった品物に応じて代金をもらう、いわゆる「出来高払い」が慣習であり、一日のスケジュールはおかしいほど不規則だった。トンプソンは、一七八二年から八三年の農家の機織りが書いた日記を、産業化前の労働者の日課がばらばらだったことの例として引用している。

雨の日には八・五ヤード織ることもある。一〇月一四日、でき上がったものを運んだので、四・七五ヤードしか織れなかった。二三日には三時まで外で働き、日没前に二ヤード織った。……収穫と脱穀、乳の攪拌《かくはん》、溝掘り、園芸のほかに、次のような記録がある。「二・五ヤード織った。子を産んだばかりの牛にはひどく手がかかる」。一月二五日、二ヤード織ってから近くの村まで歩き、「旋盤の作業や庭仕事をやって、晩には手紙を書いた」。ほかにも、馬と荷車の世話、サクランボ摘み、水車ダムでの仕事、バプテスト教会への奉仕、公開絞首刑の見物など、さまざまな時間の過ごし方がある。*6

こんな時間感覚で現代のオフィスに出勤したらどうだろう（おおらかなことで有名なグーグルでも、これほどのでたらめ加減は容認できないだろう）。何百人という労働者の行動を、できたばかりの工場の機械のテンポに合わせようとしていた実業家にとって、このようなまとまりのない働き方では管理しようがない。そのため、使える産業労働力を育成するには、人間の時間感覚を本格的に鍛え直す必要があった。陶器製造を営むジョサイア・ウェッジウッドのバーミンガム工場は、イギリス産業化のまさに端緒を開いたのだが、彼はまず、毎日仕事を始めるときに「タイムカード」を押す慣習を導入した（「パンチ・ザ・クロック（時計をパンチする）」という表現が、タイムレコーダーで出勤時刻を打刻するという意味であることは、一七〇〇年より前に生まれた人にはわからなかっただろう）。現代世界ではほぼどこにでもある「時給」という考えは、産業化時代の時間管理体制から生まれた。そのような体制において、「雇用主は労働者の時間を有効に使い、無駄にならないようにしなくてはならない。……いまや時は金なりであって、ただ過ごすものではなく、何かに使うものなのだ」[*7]と、トンプソンは書いている。

この変化を経験した最初の世代は、「時間規律」の誕生にひどくとまどった。いまの先進世界では、幼いころから厳しい時間管理体制に慣れている人がほとんどで、発展途上世界でも増えている（一般の幼稚園の教室を参観すると、その日のスケジュールを説明し確認することが、かなり重視されていることがわかるだろう）。仕事と余暇の自然なリズムは、抽象的なマス目に強制的に置き換えられることになった。生まれたときからそのマス目のなかで過ごしていると、それが習性のように思えるが、一八世紀後半のイギリスの産業労働者たちのように、それを初めて経験しているときには、心身への衝撃として襲ってくる。時計は、たんにその日の行事を調整するのに役立つ道具ではなく、もっと不吉なものだった。ディケンズの『ハード・タイムズ』（英宝社ほか）にいわく、「まるで棺桶のふたを打ちつけるように一秒一秒を計る、おそろしく無味乾燥な時計」[*8]だ。

当然、その新しい管理体制は反発を引き起こした。労働者階級は残業手当や労働時間短縮を要求して、時計の指示のもとで働くようになっていたので、それほどでもなかったが、反発したのはむしろ芸術愛好家だった。一九世紀初めにロマン派であるということは、言ってみれば、広まりつつある時間の暴虐からの逃避だった。朝遅くまで寝て、町を目的なく

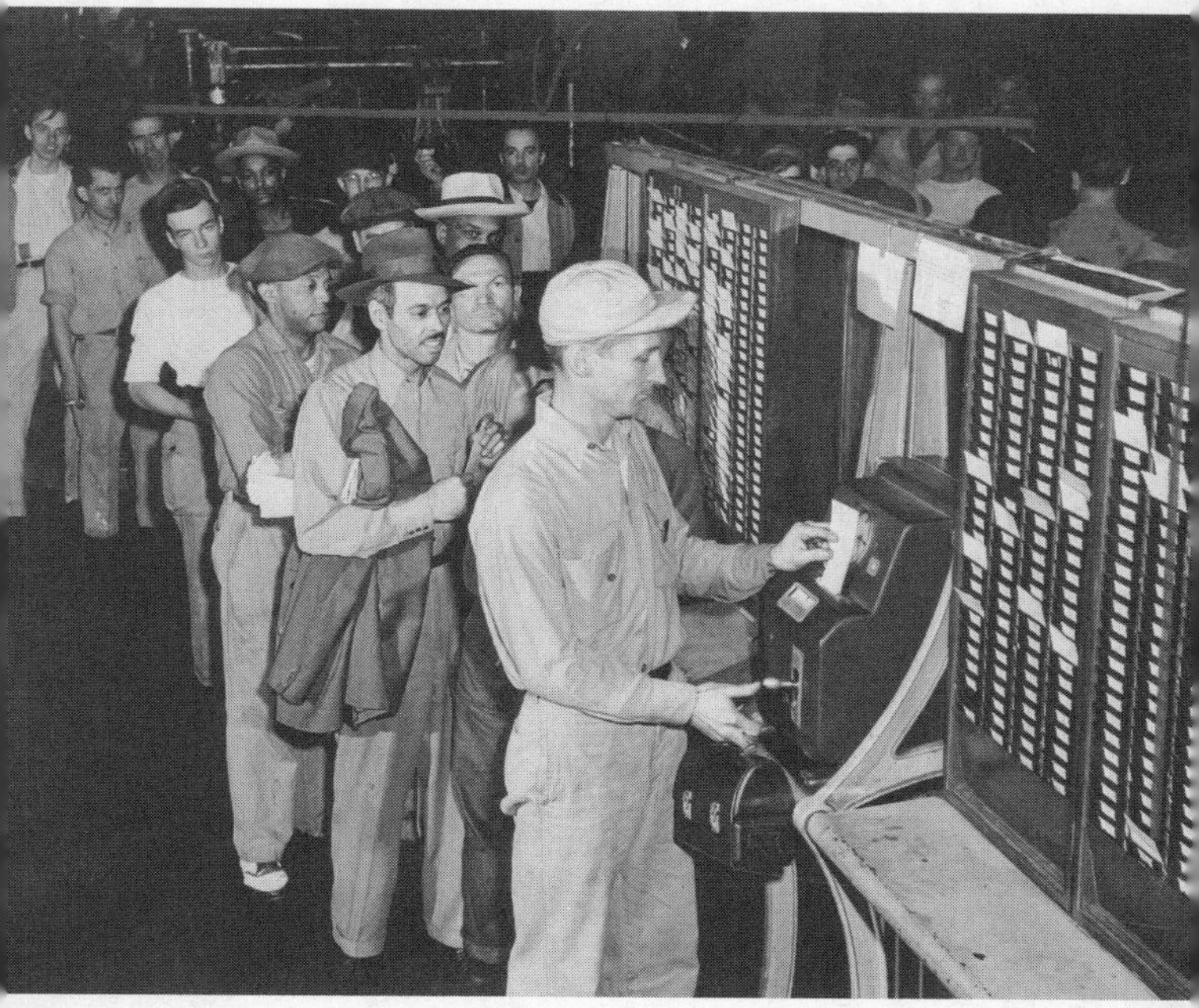

フォード自動車のルージュ工場でタイムカードを押す労働者たち

ぶらつき、経済生活を支配する「無味乾燥な時計」にしたがって生きることを拒む。ワーズワースは『序曲』(岡三郎訳、国文社)で「時間管理人」からの逃亡を宣言している。

　導き手であり、われわれの能力の監督者であり、
　われわれの仕事の見張番であり、時間の利用法については、
　用心深く見事な腕前を発揮し、また、
　物事を予見するに際しては、一切の偶然を
　抑え、自分でつくり上げた路線に
　まるでエンジンのように、われわれをはめこんでしまう
　聖者でもあるのだ。……

振り子時計の時間規律は、感覚の自由な流れをつかまえて、それをきちっとしたマス目に打ちつけた。時間を川とするなら、振り子時計はそれを運河に変えたのだ。運河は産業のリズムに合わせて設計され、等間隔にゲートが置かれている。またもや、ものを測定する能力の向上が、ものをつくる能力と同じくらい重要だったのだ。

時間を計るその力は、社会全体に平等に配分されず、懐中時計はずっとぜいたく品だった。ところが一九世紀半ばになると、アーロン・ラフキン・デニソンというマサチューセッ

アーロン・ラフキン・デニソンの肖像画

ツの靴修理人の息子が、標準化された互換性のある部品を使って兵器をつくる新たな製法を取り入れ、同じ手法を懐中時計の製作に応用した。当時、高度な時計の生産には、一〇〇以上の別々の職がかかわっていた。ひとりが鋼鉄の小片をねじ切りで回転させることによって極小のネジをつくり、別の人が時計ケースに文字を刻む、といった具合だ。デニソンは、同じモデルのどの腕時計にも取りつけられる、まったく同じ小さいねじを大量生産する機械や、正確なスピードでケースに彫り込む機械を思い描いていた。[*9] その展望のせいで一、二度破産することになり、地元紙で「ボストンの奇人」と呼ばれた。しかし最終的に一八六〇年代初め、伝統的に懐中時計を彩っていた宝石装飾のない、安価な時計をつくるアイデアを思いついた。それは初めて富裕層ではなく大衆市場をターゲットにした時計だった。

デニソンの「Wm・エラリー」時計——独立宣言に署名したウィリアム・エラリーにちなんだ名前——は爆発的にヒットし、とくに南北戦争の兵士たちに人気を博す。一六万個以上売れて、エイブラハム・リンカーンも「Wm・エラリー」時計を身に着けていた。デニソンはぜいたく品を必携の日用品にしたのだ。一八五〇年には平均で四〇ドルした懐中時計だが、一八七八年には宝石の飾りのないデニソンの時計がたった三・五ドルで買えた。[*10]

時計の人気が全国的に急上昇したころ、リチャード・ウォレン・シアーズというミネソタの鉄道職員がたまたま、地元の宝石商から売れない時計をひと箱引き取り、ほかの駅職員たちに売ってわずかながら利益を上げた。その成功にヒントを得て、彼はシカゴの実業家、アルヴァ・ローバックと組んで、さまざまな時計を紹介する通信販売カタログを発行する。これがシアーズ・ローバック・カタログである。あの重さ六キロもある通販カタログは、いまもあなたの家の郵便受けを重みで押し下げているのでは？　すべての始まりは、一九世紀末の必携の道具、すなわち大衆向け懐中時計だったのだ。

ふぞろいな時間たち

デニソンが初めてアメリカで時計を大衆化することについて考えはじめたころ、ある重要な点で、当時の時計はまだ情けないほどふぞろいだった。全米各地の都市や町の現地時間は、時間規律がとくに重要な場所の公共の時計を見れば、秒単位まで正確だった。しかし、文字どおり何千という異なる現地時間があった。時計は大衆化されたが、まだ標準化されていなかったのだ。デニソンのおかげで、時計は体制の隅々まであっというまに広がっていたが、それぞれ別々の時刻を指していた。アメリカでは、町や村ごとに独自の独立したペースで動いていた――時計は空の太陽の位置に合わされていたのだ。数キロでも西か東に移動すると、太陽との関係が変わるので、日時計の時刻が変わる。ある都市では午後六時でも、三つ先の町では正確な時間は六時五分である。一五〇年前、いま何時かと訊《き》いたら、インディアナ州では少なくとも二三の異なる答えが返ってきただろう。ミシガン州では二七、ウィスコンシン州では三八だ。

この不ぞろいに関していちばん不思議なのは、誰もそれに気づいていなかったことだ。三つ先の町にいる人と直接話すことはできなかったし、そこまで頼りない道路でのろのろ行くには一、二時間かかる。そのため、それぞれの町の時計が数分ずれていることは、気づかれもしなかった。ところが、ひとたび人々(および情報)が迅速に移動するようになると、標準化されていないことがいきなり大問題になった。電信と鉄道のおかげで、それまで知られていなかった標準化されていない時刻のあいまいさが露呈する。何世紀も前に、本の発明によってヨーロッパの読者第一世代が眼鏡を必要としていることが明らかになったのと同じだ。

西や東に——緯線に沿って——進む列車は、空を動く太陽より速く移動する。そのため、列車で一時間移動するたびに、時計を四分調整する必要がある。しかも、鉄道はそれぞれ独自の時計にもとづいて走っていたので、要するに、一九世紀の旅には大変な数合わせが必要だったということだ。ニューヨーク時間の午前八時に、コロンビア鉄道時間の八時五分の列車に乗ってニューヨークを出発し、三時間後にボルチモア時間の一〇時五四分にボルチモアに到着するのだが、それは厳密に言うとコロンビア鉄道時間の一一時五分で、そこで一〇分待ってから、ウェストバージニア州ホイーリングまでの一一時一分のボルチモ

懐中時計を手にした無名の兵士。1860年代（アメリカ議会図書館）

ア・アンド・オハイオ列車に乗るのだが、それはやはり厳密に言うと、ホイーリング時間で一〇時四九分の列車であり、まだニューヨーク時間に合わせているとすれば一一時一〇分なのだ。そしておかしなことに、これらの異なる時刻はすべて、少なくとも空の太陽の位置で計れば正しい時刻である。時間を日時計で簡単に計れることが、鉄道の出現でかえってややこしいことになった。

イギリスはこの問題に対処するために、一八四〇年代末に国全体をグリニッジ標準時（GMT）で標準化し、鉄道の時計を電信によって同時刻に合わせた（現在も、世界中のあらゆる航空管制センターとコックピットの時計はグリニッジ時間を告げていて、空の時間帯はGMTのみである）。しかしアメリカはひとつの時計で決着をつけるには広がりすぎていて、一八六九年に大陸横断鉄道が開業したあとはなおさらだった。全国に八〇〇〇の町があり、それぞれが独自の時計で動いていて、しかも町どうしを結ぶ鉄道が十何万キロも続いていては、なんらかの標準化されたシステムがどうしても必要だ。数十年にわたって、アメリカの時間を標準化するためのさまざまな提案がなされたが、どれも定着しなかった。時刻表と時計の調整にまつわる実際的な計画と実施はとほうもなく難しく、しかもどういうわけか、時間の標準化は一般市民のあいだに妙な反感を引き起こすようだった。まるでそれが自然そのものに逆らう行為であるかのように。シンシナチのある新聞は標準時間に反対する社説を論じた。「とにかく不自然だ。……シンシナチの住民は、太陽と月と星に示さ

ロンドンのホルボーン地区にある大きなデニソン時計の
巻き直し（年１回の作業）

れる真実にこだわろうではないか」[*11]

アメリカはずっと時間の問題を抱えていたが、一八八〇年代に入ると、ウィリアム・F・アレンという鉄道エンジニアがこの問題と対決した。[*12] 鉄道時刻表の手引書を編集していたので、アレンは既存の時間システムがいかに複雑かを肌で感じて知っていた。一八八三年にセントルイスで行なわれた鉄道の集会で、アレンは五〇の異なる鉄道時間から四つの時間帯への変更を提案する地図を提示した。それが一世紀以上たったいまも使われている、東部、中部、山岳部、太平洋の各標準時である。アレンの考案した地図は、時間帯を経線に沿ってまっすぐに区分けするのではなく、主要な鉄道路線がつながるポイントに応じて、多少ジグザグに分けられていた。

アレンの計画に納得した鉄道会社の上司たちは、九カ月でアイデアを現実にするよう彼に指示した。アレンは各地の天文台と市議会を説得するために、精力的に手紙を書いたり圧力をかけたりするキャンペーンを始める。並々ならぬ苦労を要するキャンペーンだったが、アレンはどうにか成功させることができた。一八八三年一一月一八日、アメリカは自国の歴史上、ほとんど他に類のない不思議な日を経験する。「正午が二回ある日」と呼ばれるようになったものだ。[*13] アレンの規定によると、東部標準時はニューヨーク現地時間からちょうど四分遅れていた。一一月のその日、マンハッタンの教会の鐘は従来のニューヨーク時間の正午に鳴り、それから四分後、もう一度鳴り響いて二度目の正午を告げた。まさに初めての東部標準時の一二時である。二回目の正午は電信で全国に伝えられたので、遠く太平洋岸までの鉄道路線と町の広場は、自分たちの時計を合わせることができた。

その翌年、グリニッジ標準時は（グリニッジが本初子午線に位置するということで）国際標準時とされ、地球全体がいくつかの時間帯に区分された。そして世界は太陽系の天体のリズムから解放された。いちばん正確に時刻を知る方法は、太陽を見ることではなくなった。その代わり、遠くの都市から電信線を伝わってくる電気パルスが、時計を同時刻に合わせたのだ。*14

太陽より正確な原子時計

時間測定の特性でひとつ不思議なのは、科学の一分野にきちんと属しているわけではないことだ。それどころか、計時能力は躍進するたびに、ある分野から別の分野へと引き継がれている。日時計から振り子時計への転換は、天文学から運動の物理学である力学への転換に支えられていた。そして次の時間革命は、電気機械技術に頼ることになった。しかしどんな革命が起こっても、一般的なパターンは同じだ。ガリレオが祭壇ランプを見て気づいた「等しい時間」を維持する傾向のある自然現象を科学者が発見し、それからほどなく発明家やエンジニアが次々に、その新しいテンポを使って装置を同調させるようになる。

一八八〇年代、ピエールとジャックのキュリー兄弟が初めて、石英《クオーツ》など特定の結晶の奇妙な特性を突き止めた。それはまさに、ムラーノのガラス職人にとって革命的だったのと同じ物質である。その結晶に圧力をかけると、かなり安定した頻度で振動させることができるのだ(この特性は「圧電性」と呼ばれるようになった)。この効果は、結晶に交流電圧をかけるといっそう顕著だった。

「等しい時間」で伸び縮みする石英結晶の目覚ましい能力は、一九二〇年代に初めて無線エンジニアによって、無線伝送を安定した周波数に固定するために利用された。そして一九二八年にベル研究所のW・A・マリソンが初めて、クオーツの規則的な振動によって時刻を正確に刻む時計をつくった。クオーツ時計は一日に一〇〇〇分の一秒しか狂わず、動きはもちろん、大気の温度や湿度の変化に対しても、振り子時計よりはるかに強かった。またもや、時間を計る正確さが桁ちがいに向上したのだ。

マリソンの発明から数十年間、クオーツ時計は事実上の時間管理装置として、科学や産業の分野で使われた。一九三〇年代以降、アメリカの標準時はクオーツ時計で合わせられていた。しかし一九七〇年代までに、テクノロジーのコストが大幅に下がったおかげで、大衆市場向けにクオーツベースの腕時計が初めて登場する。現在、電子レンジ、目覚まし時計、腕時計、自動車時計など、時計が装備されている市販器具はほぼすべて、クオーツの圧電性による「等しい時間」をもとに動いている。この変化は十分に予測できた。誰かが優れた時計を発明しても、最初のバージョンは消費者向けには高価すぎる。しかしやがて価格は下がり、新しい時計が一般の生活に入っていく。そこに驚きはない。またしても驚きは別のところから、もともとはそれほど時間に依存していないように思えた分野から生まれた。新しい測定方法が、新しい製品の可能性を生み出す。クオーツ時計の場合、その新しい可能性は計算だった。

マイクロプロセッサーはさまざまな面で目覚ましいテクノロジーの成果だが、これほど重要なものは多くない。すなわち、コンピューターチップは時間規律のマスターなのだ。工場に求められる協調について考えてみよう。工場では何百人もの個人によって、何千という短い繰り返しの作業が、正しい順序で行なわれている。マイクロプロセッサーにも同様の時間規律が必要だが、協調するのは工員たちの手や体ではなく、情報の断片である（チャールズ・バベッジが、ヴィクトリア朝時代半ばに初めてプログラム可能な計算機を考案したとき、ＣＰＵ（中央演算処理装置）を「工場」と呼んだのには意味があった）。そしてマイクロプロセッサーは、毎分何千という作業ではなく、毎秒何十億という計算を実行しながら、回路基板上のほかのマイクロチップと情報のやりとりをしている。その演算はすべてマスタークロックをもとに協調がとられていて、現在のマスタークロックはほぼ例外なくクオーツでできている（だから、コンピューターを設計より速く動かすようにいじることを「オーバークロック」という）。現代のコンピューターは、プログラミング言語の記号論理学、回路基板の電気工学、インターフェースデザインの視覚的言語など、さまざまなテクノロジーと広範な知識の集積である。しかしクオーツ時計のマイクロ秒の正確さがなければ、そのコンピューターは無用の長物になるだろう。

クオーツ時計の正確さからすると、前に使われていた振り子時計はどうしようもなく不安定に思える。しかし究極の時計とも言える地球と太陽にも、似たような影響がおよんでいる。一日の時間をクオーツ時計で計るようになると、その長さは私たちが考えていたほど一定ではないことがわかったのだ。地球表面の潮の満ち引き、山岳地帯を吹く風、あるいは地球内部の溶融核の動きのせいで、一日は半ば無秩序に短くなったり長くなったりする。私たちがほんとうに正確な時間を守りたければ、地球の自転に頼ることはできない。もっと優れた時計が必要だ。クオーツのおかげで、一見等しく思える太陽日の時間は私たちが思っていたほど等しくないことが「わかった」。これはある意味で、コペルニクス前の宇宙に対する致命的打撃である。地球は宇宙の中心でないばかりか、その自転も一日を正確に規定できるほど一定ではなかったのだ。振動する鉱物のほうが、はるかにうまくその仕事をこなせていた。

正しい時間を刻むことはすべて、一定のリズムで振動するものを見つける――あるいはつくる――問題だった。空に昇る太陽、月の満ち欠け、祭壇ランプ、石英の結晶、すべてしかりだ。二〇世紀初頭のニールス・ボーアやヴェルナー・ハイゼンベルクのような科学者たちに導かれた原子の発見は、エネルギーと兵器における一連の華々しくも命にかかわるイノベーションを引き起こした。それは原子力発電と水素爆弾である。しかし原子の新しい科学は、それほど有名ではないが、同じくらい重要な発見もしている。それは、人類が知る限り最も安定した振動子である。ボーアはセシウム原子内で軌道を描いて回る電子の動きを研究していて、それが驚くほど規則的であることに気づいた。電子は山岳地帯や潮流による無秩序な妨げに遭うこともなく、地球の自転より何十倍も信頼できるリズムを刻んでいた。

最初の原子時計は一九五〇年代半ばにつくられ、すぐに正確さの新基準を打ち立て、私たちはナノ秒まで計れるようになった。クオーツのマイクロ秒より一〇〇〇倍以上も正確である。その大躍進があったからこそ、最終的に一九六七年の国際度量衡総会が、時間を考えなおすときだと宣言できたのである。新しい時代、地球にとってのマスター時間の測定基準は原子秒、すなわち「セシウム133原子の基底状態の二つの超微細構造準位の遷移に対応する放射の九一億九二六三万一七七〇周期の継続時間」である。一日は地球が完全に一回転するのにかかる時間ではなくなった。一日は八万六四〇〇原子秒であり、世界中に二七〇台ある同時刻に合わせた原子時計が刻んでいる。

それでも、古い時計が完全になくなったわけではない。現代の原子時計は実際には、クオーツのメカニズムを使って一秒一秒を刻んでいるのであり、セシウム原子とその電子に頼って、クオーツ時計のランダムな狂いを修正している。そして世界中の原子時計は、地球の軌道の無秩序なずれにもとづいて毎年リセットされ、原子のリズムと太陽のリズムの同期がずれすぎないように、一秒進めるか遅らせるかする。時間規律にまつわる複数の科学分野——天文学、電気機械技術、素粒子物理学——はすべて、このマスタークロックに組み込まれている。

ナノ秒の誕生は、度量衡に関する会議に参加するような人たちしか興味を抱かない、難解な変化のように思えるかもしれない。それでも、原子時間の誕生で日常生活が根本的に変わっている。世界中の空の旅、電話網、金融市場——すべて原子時計のナノ秒単位の正確さに依存している（世界からこの最新式の時計を取りのぞくと、なにかと非難される高頻度取引の活動はナノ秒で消えるだろう）。あなたは自分の居場所を確認するためにスマートフォンに目をやるたびに、上空の低軌道に乗っている衛星に格納された二四の原子時計のネットワークを無意識のうちに見ているのだ。それらの衛星は、最も基本的な信号を繰り返し永久に送り出している。ただいまの時刻は一一時四八分二五・〇八四七三八秒です……時刻は一一時四八分二五・〇八四七三九秒です……。あなたのスマホは現在地を割り出そうとするとき、その衛星からのタイムスタンプを三つ以上引き出す。信号が衛星からあなたの手のなかにあるＧＰＳ（全地球測位システム）受信機まで移動するのに時間がかかるため、

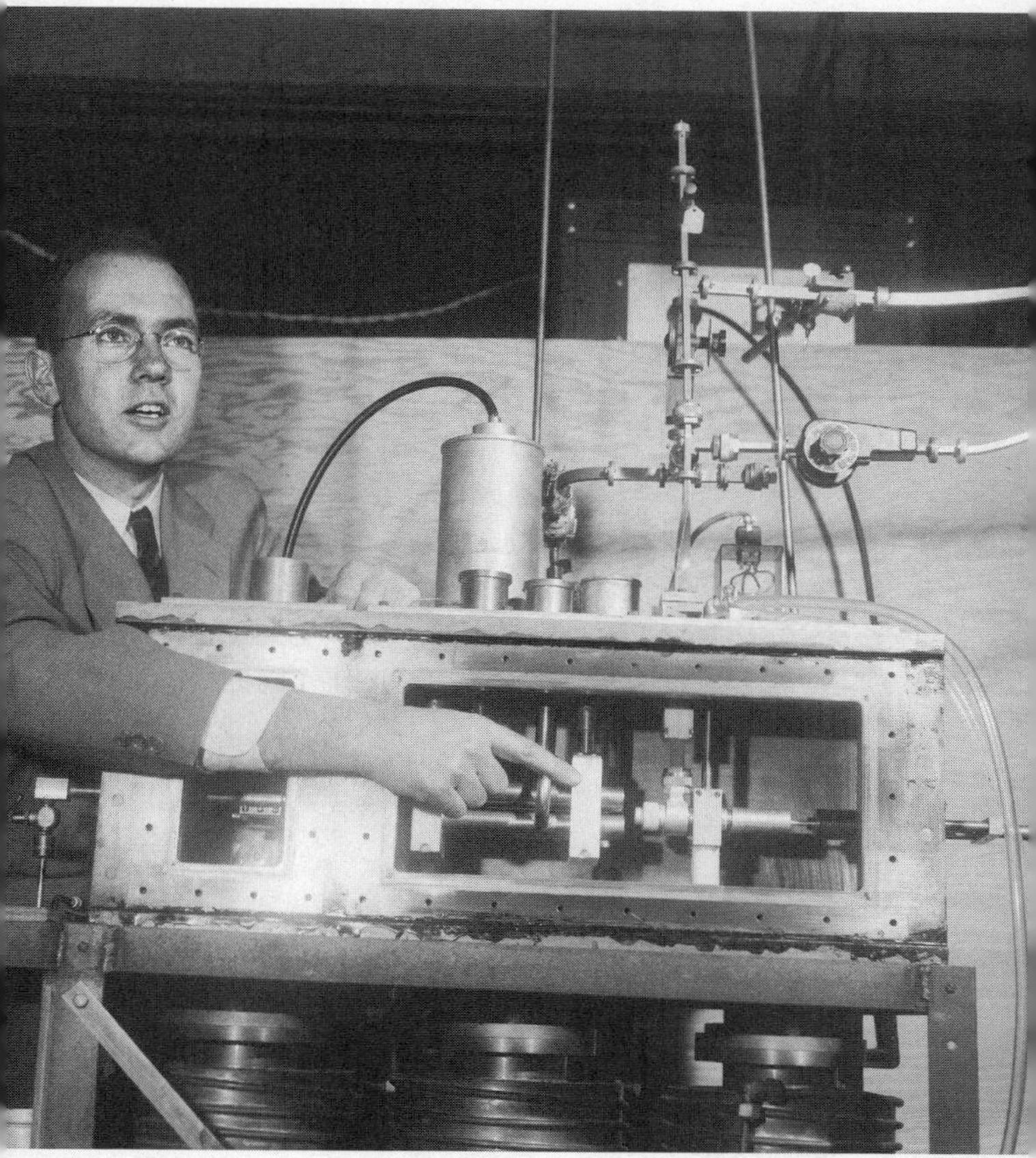

コロンビア大学の物理学部門主任のチャールズ・H・タウンズ教授。同大学の物理学部門内で「原子時計」とともに。公開日：1955年1月25日

それぞれがほんの少し異なる時間を報告する。遅い時間を報告する衛星のほうが、早い時間を報告する衛星より近い。衛星の位置は完璧に予測可能なので、スマホは三つの異なるタイムスタンプで三角測量することによって、正確な位置を計算することができる。一八世紀の航海士と同じように、GPSは時計を比較することによって位置を特定するのだ。これはじつは、時計の歴史で繰り返されている話のひとつである。時間管理が新たに進歩するたびに、私たちの地理学の知識が船から鉄道へ、航空へ、そしてGPSへと進歩している。この考えをアインシュタインが知ったら喜んだだろう。なにしろ時間の測定が空間の測定の鍵であることがわかったのだ。

今度時間や自分の位置を確認するために、ほんの二〇年前には腕時計か地図に目を走らせたように、スマホに目をやるときには、その仕草を可能にするために導入された人間の発明の広大で層状のネットワークに思いを馳《は》せてほしい。時刻がわかる能力に取り込まれているのは、セシウム原子内部で電子がどう回っているかについての理解であり、どうやって衛星からマイクロ波信号を送り、どうやってその信号の正確な移動速度を測定するかについての知識であり、衛星を地球上空の確かな軌道に配置する能力と、もちろん地上から発射するのに必要な実践的なロケット科学であり、二酸化ケイ素の塊のなかで安定した振動を引き起こす能力である――その情報をあなたのスマホで処理して表示するのに必要な、計算と超小型電子技術とネットワーク科学におけるあらゆる進歩は言うまでもない。あなたはそんなことをいっさい知らなくても、いま何時かを知ることができるが、進歩とはそういうふうに働くものである。科学とテクノロジーに対する理解の蓄えが豊富になればなるほど、その蓄えが見えなくなっていく。時刻を確認するためにスマホを見るたびに、あなたの頭脳はそういうあらゆる知識に静かに助けられるのだが、知識そのものは目に見えない。もちろんそれはとても便利なことだが、ガリレオがピサの大聖堂で祭壇ランプを見ながら空想していたときから、私たちがどれだけ進歩したか、あいまいになるおそれがある。

一万年の時を刻む時計

一見、時間の測定についてはすべて加速の話のように思える。体やお金やデータなどをより速く動かせるように、一日をどんどん小さい単位に細分化していく。しかし原子の時代の時間は正反対の方向にも動いている。加速するのではなく減速し、マイクロ秒ではなく累代（訳注：地質学的な年代区分における最大の単位）で測定するのだ。一八九〇年代、マリー・キュリーはパリで博士論文に取り組んでいるときに初めて、放射は分子どうしの化学反応のたぐいではなく、原子に固有のものだと主張した。[*15] これは物理学の発展にとって非常に重要な発見だったので、彼女は史上初の女性ノーベル賞受賞者となる。彼女の研究はすぐに夫であるピエール・キュリーの関心を引き、彼は自分自身の結晶に関する研究を捨てて、放射に焦点を絞った。二人はともに、放射性元素が一定のスピードで崩壊することを発見した。たとえば、炭素14の半減期は五七三〇年。炭素14を五〇〇〇年ほど放置しておくと、半分が消えることになる。

ここでもまた、科学は新たな「等しい時間」の源を発見した――ただしこの時計が刻むのは、クオーツ振動のマイクロ秒でも、セシウム電子のナノ秒でもない。放射性炭素の崩壊は、一〇〇年ないし一〇〇〇年の尺度で時を刻む。ピエール・キュリーは、特定の元素の崩壊速度を岩石の年代を特定する「時計」として使えると推測していた。しかし、いま炭素年代測定法と一般に呼ばれる手法がようやく完成したのは、一九四〇年代末のことである。たいていの時計は、「いま何時?」というように現在を測定することに焦点を合わせている。しかし放射性炭素時計がかかわるのはすべて過去である。元素によって崩壊する速度が大きく異なり、それはつまり、異なる時間尺度で動いている時計のようなものだということである。炭素14の時計は五〇〇〇年ごとに「カチ」と鳴るが、カリウム40の時計は一三億年ごとに「カチ」と鳴る。そのため、放射性炭素の年代測定法は人間の歴史のはるか昔を測る時計としてうってつけであり、カリウム40は惑星そのものの歴史である地質学的時間を測定する。放射性元素による年代測定は、地球そのものの年齢を特定するのに不可欠の手法であり、地球は六〇〇〇年前に誕生したという聖書の物語は、物語であって事実ではないことを示す最も有力な科学的証拠を固めた。おもに放射性炭素年代測定のおかげで、先史時代に人類が地球上をどう移動したかについても、たくさんのことがわかっている。ある意味で、放射性崩壊の「等しい時間」は先史時代の時間を歴史に変えたのだ。一万年以上前にホモ・サピエンスが初めてベーリング陸橋をアメリカへと渡ったとき、その旅行記を書きとめられる歴史学者はいなかった。にもかかわらず、その物語は彼らが野営地に残した骨や木炭の堆積物に含まれる炭素に記録されていた。しかし、私たちは新しい種類の時計なしにはその物語を読むことができなかった。放射性年代測定法がなければ、人類の移住や地質の変化の「深い時間」は、すべてのページがランダムに組み替えられた歴史書のようなものだっただろう。事実はあふれかえっているが、年代順の配列と因果関係に欠けている。いつのことだったかわかって初めて、その生データが意味あるものに変わったのだ。

ネバダ州東部に位置するスネーク山地、その南方の高地の乾燥したアルカリ性土壌に、ヒッコリーマツの森がある。そこのマツは針葉樹にしては背が低く、三メートル以上の高さになることはめったにない。砂漠地帯からつねに吹き上げてくる風のせいで曲がりくねっている。放射性炭素年代測定法（および年輪）によって、なかには樹齢五〇〇〇年以上のものもあることがわかっている――地球上で最長寿の生きものである。いまから数年後、そのマツ林の下の土に時計が埋められることになっている。秒単位ではなく、文明単位で時間を計るよう設計された時計だ。その設計者でコンピューター科学者のダニー・ヒリスによると、「一年に一回、時を刻む時計であり、世紀を示す針は一〇〇年に一回進み、一〇〇〇年に一度カッコウが鳴く」[*16]。少なくとも一万年は時を刻むように設計されているが、それはおおよそ人間の文明が始まってから現在までの長さである。これは別の種類の時間規律の実践だ。短期的思考を避け、自分たちの行動とその結果を何百年、何千年のスパンで考える規律である。ミュージシャンで芸術家のブライアン・イーノの秀逸な言い回しを借りて、この装置は「ロング・ナウ時計」と呼ばれる。

この装置の仕掛け人である組織、ロング・ナウ協会──ヒリス、イーノ、スチュアート・ブランド、その他数名の明確なビジョンを持つ人々が共同創立──は、一万年時計をたくさんつくることを目指している（第一号はテキサス州西部の山腹に設置するために組み立てられている）。自分たちが生きているあいだに一度しかカチッといわない時計を、なぜそんなに苦労してわざわざつくるのか？　なぜなら、新たな測定方法によって世界について新たな視点で考えられるからだ。クオーツやセシウムのマイクロ秒・ナノ秒が、じつにさまざまな日常生活を一変させる新たなアイデアを生んだように、ロング・ナウ時計のゆっくりした時間によって、将来についての新たな考え方が生まれる。ロング・ナウの役員であるケヴィン・ケリーはこう語っている。

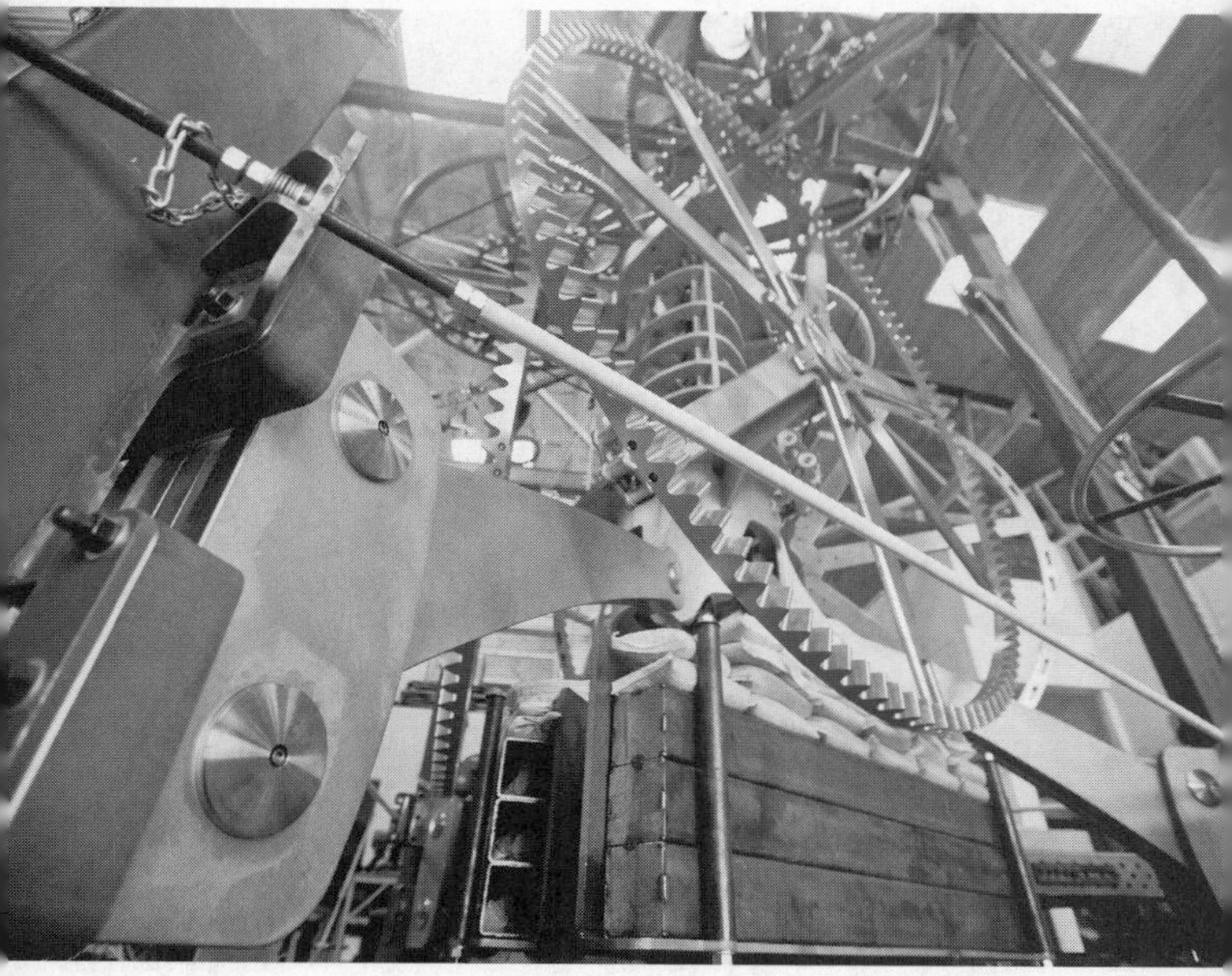

ロング・ナウ時計

一万年ものあいだ時を刻む時計があったら、どんな世代単位の問題や計画を提起するだろう? もし時計が一万年動きつづけるのなら、私たちの文明もそうなるようにするべきではないのか? 私たち個人が死んだあともずっと時計が動きつづけるなら、将来世代がやりとげることになるプロジェクトを試みてもいいのでは? さらに大きな疑問は、ウイルス学者のジョナス・ソークがかつて問いかけたとおりだ。「われわれはよい祖先になっているのか?」[*17]

これは原子時代の時間の奇妙なパラドクスである。私たちはひそかに完全な正確さで時を刻んでいる時計に導かれて、かつてない短い単位のなかで生きている。集中力が続く時間は短く、自然のリズムではなく抽象的な時刻のマス目にしたがって行動する。しかし同時に、何万年、何百万年も前の歴史を想像して記録し、何十世代におよぶ因果の連鎖を追いかける能力も持っている。いま何時だろうと思ってスマホに目をやり、コンマ何秒まで正確な答えを得ることができるが、一方で、その答えが出るようになるまでに、ガリレオの祭壇ランプからニールス・ボーアのセシウムまで、海上で経度を測定するクロノメーターから人類初の人工衛星「スプートニク」まで、四〇〇年かかったとも言えることをきちんと理解している。ガリレオの時代の一般人とくらべると、私たちの時間領域はマイクロ秒からミレニアムまで両方向に広がっているのだ。

最終的にどちらの時間尺度が勝つのだろう？　ごく短い時間に集中するのか、それともロング・ナウに何かを遺すのか？　私たちは高頻度トレーダーになるのか、それともよい祖先になるのか？　答えは時が過ぎなければわからない。

第6章

光

Light

over 100000 years ago
人間が初めて火を制御して使いこなすようになる

around 1712
マッコウクジラが発見され、その脳油でロウソクがつくられる

1802
初期の電池と白金のフィラメントで数分間明るく燃やすことに成功

1830s
世界で初めて銀板写真法で撮られた写真がプリントされる

1841
白熱電球の特許が認められる

1861
ギザのピラミッドでフラッシュ撮影の原型が発明される

1879
エジソンが「電気ランプ」をつくる

around 1880
「ブリッツリヒト（フラッシュライト）」（フラッシュ撮影）が普及

end of 1882
エジソンの会社がロウアー・マンハッタンのパール・ストリート地区全体の電灯に電力を供給

ht

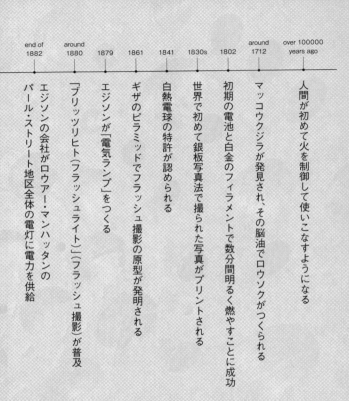

- 1898　小説『宇宙戦争』のなかで火星人が熱線を使う様子が描写される
- late 19th C.　化石燃料を使った新しいランプの明るさにより雑誌や新聞の発行数が爆発的に増加
- early 20th C.　化石燃料が生活の中心になる／ネオンを電球に応用
- early 1920s　看板制作会社がネオンサインの大規模な新規ビジネスを起ち上げる
- late 1950s　レーザー光線が現実につくられる
- 1950s　バーコードの前身となる光学的コードがデザインされる
- 1974　レーザー技術を応用したバーコードスキャナーが実用化される
- NOW　レーザーを利用して持続可能なクリーンエネルギーの供給源をつくる研究が進んでいる

Lig

鯨油ロウソク

どこか異星の文明が銀河の向こうから地球をながめて、知的生命体のしるしを探しているとしよう。何千万年ものあいだ、報告すべきことはほとんど何もない。地球上の毎日の気象変動、約一〇万年ごとに広がったり後退したりする氷河、大陸の漸進的な移動。しかし約一世紀前から、突然、重大な変化が目に見えるようになる。夜になると惑星の表面が都市の街灯で光り輝くのだ。アメリカとヨーロッパから始まり、そのあと着実に地球全体に広がり、しかも強さが増していく。宇宙から見ると、人工的な光の出現は地球史上、六五〇〇万年前にチクシュルーブの小惑星衝突によって過熱した灰と塵《ちり》の雲に覆われて以来、唯一最大の変化だったことはほぼまちがいない。宇宙からすると、人間の文明の進歩を示す変化はすべて補足だった。対置できる（訳注：ほかの指と合わせるように動かすことができる）親指、文字言語、印刷機――すべてが「ホモ・ルーメンス」の輝きの隣ではかすんでしまう。

もちろん地表で見れば、人目につくイノベーションという意味で人工光の発明に並ぶものはほかにもあったが、その到来は人間社会の出発点となっている。現在の夜空は一五〇年前より六〇〇〇倍も明るい。人工光は私たちの働き方や眠り方を一変させ、地球規模の通信網の構築を助け、もうすぐエネルギー生成の根本的躍進を可能にするかもしれない。電球は一般大衆のイノベーションに対する感覚と非常に密接に結びついているので、新しいアイデアそのもののたとえにもなっている。突然の発想の飛躍を称賛する表現としていちばん引用されやすい言葉は、アルキメデスの「ユリーカ（わかった！）」が「電球の瞬間《ひらめき》」に取って代わられたのだ。

人工光に関してひとつ不思議なのは、何世紀ものあいだテクノロジーとして停滞していたことである。一〇万年以上前に人間が初めて火を制御して使いこなしたとき、まさにその最初のテクノロジーを用いて生まれたことを考えると、なおさら驚きだ。バビロニア人とローマ人は油をベースにしたランプを開発したが、そのテクノロジーは（いみじくも）暗黒時代にほぼ消えてしまった。産業時代の夜明けまでほぼ二〇〇〇年のあいだずっと、屋内の明かりとしてはロウソクが普及していた。ミツロウからつくられたロウソクは非常に珍重されたが、聖職者や貴族以外の人々にとっては高価すぎた。庶民が代用品として使った獣脂ロウソクは動物の脂を燃やすもので、そこそこの揺らめく炎ができるが、嫌な臭いと濃い煙も発生した。

童謡に歌われているように、ロウソクづくりはこの期間の一般的な職業だった。一二九二年のパリの課税台帳には、この都市で営業していた七二人の「ロウソク業者」が記載されている。しかしほとんどの一般家庭では自分たちで獣脂ロウソクをつくっていて、大変な作業が何日も続くこともあった。獣脂の入った容器を温め、そこに芯を浸す。一七四三年の日記によると、ハーバード大学の学長は二日間かけて三五キロの獣脂ロウソクをつくっている。[*1]二カ月後まで燃やし続けられる量だった。

人々がなぜ、それほど時間をかけて家でロウソクをつくることをいとわなかったのか、想像に難くない。一七〇〇年代のニューイングランドの農家の生活がどんなだったか、考えてみてほしい。冬のあいだ太陽は五時に沈み、そのあと再び明るくなるまで、暗闇が一五時間続く。太陽が沈むと漆黒の闇である。街灯も、懐中電灯も、電球も、蛍光灯もない——石油ランプさえもまだ発明されていない。暖炉に揺らめく光と、獣脂ロウソクのくすぶる炎だけだ。

そんな夜はうんざりするほど長かったので、夜間照明がどこにでもある時代になる前の人々の睡眠パターンは、いまと根本的にちがったと科学者は考えている。二〇〇一年に歴史家のロジャー・イーカーチが、さまざまな日記や文献を引用して、歴史的に人間は長い夜を二つの異なる睡眠期間に分けてきたと、納得のいく説を唱えている。暗くなると人々は「第一の眠り」に落ち、四時間後に目を覚まして、軽食をとったり、用を足したり、セックスをしたり、火のそばでおしゃべりをしたりして、それからもう四時間の「第二の眠り」にもどる。[*2]この古代のリズムを一九世紀の照明が乱した。観劇や外食、はては工場での労働まで、日没後に行なえるさまざまな新しい活動の可能性が切り開かれたのだ。イーカーチは、八時間の継続的睡眠を理想とする考えが、一九世紀の習慣によって構築された経緯を実証している。それは人間の居住地における照明環境の劇的変化に対する適応だった。どんな適応もそうだが、そのメリットには必然的に代償もある。世界中の大勢の人々を悩ませている真夜中の不眠は、厳密に言えば障害ではなく、むしろ体の自然な睡眠リズムが、一九世紀からの慣習のさだめに対して自己主張しているのである。午前三時に目が覚めるのは、飛行機旅行ではなく人工光によって引き起こされる時差ボケのようなものだ。

獣脂ロウソクの揺らめく炎は、人々の睡眠パターンを変えるほど強くはなかった。それほど大きな文化的変化を起こすには、一九世紀の照明の安定した明るい光が必要であり、一九世紀末には、その光は電球の明るいフィラメントから発していた。しかしこの世紀初の光にまつわる大きな進歩を生んだのは、いまの私たちにとってはゾッとするようなものだった。それは五〇トンもある海獣の頭蓋骨である。

物語は嵐から始まる。言い伝えによると、一七一二年ごろ、ナンタケット島沖を吹く暴風によって、ハッセーという名の船長が陸地からはるかかなたの遠い海まで流された。彼は北大西洋の深い海で、母なる自然の最も不可思議で威圧的な創造物に遭遇した。[*3] マッコウクジラだ。

ハッセーはなんとかクジラに銛《もり》を打ち込むことに成功した——嵐で岸に打ち上げられただけだと考える疑い深い人もいるが。とにかく、地元民たちがその巨大な哺乳動物を切り分けたところ、ひどく変わったものが見つかった。巨大な頭の内側を見ると、脳の上に空洞があって、白い油のような物質が詰まっていたのだ。それが精液に似ていたため、マッコウクジラの脳油は、「スパーマセティ（クジラの精液の意）」と呼ばれるようになった。

現在も、マッコウクジラがなぜそれほど大量の脳油を生成するのか、科学者にもはっきりわかっていない（成長したマッコウクジラは頭骨内に一九〇〇リットルもためている）。浮力のために利用されるのだと考える人もいれば、反響定位システムを助けるのだと考える人もいる。しかしニューイングランドの住民たちは、すぐに脳油の別の使い道を見つけた。その物質でつくったロウソクは、獣脂ロウソクよりはるかに強く白い光を発し、しかも不快な煙が出ない。一八世紀後半には、鯨油ロウソクがアメリカとヨーロッパで最も珍重される人工光となっていた。

一七五一年の手紙で、ベンジャミン・フランクリンは新しいロウソクがどんなにすばらしいか説明している[*4]。「明るく白い光を放つ。暑い天気のときでも手のなかで軟らかくなることがない。ふつうのロウソクのように滴りが油じみになることもない。はるかに長くもつので、火を消しておく必要がほとんど、またはまったくない」。鯨油ロウソクの使用はまたたくまに、富裕層の高価な習慣になった。ジョージ・ワシントンは、現在の金銭価値にして年間一万五〇〇〇ドルを、鯨油ロウソクを燃やすために費やしたようだ。ロウソク事業は非常にもうかるようになったため、製造業者の集団が鯨油ロウソク製造業者合同

ツタンカーメンの墓の聖杯形ランプ。杯には油を入れるようになっていて、芯に点火されると、ツタンカーメンとアンケセナーメンの秘密が浮かび上がる。古代エジプトの新王朝、第18王朝。紀元前1333～23年

会社、一般に「鯨ロウトラスト」と呼ばれる組織をつくった。[*5] 目的は競合者を業界から締め出し、捕鯨船からの仕入れ値を抑えることである。

ロウソク製造が寡占事業だったにもかかわらず、マッコウクジラをなんとか仕留められた者全員を、かなりの経済的報酬が待っていた。鯨油ロウソクの人工光が捕鯨産業の爆発的成長を引き起こし、ナンタケットとエドガータウンに美しい海辺の町を築いた。しかし、現在その街並みがどんなに優美に見えても、捕鯨は危険で不快なビジネスだった。その巨大な生きものを追いかけるうちに、何千という人々が海で命を落とした。なかでも有名なエセックス号の沈没は、やがてハーマン・メルヴィルの傑作『白鯨』（岩波文庫ほか）を生むきっかけとなった。

脳油の抽出はクジラを仕留めることと同じくらい大変だ。クジラの頭の側面に穴を開け、人が脳の上の空洞にもぐり込む。そして腐っていく死骸のなかで何日もかけて、クジラの頭から脳油をかき出す。ほんの二〇〇年前、これが人工光の現実だったことを考えると驚きだ。[*6] あなたのひいひいひいおじいさんが暗くなってから本を読みたかったら、誰かがかわいそうに午後中、クジラの頭のなかを這《は》いまわらなくてはならなかったのだ。

わずか一世紀あまりのあいだに、およそ三〇万頭のマッコウクジラが殺された。[*7] もし人工光用の油の新たな供給源が見つからず、石油ランプやガス灯のような鉱油ベースの解決策が導入されていなかったら、マッコウクジラは全滅していたかもしれない。これは絶滅の歴史における意外な展開のひとつである。人間が地下深くに埋まっていた古代植物の堆積物を発見したから、とりわけ珍しい海洋生物の種がひとつ救われたのである。

エジソンと〝魔法〟の電球

化石燃料は、二〇世紀に入るとほぼ全面的に生活の中心となったが、最初の商業用途は光だった。新しいランプはそれまでのどんなロウソクより二〇倍明るく、その抜群の明るさが、一九世紀後半に雑誌や新聞の発行の爆発的増加に火をつけた。仕事のあとの暗い時間に、読書ができるようになっていったからだ。しかし、その明るさは文字どおりの爆発を誘った。毎年何千という人々が、読書灯の発火で亡くなったのだ。

これほどの進歩にもかかわらず、人工光は相かわらず現代の標準からすると極端に高価だった。現代社会では照明は比較的安くて珍しくもないが、一五〇年前、暗くなってからの読書はぜいたくだった。以降、人工光は珍しい脆弱《ぜいじゃく》なテクノロジーから、どこにでもある強いテクノロジーへと着実に前進し、そのあいだの道程を示すひとつの地図ができ上がっている。一九九〇年代末、イェール大学の経済学者ウィリアム・D・ノードハウスは、その道をつまびらかにし、イノベーションが続いた長い年月のあいだの人工光にかかる真の費用を分析する、独創的な研究を発表した。

経済史の研究者が、長期にわたる経済の総合的健全性を測定しようとするとき、ふつうは平均賃金が出発点のひとつだ。いまの人たちは一八五〇年の人たちよりもたくさん稼いでいるのか？　もちろん、インフレがあるので比較は難しい。一九世紀のドルなら、一日一〇ドル稼ぐ人はアッパーミドルクラスだった。その一〇ドルは現在の一六〇ドルの価値があることを理解する助けになる、インフレ率の表があるのはそのためだ。しかしインフレがおよぶのは話の一部にすぎない。ノードハウスの主張によると「主要なテクノロジーが変化するあいだ、新しいテクノロジーが生活水準に与える影響を正確にとらえる物価指数の構築は、公式統計機関の実務能力を超えている。本質的な問題は、私たちが現在消費している商品のほとんどは一世紀前には生産されていなかったという、明白だが見落とされがちな理由から生まれる」[*8]。一八五〇年に一六〇ドル持っていても、iPodは言うにおよばず、蓄音機さえ買うことはできなかった。経済学者と歴史学者は、通貨の一般的価値だけでなく、その通貨で買えるものについての観念も、考えに入れる必要があるのだ。

そこでノードハウスは、何世紀にもわたる賃金の真の購買力を明らかにするために、人工光の歴史を利用することを提案した。人工光の手段は長い年月にロウソクからLEDへと劇的に変化している。しかし生み出される光は不変であり、急速なテクノロジー革新という嵐のなかの碇のようなものだ。そのためノードハウスは測定の単位として、一〇〇〇「ルーメン時」の人工光をつくるためのコストを提案したのである。

一八〇〇年の獣脂ロウソクは、一〇〇〇ルーメン時につきおよそ四〇セントかかった。ノードハウスが最初に研究をまとめた一九九二年の蛍光灯では、同じ量の光にかかる費用は〇・一セントだった。つまり効率が四〇〇倍になったということだ。しかしそのコストを当時の平均賃金と比較すると、もっと劇的な話になる。一八〇〇年の平均賃金で一時間働くと、一〇分間の人工光を買うことができた。一八八〇年の石油ランプの場合、同じ一時間の労働で夜に三時間の読書ができた。現在、あなたは一時間の賃金で人工光を三〇〇日分買うことができる。[*9]

獣脂ロウソクや石油ランプの時代から、現在のすばらしく明るい世界ができるまでのあいだに、何か尋常でないことが起こったにちがいない。その何かとは、電球である。

電球の話には腑《ふ》に落ちないところがある。突然のひらめきの瞬間にひとりの発明家がひとつのものを発明するという、イノベーション「天才」説の代名詞のようになっているが、その誕生の裏にある真の物語が訴えるのは、じつはまったくちがう枠組みなのだ。それはイノベーションのネットワークモデルあるいはシステムモデルである。たしかに、電球はイノベーション史の出発点となっているが、理由はまったく異なる。電球はクラウドソーシングの成果だというのは言いすぎだが、トーマス・エジソンというひとりの人間だけが発明したというほうが、事実の歪曲《わいきょく》である。

通説はこんなふうだ。蓄音機とストック・ティッカー・マシン（株価情報受信装置）の発明で輝かしいスタートを切ったあと、三一歳のエジソンは二、三カ月休みをとって、アメリカ西部を旅した。ニューヨークやニュージャージーのガス灯のともる街路とはちがって、夜にはかなり暗くなる地域だったことは、おそらく偶然ではないだろう。一八七八年八月、メンローパークの研究所にもどった二日後、彼はノートに三枚の図を描き、「電灯」とタイトルをつけた。一八七九年には「電気ランプ」の特許出願書類を提出している。そこには現在知られている電球のおもな特徴がすべて示されていた。一八八二年末には、エジソンの会社がロウアー・マンハッタンのパール・ストリート地区全体の電灯に電力を供給していた。

これは心躍る発明物語である。メンローパークの若き鬼才がひらめきを得て、数年とたないうちに彼のアイデアが世界中を照らしていたのだ。この物語の問題は、エジソンが関心を向ける八〇年も前から、白熱電球は発明されていたことだ。[*10] 電球には三つの基本要素が必要である。電流が流れたときに光を放つなんらかのフィラメント、そのフィラメントがすぐに燃えつきないようにするためのメカニズム、さらに、そもそもその反応を開始させるための電力の供給手段だ。一八〇二年、イギリス人化学者のハンフリー・デイヴィーが、初期の電池に白金のフィラメントを取りつけて、数分のあいだ明るく燃やした。一八四〇年代までに、数十人の発明家が個別にさまざまな電球に取り組んでいた。最初の特許は一八四一年に、フレデリック・デ・モーリンというイギリス人に認められた。歴史学者

トーマス・エジソン

のアーサー・A・ブライトが、一八七〇年代末にエジソンが決定的勝利をおさめるまでに、電球の一部を発明した人のリストをまとめている（左ページの表参照）。

この人たちの少なくとも半数は、エジソンが最終的にたどり着いた基本手法を考えついている。炭素フィラメントを、酸化防止のために真空内に取りつけることによって、すぐに燃えつきないようにしているのだ。実際、エジソンがようやく電灯に手を出しはじめたとき、先人の半数近くがすでに、白熱光を維持するための最善の環境として真空を採用していたにもかかわらず、彼は数カ月かけて、溶融を防ぐために電気の流れを調整するフィードバックシステムに取り組んだあげく、結局そのアプローチをあきらめて真空のほうを選んだ。電球は数十年かけて少しずつ形を成していくようなイノベーションだったのだ。電球の物語にひらめきの瞬間はなかった。エジソンがパール・ストリート発電所のスイッチを入れたときには、すでにいくつかほかの会社が独自のモデルの白熱電球を販売していた。イギリスの発明家ジョセフ・スワンは一年前に、家庭や劇場に明かりを照らしはじめていた。エジソンの電球発明は、スティーヴ・ジョブズによるMP3プレーヤーの発明のようなものである。最初に発明したわけではないが、市場に出せるものを初めてつくったのだ。

では、なぜすべてがエジソンの手柄になっているのだろう？　多くの人がスティーヴ・ジョブズに浴びせるのと同じ、皮肉な賛辞を使いたくなる。彼はマーケティングと宣伝の達人だったのだ。エジソンがこの時点で報道機関と非常に緊密な関係にあったのはたしか

年	発明者	国籍	元素	周囲の気体
1838	ジョバール	ベルギー	炭素	真空
1840	クローヴ	イギリス	白金	空気
1841	デ・モーリン	イギリス	炭素	真空
1845	スター	アメリカ	白金 炭素	空気 真空
1848	ステイト	イギリス	白金／イリジウム	空気
1849	ペトリー	アメリカ	炭素	真空
1850	シェパード	アメリカ	イリジウム	空気
1852	ロバーツ	イギリス	炭素	真空
1856	ド・シャンジー	フランス	白金 炭素	空気 真空
1858	ガーディナーとブロッサム	アメリカ	白金	真空
1859	ファーマー	アメリカ	白金	空気
1860	スワン	イギリス	炭素	真空
1865	アダムス	アメリカ	炭素	真空
1872	ロディーギン	ロシア	炭素 炭素	真空 窒素
1875	コスロフ	ロシア	炭素	窒素
1876	ブーリギン	ロシア	炭素	真空
1878	フォンテーヌ	フランス	炭素	真空
1878	レーン・フォックス	イギリス	白金／イリジウム 白金／イリジウム アスベスト／炭素	窒素 空気 窒素
1878	ソーヤー	アメリカ	炭素	窒素
1878	マキシム	アメリカ	炭素	炭化水素
1878	ファーマー	アメリカ	炭素	窒素
1879	ファーマー	アメリカ	炭素	真空
1879	スワン	イギリス	炭素	真空
1879	エジソン	アメリカ	炭素	真空

だ（大きく取り上げてもらう見返りに、ジャーナリストに自社の株を譲ったことが少なくとも一度あった）。エジソンは、私たちがいま「ベイパーウェア」と呼ぶものの名人でもあった。競合他社を追い払うために、存在しない製品を発表したのだ。電球の研究を始めてからわずか数カ月後には、ニューヨークの新聞各社の記者に対し、問題は解決されたので、すぐにでもすばらしい電灯の全国網を立ち上げると話すようになり、とても単純なシステムなので「靴磨きにも理解できる」と言っている。

こんな虚勢を張っても、エジソンの研究所でつくられた電灯のいちばん良質な試作品でも、五分ももたないという事実は変わらなかった。しかしそれでもエジソンは、自分の画期的な電球を見せるために、マスコミをメンローパークの研究所に招くことをやめなかった。一度に一人ずつ記者を連れて来て、電球のスイッチを入れ、その光を三、四分堪能させたあと、部屋から追い出す。電球がどれくらいもつのかと訊かれたときは、自信満々に答えた。「永久に、ほとんどね」

これはすべてはったりだったが、それでもエジソンと彼のチームは、現実になんとか革新的で魔法のような製品の出荷にこぎつけた。アップルのマーケティングならエジソンの電球をそう呼んだだろう。宣伝とマーケティングだけでは限界があるが、一八八二年までに、エジソンは競合他社を圧倒的にしのぐ電球を生産していた。ｉＰｏｄが初期に、ＭＰ3プレーヤーのライバルたちをしのいだのと同じである。

〝天才〟への誤解

ある意味で、エジソンの電球の「発明」に必要だったのは、ひとつのすばらしい着想というより、努力で細かい部分を詰めることだったのだ（発明は一パーセントのひらめきと九九パーセントの汗である、という彼の有名な言葉は、人工光に関する事業にはたしかに当てはまる）。電球そのものに対するエジソンの唯一最大の貢献は、ほぼまちがいなく、彼が最終的に採用した炭化竹フィラメントである。エジソンはフィラメントとして白金を試すことに少なくとも一年を無駄にしたが、白金は高価すぎるうえに溶けやすい。白金をあきらめるとすぐ、エジソンと彼のチームは、さまざまな素材がそろう本物の植物園を歩きまわった。「セルロイド、木くず（ツゲ、トウヒ、ヒッコリー、マホガニー、シーダー、シタン、カエデ）、朽ち木、コルク、アマ、ココナツの毛と殻、そしてさまざまな紙類」[*11]。一年におよぶ実験の結果、最も丈夫な物質として竹が浮上したことから、世界貿易史上、とりわけ妙な一幕が始まる。エジソンは自然界でも最も白熱する竹を求めて、メンローパークの使者を世界中に送り込んだのだ。ひとりはブラジルで川を三〇〇〇キロもカヌーで下った。もうひとりはキューバに向かったが、着いてすぐ黄熱にやられて亡くなった。ウィリアム・ムーアという三人目の使者はあえて中国と日本に行き、メンローパークの天才たちが見たこともなかった強い竹をめぐって、地元の農家と取引をまとめた。取り決めは長年そのまま続き、世界中の部屋を明るく照らすフィラメントを供給した。エジソンは電球を発明したわけではないかもしれないが、現代のイノベーションに不可欠となった慣行を始めたことはたしかだ。すなわち、アメリカのエレクトロニクス会社によるアジアからの部品の輸入である。唯一のちがいは、エジソンの時代、アジアの工場は山林だったことである。

エジソンの成功にとってもうひとつの重要な要素は、彼がメンローパークに集めた、「マッカーズ（仲間の意）」として知られるチームである。マッカーズは専門分野という点でも国籍という点でも驚くほど多様だった。イギリス人機械工のチャールズ・バチェラー、スイス人で機械オペレーターのジョン・クルーシ、物理学者で数学者のフランシス・アプトン、そして十数人の製図工、化学者、金属加工職人たち。エジソンの電球はひとつの発明というより小さな改善の寄せ集めだったので、チームの多様性がエジソンにとってきわめて重要な強みだった。たとえば、フィラメントの問題を解決するには、電気抵抗と酸化を科学的に解明する必要があり、それをアプトンが提供して、エジソンの素人っぽい直感的なスタイルを補った。さらにフィラメントそのものについて、じつにさまざまな候補をテストできたのは、バチェラーの機械に関するアドリブ能力のおかげだった。メンローパークは、二〇世紀に目立つようになった組織形態、すなわち学際的な研究開発ラボの先駆けだった。そういう意味で、ベル研究所やゼロックスのパロアルト研究センターのような場

初期のエジソン炭素フィラメント電球。1897年

所から出てきた斬新なアイデアやテクノロジーは、エジソンの実験室にルーツがあるのだ。エジソンはテクノロジーを発明しただけではなく、発明のためのシステム全体を発明したのであり、そのシステムが二〇世紀の産業を牛耳ることになった。

さらにエジソンは、現代のハイテクなイノベーションにとって不可欠になった別の慣行の始まりにも貢献している。従業員に現金ではなく株で報酬を払ったのだ。一八七九年、電球の研究が佳境にさしかかったころ、エジソンはフランシス・アプトンにエジソン・エレクトリック・ライト・カンパニーの株式五パーセントを提案した——ただし、アプトンは六〇〇ドルの年俸を辞退しなくてはならない。アプトンは決断にかなり悩んだが、最終的に、金銭に関して彼より保守的な父親の反対を押し切って、株の譲渡を受けることにした。その年末までにエジソン社の株価は急騰し、彼の持ち株の価値はすでに一万ドル、現在の価値で一〇〇万ドル以上に上がっていた。あまり親孝行なことではないが、アプトンは父親にこう書き送っている。「あなたが内心どんなに臆病だったかを考えると、笑わずにはいられません」[*12]

たしかにエジソンは真の天才であり、一九世紀のイノベーションにおいて突出した人物だ。しかし電球の話で明らかなように、歴史的に私たちはこの天才を誤解してきた。彼の最大の業績は、チームをクリエイティブにする方法を解明したことにあるのかもしれない。彼の実験を重んじて失敗を受け入れる仕事環境に、多種多様な技術者を集め、組織の総体的成

ニューヨーク。街路の照明にブラッシュ電灯を採用した、
フィフスアベニュー・ホテル付近の風景

功に見合った金銭的報酬によって集団にやる気を起こさせ、よそで生まれたアイデアを土台にまとめ上げる。「私は発明で私の先を越そうとしている人の名声や評判には、それほど感心しない。……私が心を惹《ひ》かれるのはその『アイデア』である」とエジソンが言ったことは有名だ。「私を『発明家というよりアイデアを吸収するスポンジ』と表現するのはきわめて正しい」

電球はイノベーション・ネットワークの成果であり、したがって電灯の実態が最終的に単体ではなくネットワークやシステムだったのは、当然のことかもしれない。エジソンが真のウィニングランに入ったのは、真空中で白熱する竹のフィラメントをつくったときではなく、二年後にパール・ストリート地区の照明を点灯したときである。それを実現するには電球を発明する必要があったことはたしかだが、ほかにも信頼できる電流源、その電流を近隣一帯に分配するシステム、個々の電球を配電網につなぐメカニズム、そして各家庭がどれだけの電気を使っているかを測定するメーターも必要だった。電球はそれだけで珍しく、記者が驚嘆するものである。エジソンとマッカーズがつくり出したのは、それよりはるかに大きいものだった。[*13] 複数のイノベーションのネットワークであり、それがすべてつながったからこそ、電灯の魔法が安全になり入手しやすくなったのだ。

エジソンが孤独な天才として電球を発明したのか、それとも広いネットワークのなかで発明したのかを、なぜ気にしなくてはならないのか？　まず、電球の発明が新しいテクノロジーの誕生話の標準になるのなら、正確な話をしたほうがいいだろう。しかしそれは、ただ事実を正しく把握するという問題ではない。なぜなら、この種の話には社会や政治にまつわる含みがあるからだ。テクノロジーの革新が進歩を促し、生活水準を押し上げる主要な力のひとつであることはわかっている。一時間の賃金で手に入る人工光が一〇分間から三〇〇日間に延びる流れを促進するのが望ましいことはわかっている。イノベーションは、新しいテクノロジーをゼロから発明する孤独な天才によって引き起こされると考えるなら、その考え方は必然的に、特許保護の強化のような政治判断へとつながる。しかし、イノベーションが協調のネットワークから生まれると考えるなら、別の政策や組織形態を支持しなくてはならない。すなわち、特許法の緩和、オープン標準、従業員持ち株制度、学際的つながりだ。電球はベッドのそばの読み物に光を当てるだけではない。新たなアイデアが生まれる方法や、社会としてそれをどう育てるかを、はっきり見えるようにしてくれる。

人工光は政治的価値観とも深いつながりがあることがわかっている。エジソンがパール・ストリート地区に照明をつけてからちょうど六年後、別の異端者がエジソンの光り輝く地区からほんの数ブロック北の通りを歩きながら、光に新たな方向でさらに高いレベルを求めた。マッカーズは電灯のシステムを発明したかもしれないが、人工光にまつわる次の技術革新はマックレイカー（訳注：糞などをかき集める肥やし熊手〈マックレイク〉を使う人から転じて、不正や腐敗を暴く人のこと）から生まれた。

ピラミッドで見いだされた光

ギザの大ピラミッドの奥深く、中心に近いところに「王の間」と呼ばれる壁一面花崗岩のうろがある。その部屋にあるものはひとつだけ。ふたのない長方形の箱で、「櫃《コファー》」とも呼ばれる。アスワンの赤色花崗岩をくり抜いてつくられ、ひとつの角が欠けている。その部屋の名称は、コファーがクフ王の遺体を収めていた石棺だったという前提から来ている。彼はこのピラミッドを四〇〇〇年以上前に建設したファラオである。しかし昔から多くの異端のエジプト学者が、コファーには別の用途があったと主張してきた。いまだに広まっているある説は、コファーの寸法が聖書に書かれている「契約の箱」のサイズとまったく同じであることを強調し、コファーにはその伝説の聖櫃《せいひつ》が収められていたのだと示唆している。

一八六一年秋、同じくらいとっぴな説に取りつかれて、王の間にやって来た者がいた。その説には旧約聖書の別の箱が関係していた。訪問者はチャールズ・ピアッツィ・スミス。それまで一五年間、スコットランド王立天文台長を務めたが、いろいろと変わったことに興味を持つ典型的なヴィクトリア朝の博学者である。スミスは、ピラミッドがもともと聖書に出てくるノアによって建設されたと主張する、とっぴな学術書を読んだばかりだった。長いあいだ文献エジプト学者だったスミスは、その説におおいに取りつかれてしまい、直接独自に調査を行なうため、エジンバラの書斎を出てギザに向かったのだ。彼の調査は最終的に、数占いと古代史がごっちゃになった妙な説を導き、それから数年にわたって一連の本や小冊子で発表されることになった。ピラミッドの構造を詳細に分析したスミスは、建設者が現代のイギリスのインチとほぼ同じ測定単位を用いていたと確信する。そしてこの一致を、インチそのものが神からノアに直接伝えられた聖なる尺度である証だと解釈した。[*14] さらにそのことがスミスにとっては、英仏海峡をじわじわと渡りつつあったメートル法を攻撃するのに必要な大砲になった。エジプトのインチの新事実から、メートル法はフランスの悪意ある感化の兆候にとどまらないことは明らかだ。神意に背くことでもある。大ピラミッドにおけるスミスの科学的発見は、時の試練に耐えることも、イギリスのメートル法採用を防ぐことも、できなかったかもしれない。しかしそれでも彼は、王の間で歴史に残ることをなしとげている。スミスは自分の発見を記録するために、大きくて壊れやすい（当時最新式の）湿板写真の道具をギザに持ち込んだ。しかしコロジオン加工したガラス板では、王の間を松明《たいまつ》で照らしても、きちんと判別できる部屋の画像をとらえることができない。一八三〇年代に初めて銀板写真法で撮られた写真がプリントされて以降、写真家たちは人工照明にいろいろと手を加えていたが、どの解決策も満足な結果を出していなかった（ロウソクやガス灯は当然のことながら役に立たない）。初期には炭酸カルシウムの玉――電灯が誕生するまで舞台の照明に使われていた「石灰光」を発する――を熱する実験が行なわれたが、石灰光に照らされた写真はコントラストが強すぎ、幽霊のように顔が白くなってしまった。

人工照明の実験が失敗していたということは、湿板写真の発明から三〇年以上たってスミスが王の間で道具をセットアップしたときには、写真撮影はまだ完全に自然の太陽光に頼っていたということである。巨大なピラミッドの奥深くでは、太陽光はけっしてふんだんにあるとは言えない。しかしスミスは、マグネシウムの針金を使った実験のことを聞いていた――写真家がその針金を弓形に曲げ、燃え上がらせてから、暗いところの写真を撮ったのだ。この手法は有望だったが、光が安定せず、しかも不快なほどの濃い煙が発生した。閉ざされた環境でマグネシウムの針金を燃やすと、ふつうの写真がまるで濃い霧のなかでの構図に見える傾向があった。

王の間で必要なのは緩慢燃焼より閃光《せんこう》に近いものだと、スミスは気づいた。そこで――知られている限り史上初めて――マグネシウムをふつうの火薬と混ぜ合わせ、ちょっとした小爆発を起こして、王の間の壁を一瞬だけ照らしたところ、その秘密をガラス板に記録することができた。現在、大ピラミッドを通り抜ける観光客は、その広大な建物内部でのフラッシュ撮影を禁止する看板を目にする。大ピラミッドがフラッシュ撮影法の発明された場所でもあることは、そこには書かれていない。

いや、少なくとも、フラッシュ撮影法が発明された場所のひとつである。エジソンの電球と同じように、フラッシュ撮影法誕生の実話はもっと複雑で、あちらこちらとつながっている。小さい漸進的な革新が融合して、大きなアイデアが実現するのだ。スミスはマグネシウムを酸素が豊富な燃えやすい成分と組み合わせるアイデアを最初に思いついたかもしれないが、フラッシュ撮影そのものが主流のやり方になったのは二〇年も先の話で、二人のドイツ人科学者、アドルフ・ミーテとヨハネス・ゲーディケが、細かいマグネシウム粉末を塩素酸カリウムと混ぜて、スミスのアイデアよりはるかに安定した調合物をつくり、暗い場所での高速シャッター撮影を可能にしてからのことだ。彼らはそれを「ブリッツリヒト」、文字どおり「フラッシュライト」と呼んだ。

ミーテとゲーディケの発明のうわさは、すぐにドイツから漏れ出した。一八八七年一〇月、ニューヨークの新聞に「ブリッツリヒト」に関する四行の記事が載った。[*15]一面を飾る記事ではなく、大半のニューヨーカーは気にとめなかった。しかしフラッシュ撮影という考えは、ひとりの読者の頭のなかに次々と連想を引き起こす。その人物は警察担当記者で、アマチュア写真家でもあり、ブルックリンで妻と朝食をとっているときに、たまたまその記事を見かけたのだ。彼の名はジェイコブ・リースという。

当時三八歳、デンマークからの移民だったリースは、やがて一九世紀末の元祖マックレイカーのひとりとして、歴史に名を残すことになる。その時代のほかの誰よりも、スラム街の生活のみじめさをあぶり出し、そして進歩的改革運動を引き起こしたのだ。しかし一八八七年のその朝食のときまで、マンハッタンのスラム街の劣悪な環境に光を当てようとするリースの試みは、意味のあるかたちで世論を変えることはできていなかった。当時、警察本部長だったテディー・ルーズベルトの腹心の友だったリースは、ファイブ・ポインツなどマンハッタンのむさくるしい場所の深部を何年も探っていた。わずか一万五〇〇〇戸の共同住宅に五〇万人以上が住んでいた区域は、地球上で最も人口密度の高い場所だった。リースは深夜、マルベリー通りの警察本部からブルックリンの自宅まで帰宅する途中、好んでわびしい路地を歩いた。「私たちはよく深夜から夜明けにかけて、最悪の共同住宅に踏み込んでは人の数を数え、過密を禁じる法律が破られているのではないかと調べたものだ」と、彼はのちに回想している。「そこで見た光景に私は心臓をわしづかみにされ、しまいには、彼らのことを語らなくては、ぶちまけなくては、アナキストにならなくては、何かしなくてはと感じた」[*16]

取材で見たものにゾッとしたリースは、地元紙だけでなく、『スクリブナーズ』や『ハーパーズ・ウィークリー』のような全国誌に、共同住宅の惨状について書きはじめた。彼が書いたような都市の恥部に関する記述には、少なくとも、一八四〇年にディケンズを愕然《がくぜん》とさせたニューヨーク訪問までさかのぼる長い伝統がある。長年にわたって、共同住宅の

ジェイコブ・リース。1900年代

劣悪さに関する徹底的な調査は何度も「公衆衛生協議会報告書」のようなタイトルで公表されていた。ファイブ・ポインツの「光と影」ガイドブックといったたぐいのジャンルも南北戦争後に盛んになり、好奇心旺盛な観光客が大都市の生活の見苦しい恥部を探検するために、あるいは少なくとも、安全な小都市のオアシスにいて擬似的に探検するために、情報を提供していた（「スラム・イット（つましく生活する）」という言い回しの由来は、このような旅行者による探検にある）。しかしスタイルのちがいはあれ、このような文章にはひとつ共通する特徴があった。そういうスラムに住む人たちの現実の生活環境を改善する効果は、ほとんどなかったことだ。

スラム街に希望を与えたフラッシュ

リースはずっと、共同住宅改革——および都市貧困に対する戦略全般——の問題は、結局、想像力の問題ではないかと思っていた。真夜中すぎのファイブ・ポインツの通りを歩かなければ、複数の家族が一緒に住むアパート内部の暗い奥まった場所に入っていかなければ、その状況を想像することはけっしてできない。大半のアメリカ人、あるいは少なくとも大半の選挙権のあるアメリカ人の、日常的な経験とはかけ離れているのだ。そのため、都市をきれいにしようという政治的指令は、よそよそしい無関心という障壁を克服するだけの十分な支持を集めることができなかった。

都市の荒廃を記録した先人たちと同様、リースも共同住宅の衝撃的な人的被害をなましく伝えるイラストを試みていた。しかし線画はどうしても苦悩を美化してしまう。真っ暗な地下の粗末な部屋でさえ、エッチングのような趣のあるものに見える。心を揺さぶるほどの鮮明さで現実をとらえられそうなのは写真だけだったが、写真撮影を試みるたびに、リースは同じ袋小路に突き当たった。彼が撮りたいものはほとんど、光がきわめて少ない場所にある。実際、多くの共同住宅では間接的な太陽光でさえ不足していたことも、そこを不快にする原因だった。これはリースにとって大きな障害だ。写真で伝えようとする限り、ニューヨークで最も深刻な環境――それどころか世界で最も深刻な新しい居住区――は気づかれない。文字どおり見えないのだ。

これで、一八八七年にジェイコブ・リースが朝食のテーブルでひらめいたことの説明がつくはずだ。ブリッツリヒトが暗闇を照らせるなら、線画を修正することもない。

朝食での発見から二週間とたたないうちに、リースはアマチュア写真家（と数人の関心を持った警官）のチームを結成し、暗い町の奥深くに入り込んだ――文字どおりブリッツリヒトで武装して（フラッシュをたくために、材料を詰めた弾薬を回転式拳銃から発砲するのだ）。ファイブ・ポインツの住人の多くは、その撮影チームを理解できなかった。リースはのちにこう言っている。「五、六人の見知らぬ男が真夜中に大型拳銃で武装して家に押し入り、見境なく撃つ光景は、私たちがどんなに甘い言葉をかけようと、けっして安心できるようなものではなく、私たちが行く先々で住人が窓や非常階段から飛び出しても、驚くにはあたらなかった」[*17]。

やがてリースは拳銃をフライパンに取り替えた。こちらのほうが「家庭的」に見えるので、被写体が不可解な新しいテクノロジーと対面するのも気楽になるというわけだ（写真を撮られるだけでも、彼らの大半にとって目新しいことだった）。それでも危険な仕事であることに変わりない。フライパンで一回小さな爆発が起こるだけでリースは目がくらみかけたし、フラッシュの実験中に自分の家が火事になったことも二度あった。しかしその都会探検で撮影された写真が、最終的に歴史を変えることになる。リースはその写真を、新しいハーフトーン印刷法を使った大ベストセラー本『住む世界がちがう人たちの暮らし（How the Other Half Lives）』で世に知らしめ、さらに、ファイブ・ポインツの以前は知られていなかった貧困をとらえたスライド画像をたずさえて、全国を回って講演を行なった。照明を落とした部屋に集まって、スクリーンに浮かび上がる画像を見る会議は、二〇世紀には夢を語り希望をかなえるための作法になった。しかし多くのアメリカ人にとって、そのような環境で見た最初の画像は、みすぼらしさと人間の苦悩を写したものだったのだ。

リースの本と講演、それに付随する衝撃的な写真が世論の流れを大きく変え、アメリカ史上最も大きな社会改革時代の舞台を整えた。リースの写真は、公表されてから一〇年と

ニューヨーク市、ベアード・ストリートの共同住宅内の移民シェルター。ジェイコブ・リース撮影。1888年

たたないうちに、一九〇一年のニューヨーク州共同住宅法の支持を確立した。[*18] これはアメリカの進歩主義時代における最初の大改革のひとつであり、リースが記録した劣悪な生活環境の多くを撲滅した。彼の取り組みは報道の新たな流儀に火をつけ、それが最終的に工場の労働環境をも改善することになる。文字どおりの意味で、暗く薄汚い共同住宅に光を当てることが、世界中の都心の地図を塗り替えたのである。

ここにも、社会史におけるハチドリの羽とも言える不思議な変化が見てとれる。新しい発明によって、発明者は夢にも思わなかった結果が生まれたのだ。マグネシウムと塩素酸カリウムの混合物の有用性はとても単純に思える。ブリッツリヒトによって人間は、暗い環境でもかつてないほど正確に写真を撮れることになる。しかしその新たな能力は、写真以外の物の見方についても可能性を広げた。これこそ、リースがほとんど瞬間的に理解したことである。もし暗闇のなかの物を見ることができれば、もし写真の魔法を用いてその光景を世界中の見知らぬ人と共有できれば、ついにファイブ・ポインツの下層社会が抱える悲惨な現実すべてが世に知られるようになる。「公衆衛生協議会報告書」による無味乾燥な統計的説明が、悲惨なほど薄汚い空間を共有している現実の人間に取って代わられたのだ。

フラッシュ撮影法を発明した人々のネットワーク——最初に石灰光を使った人からスミスへ、そしてミーテとゲーディケまで——は、明確に決まった目標を持って意図的に始めていた。すなわち、暗闇で写真を撮れるようにするための道具をつくることだ。しかし人類史上ほぼすべての重要なイノベーションと同様、その技術革新がまったく異なる分野の別のイノベーションを可能にする舞台をつくり出した。私たちは世界をきっちり分類するのが好きだ。写真撮影はこちら、政治はあちら、という具合に。しかしブリッツリヒトの歴史から、アイデアはつねにネットワークのなかを移動するのだと思い知らされる。アイデアは協調のネットワークによって生まれ、ひとたび世界に解き放たれると、ひとつの分野にしばられることのない動きの変化を始める。ある世紀に起こったフラッシュ撮影発明の試みが、次の世紀には大勢の都会住民の生活を変容させたのだ。

リースのビジョンは、未熟な技術決定論の行きすぎを矯正する役割も果たすはずだ。一九世紀に誰かがフラッシュ撮影法を発明することは、ほぼ必然だった（何度も発明されたという事実だけで、そのアイデアにとって機が熟していたことがわかる）。しかしそのテクノロジーには本来、それを利用する余裕がまったくない人々の生活を照らすのに使われると思わせるようなものはなかった。光が弱い場所で写真を撮ることの問題は一九〇〇年までに「解決」されると、合理的に予測することはできた。しかし、その初めての本格的な用途が、都市の貧困撲滅運動というかたちになるとは、誰も予測できなかっただろう。その展開はリースだけのものだ。テクノロジーの進歩は私たちの周囲の可能性を広げるが、その可能性をどう探るかは私たち次第である。

一〇リットルのネオン

一九六八年秋、イェール大学芸術・建築大学院のスタジオのメンバー一六人――教職員三人と学生一三人――が、実際の都市の街角で都市設計を研究するために、一〇日間の調査旅行に出発した。このこと自体は目新しくない。建築学科の学生たちは、建築学科の学生というものが誕生したときからずっと、ローマやパリやブラジリアの遺跡やモニュメントを旅してきた。この一行が変わっていたのは、ニューヘイブンに建つゴシック様式の魅力的な校舎をあとにして、まったく異なる種類の都市に向かったことだ。古い遺跡のどれよりも急速に成長していた都市、ラスベガスである。リースが撮った人口密度の高いマンハッタンの共同住宅とは、似ても似つかない都市だった。しかしリースと同じように、イェールのスタジオも新しい重大なことがベガスの街路で起こっていると感じていた。のちにポストモダン建築の創始者となったロバート・ヴェンチューリとデニス・スコット・ブラウンの夫婦チームが率いるイェールのスタジオを、この砂漠の辺境地帯に引き寄せたのは、ベガスの斬新さ、それを真剣に考えることで導き出せる衝撃度、そして未来が生まれつつあるのを見ているという感覚である。しかし何よりも、彼らがベガスに来た目的は新しい種類の光を見ることだった。彼らはネオンの輝く光に引き寄せられたポストモダンの蛾《が》だったのだ。

ネオンは専門的には「希ガス」のひとつと考えられているが、実際には地球上のどこの大気中にもあって、ただ量がごく少ないだけである。あなたは息をするたびに、空気に窒素や酸素とともに混ざっている、ごく微量のネオンを吸っている。二〇世紀初頭、ジョルジュ・クロードというフランス人科学者が、空気を液化するシステムをつくり、そのおかげで大量の液体窒素と酸素を生成できるようになった。産業規模でこれらの元素を処理すると、おもしろい廃棄物ができた。それがネオンだ。ネオンはふつう空気の六万六〇〇〇分の一を占めるにすぎないが、クロードの装置は一日で一〇〇リットルのネオンを生成できた。[*19]

手近にたくさんネオンがあったので、クロードはそれが何かの役に立つかどうか調べようと思い立ち、マッドサイエンティストよろしく、その気体を分離し、電流をとおしてみた。電荷に触れると、気体は鮮やかな赤色に光った（このプロセスを専門用語でいうと電離）。さらに実験すると、アルゴンや水銀蒸気のようなほかの希ガスも、電気を流すとさまざまな色を発し、ふつうの白熱電球より五倍以上も明るいことがわかった。クロードは早速、ネオン電球の特許を取得し、パリのグラン・パレの前に、この発明を見せるディスプレイを設置する。そして自分の製品の需要が急増したとき、彼はそのイノベーションのためにフランチャイズ事業を確立した。何年もあとにマクドナルドやケンタッキー・フライドチキンが採用したものと同じようなビジネスモデルである。そしてネオン電球はヨーロッパとアメリカの都市景観に広がりはじめる。

一九二〇年代初め、ユタ州に住むイギリスからの移民で、看板を手書きする小さな事業を始めたばかりだったトム・ヤングのところに、ネオンの放電による発光がたどり着いた。[*20]ヤングは、ネオンの使い道がただ光に色をつけるにとどまらないことに気づいた。ガラス管にガスを封入したネオンサインは、電球を集めるよりはるかに簡単に単語を綴ることができるのだ。クロードの発明の使用許可を得て、彼はアメリカ南西部をカバーする新しいビジネスを始める。完成間近のフーヴァーダムは砂漠に巨大な新しい電力源をもたらし、町全体のネオンライトを電離できるだけの電流を供給すると、ヤングは実感していた。そこで新しいベンチャー企業、ヤング・エレクトリック・サイン・カンパニー（YESCO）を設立する。そしてほどなく、新しいカジノ兼ホテル、ザ・ボールダーズの看板をつくっていた。ラスベガスというネバダの無名の町の幕開けだ。

二〇世紀の都会をいちばんよく象徴するものをつくったのは、偶然の出会いである――フランスからの新しいテクノロジーが、ユタ州の看板書きのもとにたどり着いたのだ。ネオン広告は世界各地で大都市の中心はここだと示す顔になっている。ニューヨークのタイムズスクエアや東京の渋谷駅前交差点を考えてほしい。しかしラスベガスほどとめどない熱意でネオンを利用している都市はほかにないし、その華やかなネオンのショーの大半を

1960年代のネバダ州ラスベガス中心街の夜景

デザインし、つくり上げ、維持しているのはYESCOである。「建物でなく看板《サイン》が地平線をかたどる都市は、世界中でラスベガスだけである」と、アメリカの小説家であるトム・ウルフが一九六〇年代半ばに書いている。「ラスベガスは九一号線の一キロ手前から見えるが、建物も木々もなく、ただ看板だけだ。しかしその看板ときたら！　そびえたっている。回転し、揺れて、奔放に形を変える。その前では、既存の芸術史の語彙《ごい》は無力である」*21

まさにその無力さこそが、一九六八年秋、ヴェンチューリとブラウンを建築学科の学生とともにベガスに向かわせたのだ。ブラウンとヴェンチューリは、そのぎらぎら光る砂漠のオアシスには、新たな視覚的言語が出現していると感じていた。既存のモダニズムの設計言語とはうまく適合しないものだ。そもそもベガスは、フレモント・ストリートやラスベガス・ストリップを走る自動車のドライバーの視点を中心に配置された。つまり、店のウィンドウや歩道のディスプレイは、高さ一八メートルのネオンのカウボーイに取って代わられた。そこにあるのはシーグラム・ビルディングや計画都市ブラジリアの幾何学的な真面目さではなく、陽気な無秩序である。ゴールドラッシュ時代のワイルド・ウェストが古き中世イギリスのデザインに押しつけられ、隣には漫画のアラベスク、向かいには果てしなく並ぶ結婚式用チャペルだ。「過去および現在の、平凡なものや紋切り型のものを暗喩したり批評したりすることとか、清潔もしくは不潔な日常性を包含することとかは、今日の近代建築においては欠落してしまっている」[*22]と、ブラウンとヴェンチューリは書いている。「そして他の分野の芸術家がそれぞれの不浄にして様式的な源泉から何かを学んでいるように、私たち建築家もラスベガスから何かを学ぶことができるのである」

その暗喩と批評と紋切り型の言葉は、ネオンに書かれていた。ブラウンとヴェンチューリは、わざわざフレモント・ストリートに見られる電飾の単語をすべて地図に示している。「一七世紀、ルーベンスは、葉、衣服、裸体など、それぞれ得意な分野を持つ人びとを集めた絵画『工房』をつくった。ラスベガスには、ちょうどそれに匹敵するようなヤング・エレクトリック・サイン・カンパニーというサイン『工房』がある」。それまでベガスの象徴《シンボル》は純粋に無教養な商業の世界のもので、せいぜいカジノ街への道を示すけばけばしい看板だった。しかしブラウンとヴェンチューリは、その残骸すべてのなかに、もっと興味深いものを見ていた。ジョルジュ・クロードが六〇年以上前に経験したように、ある人にとっての不用物が別の人にとっては宝物なのだ。

これらのさまざまな要素について考えてみよう。一八九八年まで注目されなかった希ガスの原子、「液体空気」から出る廃棄物にあれこれ手を加えた科学者のエンジニア、積極的な看板デザイナー、そして信じがたいことに砂漠のなかで栄えつつあった都市。これらの要素すべてがどういうわけか集約したおかげで、『ラスベガスから学ぶこと（Learning from Las Vegas）』（邦題は『ラスベガス』石井和紘・伊藤公文訳、鹿島出版会）がテーマとして考えられるようになり、建築家や都市計画者が何十年も研究し、議論することになった本が生まれた。それから二〇年にわたって芸術と建築を支配することになるポストモダン様式に、これほど影響を与えた本はほかにない。『ラスベガスから学ぶこと』は、経済史や芸術史、あるいはイノベーションの「孤独な天才」モデルのような、従来の歴史解説の枠組みからはずれる要素を、ロングズーム・アプローチが明らかにすることの確たる事例である。なぜ、ポストモダニズムが動向として生まれたのかを問われたとき、根本的レベルの答えには、ジョルジュ・クロードと彼の一〇〇リットルのネオンも加えなくてはならない。けっしてクロードのイノベーションが唯一の原因ではなかったが、なぜかネオンライトがない宇宙があったとしたら、そこでのポストモダン建築の出現は、ちがう道をたどった可能性が高い。ネオンガスと電気の奇妙な相互作用、そして新技術のライセンスを供与する特許モデル、どちらも『ラスベガスから学ぶこと』の着想を可能にした支持構造の一部としての役割を果たしている。

これも「ケヴィン・ベーコンとの六次の隔たり」ゲーム(訳注：知り合いを六人たどれば世界中の人とつながるという仮説があるが、映画界の俳優は出演作品の多いケヴィン・ベーコンと何人仲介すれば共演者としてつながるかを調べる遊び)のようなものかもしれない。因果の連鎖を十分にたどれば、ポストモダニズムを万里の長城の建設や恐竜の絶滅と結びつけることができる。しかしネオンとポストモダニズムのつながりは直接的だ。クロードがネオンライトを発明し、ヤングがそれをベガスに持ち込み、そこでヴェンチューリとブラウンが初めて、その「回転し、揺れ動く」光について真剣に考えることにした。たしかに、ヴェンチューリとブラウンには電気も必要だったが、一九六〇年代にはほぼあらゆるものが電気を必要としていた。月面着陸、ヴェルヴェット・アンダーグラウンド、「私には夢がある」演説。同様に、ヴェンチューリとブラウンには「貴」ガスも必要だったし、『ラスベガスから学ぶこと』を書くために酸素が必要だったことはほぼ確実だ。しかし彼らの物語を類のないものにしたのは、ネオンという希ガスである（訳注：原文がrare gasとnoble gasの両方を使っているので、前者を希ガス、後者を貴ガスと表記）。

バーコードの〝殺人光線〟

アイデアは科学からしたたり落ち、商業の流れに入り、先が読みにくい芸術と哲学の渦にはまる。しかしときには、あえて上流へ、芸術的な想像からハードサイエンスへと進むこともある。H・G・ウェルズは一八九八年に画期的な小説『宇宙戦争』（ハヤカワ文庫など）を出版したとき、サイエンスフィクションというジャンルをつくり出すのに一役買った。しかしこの本は、芽生えたばかりのSFの基準に、もっと具体的なアイテムを導入した。そのアイテムとは、侵略してくる火星人が町をまるごと破壊するために使った「熱線」

である。「彼らはほぼ完全に絶縁された箱のなかで、なんらかの方法で強烈な熱を発生させることができる。この強烈な熱を、平行ビームというかたちでねらった標的に照射する。そのとき使うのが磨いた凹面鏡で、構造はわからないが、灯台で光線を放つ凹面鏡と同じようなものだ」[*23]と、ウェルズはテクノロジーに精通した異星人について書いている。

熱線は、どういうわけか人気のサイケデリックな作品がこぞって取り入れた、架空のつくり話のひとつである。集中光線を使う武器は、『フラッシュ・ゴードン』から『スター・トレック』や『スター・ウォーズ』まで、未来の高度に進んだ文明ではほとんど必需品になっている。それでも、現実にレーザー光線が登場するのは一九五〇年代後半のことであり、日常生活の一部になったのはさらに二〇年先のことだった。これが最後ではないが、サイエンスフィクションの作家が科学者の一歩も二歩も先を行っていたのだ。

しかしSF界が少なくとも短期的には誤解していたことがひとつある。殺人光線は存在せず、現実にあるものでフラッシュ・ゴードンにいちばん近いのはレーザータグ（訳注：光線銃で撃ち合うサバイバルゲーム）だ。ついにレーザーが私たちの生活に入ってきたとき、それは武器にはならないが、SF作家が想像もしなかったことにおおいに役立つとわかった。レーザーはチューインガムの値段を割り出すことができるのだ。

電球と同じように、レーザーも単独の発明ではなく、歴史学者のジョン・ガートナーが言うように、「一九六〇年代に起こった発明の嵐の結果だった」[*24]。そのルーツは、ベル研究所とヒューズ・エアクラフト社の共同研究と、それとは無関係の物理学者ゴードン・グールドによる研究にある。彼はなんとマンハッタンのキャンディ店で最初にレーザーを設計したことを証明し、レーザーの特許に関して三〇年にわたる法廷闘争を繰り広げた（最終的に彼が勝訴している）。レーザー光線は並はずれて集中した光の束であり、ふつうの光の混沌状態が単一の規則正しい周波数までまとめられている。「レーザー光にとってのふつうの光は、放送信号にとっての空電である」[*25]と、かつてベル研究所のジョン・ピアスが述べている。

しかし電球とちがって、当初レーザーへの関心は、消費者向け製品の明確なビジョンがあって生じたのではなかった。レーザーの集中した信号は、既存の電気配線よりも効率的に情報を埋め込むのに使えることを研究者は知っていたが、その帯域幅がいったいどう役に立つかははっきりしていなかった。「信号伝達や通信とこれほど密接に関係しているものが現われ、それが新しくてほとんど理解されていなくても、何かできる人がいるならとにかくやって、なぜ始めたかの細かいことについては、あとで考えればいいのだ」と、ピアスは説明したことがある。本書でもすでに見てきたように、レーザー技術は最終的に光ファイバーに果たす役割のおかげで、デジタル通信に不可欠になった。しかしレーザーが初めて本格的に利用された場所はレジカウンターだった。一九七〇年代半ばにバーコードスキャナーが出現したときのことだ。

商品と値段を特定するために、機械で読み取れるようなコードをつくるというアイデアは、半世紀近く前から浮かんでいた。モールス信号のトンツーから着想を得て、ノーマン・ジョセフ・ウッドランドという発明家が、一九五〇年代に射撃競技の標的の同心円に似た光学的コードをデザインしたが、そのコードを読み取るには五〇〇ワットの――ふつうの電球より一〇倍近く明るい――電球が必要だったうえ、当時でさえ正確ではなかった。一方、連続する白黒の符号をスキャンすることが、揺籃期《ようらんき》のレーザーでも得意な仕事だとわかった。初の実用的レーザーが登場してからわずか数年後、一九七〇年代初めまでに、現代のバーコード――統一商品コード――のシステムが有力な規格として現われた。一九七四年六月二六日、オハイオのスーパーマーケットで売られていたチューインガムが、史上初めて、バーコードをレーザーで読み取られる商品となった。テクノロジーの普及はゆっくりで、一九七八年になっても、バーコードスキャナーを備えた店は一パーセントにすぎなかった。しかし現在、あなたが買えるほぼすべてのものにバーコードがついている。

二〇一二年、エメク・バスカーという経済学教授が、バーコードが経済に与える影響を評価し、零細な商店と大規模なチェーン店、両方の店舗へのテクノロジーの広まりを記録した論文を発表した。バスカーのデータは、典型的な初期採用のトレードオフを裏づけている。早い時期にバーコードスキャナーを導入した店の大半は、あまり効果を確認できなかった。新しいテクノロジーを使うために従業員を教育する必要があり、しかもまだバーコードのついていない商品が多かったからだ。それでも、やがてバーコードが何にでもつくようになると、生産性はかなり向上した。しかし、バスカーの研究結果で最大の驚きは、バーコードスキャナーによる生産性向上は均等に現われたのではなかったことだ。大型店舗のほうが小さい店舗より、はるかに向上している。[*26]

昔から、店に大量の在庫を持つことには本質的にメリットがあった。顧客はたくさんの選択肢から選ぶことができるし、店は商品を卸売業者から大量に安く仕入れられる。しかしバーコードなどのコンピューターによる在庫管理ツールができる前、大量の在庫を持つメリットはほとんど、すべての状況を把握するためのコストで相殺されていた。一〇〇品目でなく一〇〇〇品目の在庫を持つとしたら、どれが補充するべき人気商品で、どれがただ棚で場所をとっているのか、見きわめるための手間暇が増えてしまう。しかし、バーコードとスキャナーが大量在庫の管理費を大幅に削減した。そしてアメリカでは、バーコードスキャナーが導入されてからの一〇年で、小売店の規模が爆発的に拡大した。自動在庫管理のおかげで、チェーン店が並はずれた大規模小売店に膨れ上がり、いまや小売業を支配している。バーコードスキャンがなければ、「ターゲット」や「ベスト・バイ」のようなディスカウント量販店も、空港のターミナル並みに大規模なスーパーも、誕生するにはもっとはるかに苦労があっただろう。レーザーの歴史に殺人光線があったとしたら、大規模小売店革命で小さな家族経営の店を粉砕したバーコードスキャンのメタファーである。

人工の〝太陽〟

『宇宙戦争』や『フラッシュ・ゴードン』など初期のSFファンは、強力なレーザーがチューインガムのパッケージをスキャンし、その見事に集中した光が在庫管理に利用されているのを見てがっかりするだろうが、カリフォルニアにあるローレンス・リバモア国立研究所の国立点火施設（NIF）を見れば元気になりそうだ。そこには世界最大で最高エネルギーのレーザーシステムが建設されている。人工光は単純な明かりとして始まり、暗くなってから読書をしたり楽しんだりするのに役立ち、それからまもなく広告と芸術と情報に変容した。しかしNIFでは、一周して光をもとの状態にもどしている。レーザーを利用して、核融合にもとづく新しいエネルギー源をつくっているのであり、自然光のおおもとである太陽の高密度核で自然に起こっているプロセスを再現しているのだ。

NIFの深部、核融合が起こる「ターゲット・チャンバー」の近くにある一本の長い通路には、一見同じロスコの抽象画のようなものがずらりと飾られていて、それぞれにディナー皿くらいの大きな赤い正方形が八つ描かれている。正方形は合わせて一九二個あるが、それぞれが点火チャンバー内で小さな水素の球に同時に照射されるレーザーを示している。私たちが見慣れているレーザーは集中した光の点だが、NIFでは点というより砲丸のようで、そんなレーザーが二〇〇本近く合わさってつくり出すエネルギービームを見たら、H・G・ウェルズも誇らしく思っただろう。

数十億ドルをかけられたこの施設は、マイクロ秒の事象を実行するために設計されていて、レーザーを水素燃料に向けて照射する一方で、何百というセンサーと高速カメラがその活動を観察する。NIF内ではこの事象を「ショット」と呼ぶ。ショットを実行するたびに、六〇万以上の制御手段を綿密に統合しなくてはならない。各レーザービームは、一連のレンズと鏡に導かれて一・五キロメートル移動し、合わさって力を増し、最終的に一八〇万ジュールのエネルギーと五〇〇兆ワットに到達し、そのすべてがコショウの実ほどの大きさの燃料源に集中する。レーザーの位置は驚異的な正確さで合わせる必要がある。その正確さは、言ってみれば、サンフランシスコにあるAT&T（現オラクル）パークのピッチャーマウンドに立って、五六〇キロほど離れたロサンジェルスのドジャー・スタジアムまでストライクを投げるようなものだ。光の一マイクロ秒パルスは、そんな短時間でも、アメリカの全送電系統の一〇〇〇倍のエネルギーがある。

NIFのエネルギーすべてが数ミリのターゲットに当たったとき、ターゲットの物質に前例のない環境、すなわち温度は一億度以上、密度は鉛の一〇〇倍、圧力は地球の大気圧の一〇〇〇億倍という状態がつくられる。この環境は恒星の内部、巨大惑星の核、あるいは核兵器と似ている。つまり、NIFは水素原子を融合させ、莫大な量のエネルギーを発生させて、地球上にミニチュアの星をつくることができるのだ。そのほんの一瞬、レーザーが水素を圧縮するとき、燃料球は太陽系で最も熱い——太陽の核よりも熱い——場所になる。

ＮＩＦの目標は殺人光線をつくることでも、究極のバーコードスキャナーをつくることでもない。彼らが目指すのは、クリーンエネルギーの持続可能な供給源をつくることだ。二〇一三年、その装置が初めて、数回のショット中に正味の正エネルギーを生み出したと、ＮＩＦは発表した。核融合プロセスが、投入量をわずかに上回るエネルギーを生み出したのだ。まだ大規模に効率よく再現するにはいたっていないが、ＮＩＦの研究者たちは、十分に実験を重ねれば、やがてレーザーを使ってほぼ完璧な対称性で燃料球を圧縮できると確信している。そうなったら私たちは、現代の生活には欠かせない電球やネオンサインやバーコードスキャナーに——もちろんコンピューターやエアコンや電気自動車にも——電力を供給するためのエネルギー源を、おそらく無限に手に入れることになる。

水素球に集中するその一九二本のレーザーは、私たちが驚くほど短期間にどれだけ進歩したかをわかりやすく教えている。わずか二〇〇年前の最先端の人工光は、海のまんなかの船の甲板上でクジラを切り刻む工程を必要とした。それがいまでは、たとえほんの一瞬だけにしても、光を使って地球上に人工の太陽をつくることができるのだ。ＮＩＦの研究者が核融合によるクリーンで持続可能なエネルギー源という目標を達成するかどうかは、

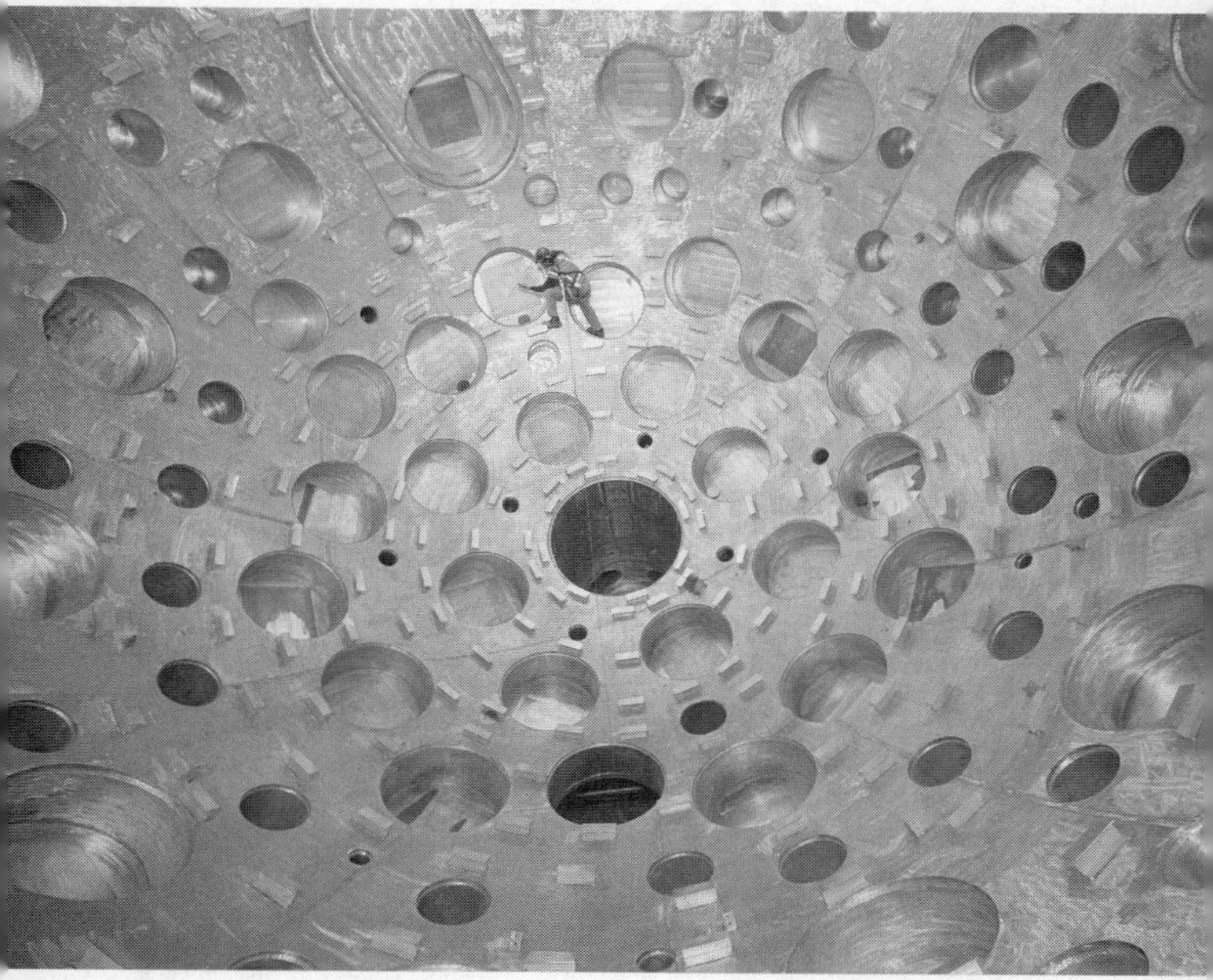

カリフォルニア州の国立点火施設で巨大なターゲット・チャンバーを点検するヴォーン・ドラグー。ここで将来、核融合点火のテストが行なわれる。192本のレーザービームが融合燃料球に照射され、制御された熱核爆発を起こす（2001年）

誰にもわからない。NIFは見せかけのレーザーショーであり、投入量より多くのエネルギーを返すことはないので、無駄骨だと思う人もいるかもしれない。しかし、体長一八メートルの海獣を求めて大西洋を三年航海するのも同じくらい無茶なことだったが、ともかくその探求が一世紀にわたって、光に対する私たちの欲求をあおった。ひょっとするとNIFの先見者たち――あるいは世界のどこかにいる別のマッカーズ集団――がやっていることも、最終的に同じことになるのかもしれない。いずれにしろ、私たちはまだ新たな光を追いかけているのだ。

終章　タイムトラベラー

Conclusion

数学に魅せられた伯爵夫人

一八三五年七月八日、ウィリアム・キングというイギリスの男爵が、ロンドン西部郊外の、かつて小説家ヘンリー・フィールディングが所有していたフォードフックと呼ばれる地所で、ささやかな結婚式を挙げた。誰に聞いてもすてきな式だったが、キングの肩書と一族の資産から予想されるよりはるかにこぢんまりしていた。式が人目につかないように行なわれた理由は、一九歳の花嫁に対する一般大衆の関心にあった。美しく聡明なオーガスタ・バイロンは、いまでは一般にミドルネームのエイダで呼ばれるが、醜聞絶えないロマン派詩人、バイロン卿《きょう》の娘である。バイロンは一〇年前に亡くなっていたし、娘には赤ん坊のとき以来会っていなかったが、その創作の才と放埓《ほうらつ》ぶりの評判は相かわらずヨーロッパ中に鳴り響いていた。一八三五年にキング男爵とその花嫁を追いかけるパパラッチはいなかったが、エイダの高名は結婚式にある程度の配慮が必要であることを意味した。

短いハネムーンのあと、エイダと新婚の夫は、オッカム村の一族の屋敷と、サマセットシャーにあった別の屋敷と、ロンドンの家とを、行ったり来たりする生活を始めた。三カ所の住まいを維持するという、うらやましいような大変さはあったが、家庭的なゆったりした新生活が約束されていた。一八四〇年までに夫婦は三人の子をもうけ、キングはヴィ

オーガスタ・エイダ、ラヴレース伯爵夫人。1840年ごろ

クトリア女王戴冠式名簿で伯爵に叙された。

ヴィクトリア朝時代の社会慣習の標準に照らすと、エイダの生活は女性にとって夢のように思われただろう。貴族階級、愛情深い夫、大切な嫡男を含めた三人の子ども。しかし子育てや家屋敷を管理する仕事に慣れていくうちに、彼女は自分自身のほころびに気づいた。ヴィクトリア朝時代の女性が進むとは聞いたことのない道に、彼女は引きつけられていたのだ。一八四〇年代、女性がなんらかの創造的芸術にかかわったり、自分でフィクションやエッセイを書いてみたりすることは、ありえないわけではなかった。しかしエイダの心は別の方向に引かれていた。数字への情熱を燃やしていたのだ。

エイダが一〇代だったころ、母親のアナベラ・バイロンは彼女に数学を勉強させ、代数学や三角法を教える家庭教師を何人も雇っていた。女性は王立協会のような重要な科学学会から締め出され、厳密な科学的思考などできないと思われていた時代だったことを考えると、過激な勉強方針である。しかしアナベラには、娘の数学の才能を伸ばしたい秘めた動機があった。娘が秩序だった実務的な勉強をすることで、亡くなった父親の危険な影響を打ち消そうというのだ。数学の世界が娘を放蕩《ほうとう》な芸術から救うことを、アナベラは願っていた。[*1]

しばらくのあいだ、アナベラの計画はうまくいったように見えた。エイダの夫はラヴレース伯爵となり、一五年前にバイロン卿を破滅させた無秩序と破天荒とは無縁の道を、一家は進んでいるようだった。しかし三人目の子どもが大きくなると、エイダは再び数学の世界に引きつけられ、ヴィクトリア朝時代の母親が家庭内で果たす責任では満たされないと感じた。当時の彼女の手紙には、ロマン派の野心――精神は平凡な現実に閉じ込められているが、本来はそこに収まりきらないという感覚――と数学的推論の力に対する強い信念が、奇妙に入りまじっている。エイダは父親が禁断の愛について書いたときと同じ情熱と勢い（と自信）を持って、微積分学について書いている。

神経系がどこか特異なせいで、私はものに対してほかの人にはない感じ方をします……隠れているもの――目や耳やふつうの感覚器官から隠れているもの――に対する直感的な知覚です。これだけではほとんど役に立ちませんが、ほかに私には、計り知れない論理的思考能力と集中力があります。*2

一八四一年末、家庭生活と数学への野心のあいだで揺れるエイダの葛藤は、危機的状態に達した。バイロン卿は亡くなる数年前に、異母姉とのあいだに娘をもうけていたことを、アナベラから知らされたときのことだ。エイダの父親は当代きっての醜聞にまみれた詩人だっただけでなく、近親相姦《そうかん》の罪も犯しており、しかもこのスキャンダラスな関係で生まれた娘はエイダの長年の知り合いだったのだ。アナベラがみずから進んでこのことを娘に教えたのは、バイロンが恥知らずな男であり、そのような反抗的で破天荒なライフスタイルは身を滅ぼすだけだということの決定的証拠を示すためだった。

そういうわけで、まだ二五歳の若さだったエイダ・ラヴレースは、大人として生きていくのに、まったく異なる二つの道の岐路に立たされた。定められた男爵夫人の道を甘受し、従来の礼儀作法にしたがって生きることもできる。あるいは「(自分の)神経系の特異性」を受け入れ、自分自身と特殊な能力を生かす独自の道を探すこともできる。

その選択は、エイダの時代の文化に深い根があった。前提として、女性が選べる役割は枠にはめられ限界が定められており、そもそも世襲財産があったから彼女に選択肢が与えられたのであり、そして決断についてあれこれ考えるための暇な時間があった。しかし彼女の行く手にあった道は、彼女の遺伝子によって、つまりエイダが両親から受け継いだ才能と気質——もっと言えば異常な執心——によって、切り開かれたものでもあった。家庭の安定か、先のわからない因習からの逸脱か、どちらかを選ぶとき、彼女はある意味で母親と父親のどちらかを選んでいたのだ。そのままオッカム・パークに落ち着くほうが楽な道であり、社会の力はすべて彼女をそちらの道に進ませようとしていた。それでも、好むと好まざるとにかかわらず、彼女はやはりバイロンの娘である。ありきたりの生活はますます考えられないように思えてきた。

しかしエイダ・ラヴレースは、二〇代半ばに直面した難局を回避する道を見つけた。やはり時代の先を行っていたヴィクトリア朝時代のもうひとりの賢者と連携して、父親が陥っていた創造的無秩序に屈することなく、ヴィクトリア朝時代の社会の境界を押し広げる道を切り開いた。彼女はソフトウェア・プログラマーになったのである。

一八〇年前の〝コンピューター〟

一九世紀半ばにコードを書くなど、タイムトラベルをしなければできない仕事のように思われるが、運よくエイダはそんなプロジェクトを彼女に与えられるヴィクトリア朝時代の人物に出会った。その名はチャールズ・バベッジ、聡明で多才な発明家であり、架空の「解析機関」の設計図を描いている最中だった。バベッジはそれまで二〇年かけて最先端の計算機を考え出していたが、一八三〇年代半ばに着手したプロジェクトに、残りの人生をかけることになる。それは真にプログラム可能で、同時代のどんなマシンの能力をもはるかに超える、複雑な連続計算を実行できるコンピューターの設計である。バベッジの解析機関は実質的に失敗する運命にあった――彼はデジタル時代のコンピューターを産業革命時代の機械部品でつくろうとしていた――が、考え方としてはすばらしい躍進だった。バベッジの設計は、現代のコンピューターの主要な構成要素、すなわち中央演算処理装置(バベッジは「工場」と呼んだ)、ランダムアクセス・メモリー、一世紀以上たってからコンピューターをプログラムするのに使われるようになったのと同じパンチカードに刻まれてマシンをコントロールするソフトウェア、といった概念をすべて先取りしていた。

エイダは一七歳のとき、バベッジが開いていた著名なロンドンのサロンで彼と出会い、二人はそれから何年も、友情と知的刺激にあふれる手紙のやりとりをしていた。そのため、一八四〇年代初めに岐路に立たされたとき、彼女はバベッジにあてた手紙で、彼がオッカム・パークの制約された生活からの逃げ道になるかもしれないとほのめかしている。

どうしてもあなたとお話がしたいです。何についてなのか、ヒントを差し上げましょう。あなたなら将来いつか、私の頭脳をご自分の目的と計画の道具にするかもしれないと思うのです。もしそうなら、あなたにとって利用する価値や能力があるのなら、私の頭脳はあなたのものです。[*3]

結果として、バベッジにとってエイダの卓越した頭脳は役に立ち、二人の協力がコンピューターの歴史を創始する文書のひとつにつながった。あるイタリア人エンジニアがバベッジのマシンについて評論を書いていて、エイダは友人の提案でそれを英語に翻訳した。彼女がその仕事についてバベッジに話すと、彼は同じテーマで自分の評論を書いてはどうかと言った。野心はあったのに、エイダは自分独自の分析を書くという考えを思いついた

チャールズ・バベッジ

ことがなかったようで、バベッジに勧められるまま、イタリア語の論文に付した一連の長い注釈をつなぎ合わせて、真理を鋭くついた独自の解説を考え出した。

これらの注釈は最終的に、注解した原文よりもはるかに貴重で影響力が大きかった。解析機関の計算を導くのに使える一連の基本命令セットを含んでいたのだ。これは現在、公開された実用的ソフトウェアの最初の実例とされているが、実際にそのコードを走らせることができるマシンがつくられたのは、まだ一世紀先のことである。エイダはそのプログラムをひとりで書いたのか、バベッジ自身が前に考え出していたルーチンを改良していたのかについては論争がある。しかしエイダの最大の貢献は命令セットを書いたことではなく、バベッジ自身も考えていなかったマシンのさまざまな実用性を思い描いたことにある。「この機関の仕事が結果を数字表記で出すことなので、そのプロセスの本質は代数や分析ではなく算術と数字のはずだと思っている人が多い。これはまちがいだ。この機関は数字で表された量を、まるで文字などの一般的符号であるかのように、配列して組み合わせることができる」。エイダは、バベッジのマシンはたんなる計算機でないと気づいていた。その潜在的用途は機械的計算をはるかに超えている。いつの日か、高度な芸術もこなせるかもしれない。

たとえば、和声学や楽曲における音の高低の基本的関係が、そのような表現や調節を受け入れるならば、解析機関はさまざまな複雑さや長さで、精巧な科学的音楽作品をつくり上げることができる。*4

こんな発想の飛躍が一九世紀半ばに起こっているとは、ほとんどわけがわからない。プログラム可能なコンピューターというアイデアでさえ理解しがたく、バベッジの時代の人はほとんど、彼が何を発明したのかわかっていなかったのに、どういうわけかエイダは構想を一段階進めて、このマシンが言語や芸術を出現させることもできると考えたのだ。そのひとつの注釈が切り開いた概念空間は、やがて二一世紀初期のさまざまな文化、たとえばグーグル検索、電子音楽、iTunes、ハイパーテキストなどによって占拠されることになる。コンピューターはたんなる特別に柔軟な計算機ではなく、表現力豊かで、具象的で、美さえも解するマシンになるのだ。

もちろん、バベッジのアイデアもラヴレースの注釈も時代の先を行きすぎていたため、長いあいだ歴史のなかに埋もれていた。バベッジの主要な見識のほとんどは、一〇〇年後の一九四〇年代に、蒸気力ではなく電気と真空管で走る最初の実用コンピューターがつくられたとき、別々に再発見されることになる。計算だけでなく文化創出の能力もある、芸術ツールとしてのコンピューターという概念は、一九七〇年代になるまで——ボストンやシリコンバレーのようなハイテクの中心地でも——広まらなかった。

少なくとも現代のとくに重要なイノベーションは、同時発見が団子状態になって到来している。概念とテクノロジーの断片がまとまることで、特定のアイデア——たとえば人工冷蔵や電球——を思い描けるようになると、突然、世界中で人々が問題に取り組みはじめるが、その問題が最終的にどうやって解決されるかについての仮説が基本的に同じなのだ。エジソンと同業者とでは、電球の発明における真空や炭素フィラメントの重要性についての意見はちがっていたかもしれないが、LEDに取り組んだ人はいない。歴史上の記録に複数の同時発明が顕著だということは、歴史や科学の哲学にとって興味深い意味を持つ。発明の順序は、どの程度物理の基本法則や、知識や、地球環境の生物学的・化学的制約によって決まるのだろう？　電子レンジは火を使いこなすようになったあとでなければ発明されないことは当然のように思われるが、たとえば、望遠鏡と顕微鏡が眼鏡の発明のすぐあとに起こったことは、どれだけ必然だったのか？（眼鏡が広く普及したのに、それから五〇〇年もの沈黙があったあと、誰かがそれを望遠鏡に改変することを考えついたと、想像できるだろうか？　無理があるように思えるが、ありえないことではないと私は思う）。このような同時発明の連続発生がテクノロジーの化石記録にはっきり刻まれているという事実から、少なくとも、歴史上の事象が重なることで、新しいテクノロジーをそれまでなかったようなかたちで思い描けるようになることがわかる。

それがどんな事象なのかは、あいまいだが興味深い問題である。私はその答えをいくつか点描しようとしてきた。たとえばレンズの誕生には、いくつかの別々の展開が関係している。とくにムラーノで育まれたようなガラスづくりの専門技術、修道士が年をとってから巻物を読むために使ったガラスの「球」、印刷機の発明が眼鏡需要の急増につながったこと（そしてもちろん、二酸化ケイ素そのものの基本的物理特性）。これらの影響のすべてを確実に知ることはできないし、遠くの恒星からの光のように、これほどの歳月がたってからでは、見つけることができないほど微妙な影響があることもたしかだ。しかし、アメリカ南北戦争やダスト・ボウル（訳注：一九三〇年代にアメリカのグレートプレーンズで広く断続的に発生した砂嵐）時代の旱魃《かんばつ》の原因について知ろうとするときと同じように、いささか思弁的な答えを甘受するしかなくても、それでもこの問題は探る価値がある。なぜなら私たちは現在、私たち自身の隣接可能領域の境界がどこにあるか、その範囲内にどんなチャンスが待っているかに左右される、同等の変革の時代を生きているからだ。過去に社会を方向づけたイノベーションのパターンから学ぶことは、たとえその過去についての私たちの解釈が、科学的理論とまったく同じに反証可能ではないにしても、私たちが未来をうまく進む助けにこそなれ、妨げにはならない。

隣接可能領域の新しい扉

しかし、同時発明が通例であるなら、例外はどうだろう？　地球上のほかの人類よりほぼ一世紀先を行っていたバベッジとラヴレースはどうなのか？　ほとんどのイノベーションは現在時制の隣接可能領域で起こり、そのとき利用可能な道具や概念と連動する。しかしときに、個人や集団がまるでタイムトラベルのような飛躍をする。どうしてそうなるのだろう？　どうして彼らは、同時代の人たちができないときに、隣接可能領域の境界の向こうを見ることができるのか？　それが最大の謎かもしれない。

月並みな説明は、万能だがなんとなく遠回しの「天才」というカテゴリーである。ダ・ヴィンチが一五世紀にヘリコプターを想像する（そして描く）ことができたのは、彼が天才だったからだ。バベッジとラヴレースが一九世紀にプログラム可能なコンピューターを想像できたのは、彼らが天才だったからだ。三人ともすばらしい知的才能に恵まれていたのはまちがいないが、IQが高くても時代の何十年何百年も先を行く発明を思いつくことができない人は、歴史上にいくらでもいる。タイムトラベルをする天才のなかには、純粋に知的力量からそうなる人もいるのはたしかだが、私が思うに、アイデアが展開される環境、あるいは思考を方向づける関心や影響のネットワークからも、同じくらいタイムトラベラーは生まれている。

天才という説明にならない説明以外に、タイムトラベラーに共通する要素があるとしたら、それは、彼らが表向きの専門分野の余白、あるいはまったく異なる領域の交点で、仕事をしていたことである。エジソンが蓄音機に取り組みはじめる一世代前に、音を記録する装置を発明したエドアール＝レオン・スコット・ド・マルタンヴィルのことを考えてほしい。スコットが音を「書き取る」アイデアを思い描くことができたのは、速記術と印刷と人間の耳の解剖学的研究から、具体例を借りたからである。エイダ・ラヴレースがバベッジの解析機関の美学的な可能性を見きわめられたのは、彼女が先進の数学とロマン派の詩がぶつかる特殊な場所で生きていたからだ。「神経系」の「特異性」――物事の表面的な外見の向こう側を見るロマン派の直感――のおかげで、彼女は符号を操ったり音楽をつくったりすることができるマシンを思い描くことができた。それはマシンを発明した当のバベッジさえもできなかったことだ。

タイムトラベラーについて知ると、確立された分野のなかで働くことは力にもなれば枷《かせ》にもなると、あらためて思うところがある。歴史的瞬間の具体的なことを考えると、自分の領域の境界内にとどまれば、少しずつ向上して、直接アクセスできる隣接可能領域への扉を開くことも容易である（もちろん、そのことは何も悪くない。進歩は漸進的な改善がなければ生まれない）。しかし、そのような領域の境界は目隠しの役割を果たす可能性もあり、その境界を越えなければ見えない大きなアイデアが見えなくなってしまう。その境界は文字どおり地理的なものかもしれない。カリブ海を旅して熱帯に氷を届けることを夢見たフレデリック・テューダーや、ラブラドールでイヌイットとともに穴釣りをしたクラレンス・バーズアイの場合がそうだった。フォノートグラフを発明するのに速記のイメージを借用したスコットのように、境界は概念的なものかもしれない。タイムトラベラーはおおむね多趣味の傾向がある。ダーウィンと彼のランについて考えてほしい。ダーウィンは『種の起源』の四年後に受粉に関する本を出版したとき、見事にヴィクトリア朝風の凝ったタイトルをつけている。『イギリスおよび外国のランが昆虫によって受粉する仕組みと、異系交配の好結果について』。私たちはいま、最新の遺伝子科学のおかげで「異系交配の好結果」を理解しているが、この原則は知性の歴史にも当てはまる。タイムトラベラーは通常、さまざまな分野の専門知識の「異系交配」が達者である。それが専門家ではない愛好家の強みだ。さまざまな知的分野を混ぜ合わせるには、そのすべてが書斎やガレージに散らばっているほうがだいたい好都合である。

ガレージが発明家の作業場の代名詞になった理由のひとつは、いつも仕事や研究に使われる場の外にあるからだ。オフィスの小部屋でも、大学の実験室でもない。仕事や学校から離れた場所であり、重要でない関心が生まれて発展する余地のある場所である。専門家は役員室や大教室に向かう。ガレージは改造したり、いじったり、つくったりする人のためのスペースだ。ガレージはひとつの分野や産業に規定されない。その住人の多岐にわたる関心が特徴なのだ。そこは知的ネットワークが集約する空間である。

世に知られるスタンフォードの学位授与式のスピーチで、スティーヴ・ジョブズ——現代の偉大なガレージ・イノベーター——は、新たな経験に遭遇して生まれる創造力について、いくつか話をしている。大学を中退してから聴講したカリグラフィーの授業が、最終的にマッキントッシュのグラフィック・インターフェースを実現したこと。三〇歳でアップルを追い出されたおかげで、ピクサーをアニメ映画界に送り出し、ネクスト・コンピューターをつくり出せたこと。「成功者であることの重圧が消え、何事にも自信のない初心者にもどることの軽さを感じた。私は解放され、一生のうちでもとくに創意あふれる期間に入った」

それでも、ジョブズのスピーチの最後には妙な皮肉がある。思いもよらない衝突と探求が心を解放しうることについて語ったあと、彼は最後に「自分自身に誠実である」ことを、もっと心情的に訴えている。

定説の罠にはまってはいけない。それは、他人の思考の結果を甘んじて受け入れることだ。他人の意見という雑音に、自分自身の内なる声をかき消されてはいけない。そして何より、自分の心と直感にしたがう勇気をもってほしい。

イノベーションの歴史から——とくにタイムトラベラーの歴史から——わかることがあるとしたら、それは、自分自身に誠実であるだけでは十分でないことだ。たしかに、本書で紹介したイノベーターは、長期間にわたって自分の予感にこだわる傾向があった。しかし自分自身のアイデンティティ意識や自分自身のルーツに誠実であることには、同等のリスクもある。そういう直感を疑い、文字どおりにも比喩的にも、地図に載っていない領域を探ったほうがいい。同じルーチンに気楽に収まったままでいるより、新しいつながりをつくるほうがいい。世界を少しよくしたければ、集中と決意が必要だ。ひとつの領域内にとどまり、隣接可能領域の新しい扉を一度にひとつずつ開ける必要がある。しかし、もしエイダのようになりたければ、もし「隠れているものに対する直感的な知覚」を持ちたいなら、その場合、少し道に迷う必要がある。

謝辞

少なくとも私の経験では、本の執筆には決まった社会的リズムがある。最初はほとんど孤独な状態だ。著者はひとりで自分のアイデアに取り組み、人目につかない空間に何カ月も、ときに何年もとどまり、たまに取材をしたり編集者と会話したりするくらいだ。そのあと出版が近くなると、人の輪が広がる。突然、たくさんの人たちが練れていない草稿を読み、完成された最終原稿として命を吹き込む手伝いをする。それから本が店頭に並ぶと、その成果のすべてが恐ろしいくらい人目にさらされ、大勢の書店員、書評家、ラジオのインタビュアー、そして読者が、あれほどひそやかに生まれた言葉と交流する。そしてサイクルはまた最初から始まる。

ところが、この本はまったくちがうパターンをたどった。PBS／BBCのテレビシリーズが同時進行したおかげで、最初から社会的な共同作業だった。物語や所見は――もちろん本の全体構成も――カリフォルニアとロンドンとニューヨークとワシントンの何十人という人々が、メールとスカイプを使って行なった、膨大な量の会話から練り上げられた。このテレビシリーズと本をつくる仕事は、これまでの人生で最もハードだった――サンフランシスコの下水道に下りることを余儀なくされたときだけではない。しかし、これまでのどんな仕事よりやりがいもあった。それはもっぱら、協力者が創意あふれるとても楽しい人たちだったおかげだ。この本はさまざまなかたちで、彼らの知性と支援の恩恵を受けている。

まず、テレビ番組に挑戦するよう私を説き伏せ、このプロジェクトを終始根気強くサポートしてくれた、ジェーン・ルートに感謝したい（昔、私たちを引き合わせてくれたマイケル・ジャクソンのおかげだ）。プロデューサーとして、ピーター・ラヴァリング、フィル・クレイグ、ディエン・ペタールが、すばらしい技量と創造力で本書の構想と物語をかたちにしてくれた。ディレクターのジュリアン・ジョーンズ、ポール・オールディング、ニック・ステイシーも同様だ。物語の要素になりうるものが多くてこれほど複雑なプロジェクトは、リサーチャーとストーリー・プロデューサーのジェミラ・トウィンチ、サイモン・ウィルゴス、ローワン・グリーンアウェイ、ロバート・マクアンドリュー、ジェマ・ハーゲン、ジャック・チャップマン、ジェス・ブラッドショー、ミリアム・リーヴズの助けなしでは、完成はほぼ不可能だった。ヘレナ・テイト、カースティ・アーカート＝デイヴィーズ、ジェニー・ウルフ、その他のヌートピアのチームにも感謝したい（もちろん、ピープショー・コレクティヴのすばらしいイラストレーターにも）。ＰＢＳのベス・ホッピーとビル・ガードナー、そしてＣＰＢのジェニファー・ローソン、ＯＰＢのデイヴ・デイヴィス、ＢＢＣのマーティン・デイヴィッドソン、信頼してくれてありがとう。

これほど多くの分野をあつかう本は、人々の専門知識に頼らずに成功はありえない。このプロジェクトのためにインタビューした多くの才能あふれる方々に謝意を表したい。草稿の一部を読んでくれた、テリー・アダムス、キャサリン・アシェンバーグ、ローザ・バロヴィエ、スチュワート・ブランド、ジェイソン・ブラウン、ドクター・レイ・ブリッグス、スタン・バンガー、ケヴィン・コナー、ジーン・フルシチ、ジョン・デジェノヴァ、ジェイソン・ダイヒラー、ジャック・デスボア、ドクター・マイク・ダン、カテリーナ・フェイク、ケヴィン・フィッツパトリック、ゲイ・ゲラルディ、デイヴィッド・ジョヴァノーニ、ペギー・ゴッドウィン、トマス・ゲッツ、アルヴィン・ホール、グラント・ヒル、シャロン・ハジェンズ、ケヴィン・ケリー、クレイグ・コスロフスキー、アラン・マクファーレン、デイヴィッド・マーシャル、デメトリオス・マトサキス、アレクシス・マクロッセン、ホリー・ムラコ、リンドン・マレー、バーナード・ナーゲンガスト、マックス・ノヴァア、マーク・オスターマン、ブレア・パーキンス、ローレンス・ピッティネリ、ドクター・レイチェル・ランピー、イエガー・レズニコフ、イーモン・ライアン、ジェニファー・ライアン、マイケル・D・ライアン、スティーヴン・ルジン、デイヴィッド・サルヴァトーレ、トム・シェファー、エリック・B・シュルツ、エミリー・トンプソン、ジェリー・スラッシャー、ビル・ワシック、ジェフ・ヤング、エド・ヤング、カール・ジマーに感謝する。

リヴァーヘッドの担当編集者で発行者のジェフリー・クロスクには、本書の編集に必要なものに対する鋭い感覚と、本書の企画に関する巧みな構想があって、それが最初からプロジェクトを導いていた。リヴァーヘッドのカセー・ブルー・ジェイムズ、ハル・フェッセンデン、ケイト・スターク、そしてイギリスの発行者であるステファン・マクグラスとジョセフィーヌ・グレイウッドにも感謝したい。いつものように、エージェントのリディア・ウィルズは、このプロジェクトでも五年近く信念を貫いてくれた。

最後に、妻のアレックスと息子のクレイ、ローワン、ディーンに愛と感謝を。私はふつう物書きとして、家族とたくさん時間を過ごし、原稿をぐずぐず遅らせては、家の周囲をぶらついたり、アレックスとおしゃべりしたり、子どもたちを学校に迎えに行ったりしている。しかしこのプロジェクトでは、家にいるより家から離れることが多かった。だから、四人が私の留守を許してくれたことにありがとうと言いたい。彼らの情が深まったといいのだが。彼らに対する私の情が深まったことはわかっている。

クレジット

pp. 26-27, 59: © Alison Wright / Corbis
p. 29: © Robert Harding / Robert Harding World Imagery / Corbis
pp. 31, 41, 43, 47, 68-69, 83, 101, 115, 122-123, 125, 129, 131, 133, 139, 141, 149, 155, 174-175, 185, 189, 221, 225, 229, 243, 262-263, 269, 275, 281, 283, 313, 317: Getty Images
p. 33: © Philip de Bay / Corbis
pp. 37, 39: © The Bridgeman Art Library
p. 53: © The Galley Collection / Corbis
p. 87: © Lucien Aigner / Corbis
p. 93: State Archives of Floria, Florida Memory, http://floridamemory.com/items/show/16075. Painted by Charles Foster of Jacksonville for the Dr. John Gorrie Ice Memorial foundation. Photographed by Frank Shannon
p. 103: Courtesy Birdseye Estate
pp. 105, 113, 167, 218-219, 235, 295, 323: © Bettmann/Corbis
p. 107: © Philip Gendreau / Corbis
pp. 109, 111: Courtesy Carrier Corporation
p. 161: City Noise: The Report of the Commission Appointed by Dr. Shirley W. Wynne, Commissioner of Health, to Study Noise in New York City and to Develop Means of Abating It (Academy Press, 1930)
p. 177: Chicago History Museum, ICHi-09793, Photographer: Wallis Bros.
p. 181: Chicago History Museum, ICHi-00698, Creator unknown
pp. 193, 197, 201: Wellcome Library, London
p. 207: Courtesy The Clorox Company
p. 215: Courtesy Texas Instruments
p. 231: © Steven Vidler / Corbis
p. 237: Courtesy Philip T. Priestly, from Aaron Lufkin Dennison: An Industrial Pioneer and His Legacy © 2009, NAWCC Inc. Thanks also to the NAWCC Library and Nancy Dyer.
p. 241: Library of Congress, Prints & Photographs Division (LC-DIGppmsca-34721)
p. 251: © Hans Reinhart / Corbis
p. 257: Courtesy The Long Now Foundation. Photograph by Chris Baldwin
p. 291: © Corbis
p. 301: © H. Armstrong Roberts / ClassicStock / Corbis

White, M. "The Economics of Time Zones," March 2005. http://www.learningace.com/doc/1852927/fbfb4e95bef9efa4666d23729d3aa5b6/timezones.

Willach, Rolf. *The Long Route to the Invention of the Telescope.* American Philosophical Society, 2008.

Wilson, Bee. *Swindled: The Dark History of Food Fraud, from Poisoned Candy to Counterfeit Coffee.* Princeton University Press, 2008.

Wiltse, Jeff. *Contested Waters: A Social History of Swimming Pools in America.* University of North Carolina Press, 2010.

Wolfe, Tom. *The Kandy-Kolored Tangerine-Flake Streamline Baby.* Picador, 2009.

Woods-Marsden, Joanna. *Renaissance Self-Portraiture: The Visual Construction of Identity and the Social Status of the Artist.* Yale University Press, 1998.

Woolley, Benjamin. *The Bride of Science: Romance, Reason, and Byron's Daughter.* McGraw-Hill, 2000.（『科学の花嫁：ロマンス・理性・バイロンの娘』野島秀勝・門田守訳、法政大学出版局）

Wright, Lawrence. *Clean and Decent: The History of the Bathroom and the Water Closet.* Routledge & Kegan Paul, 1984.（『風呂トイレ讃歌』高島平吾訳、晶文社）

Yochelson, Bonnie. *Rediscovering Jacob Riis: The Reformer, His Journalism, and His Photographs.* New Press, 2008.

Yong, Ed. "Hummingbird Flight Has a Clever Twist," *Nature* (2011).

Zeng, Yi, et al. "Causes and Implications of the Recent Increase in the Reported Sex Ratio at Birth in China," *Population and Development Review* 19, no. 2 (1993): 294–295.

Press, 2011.
Senior, John E. *Marie and Pierre Curie.* Sutton Publishing, 1998.
Silverman, Kenneth. *Lightning Man: The Accursed Life of Samuel F. B. Morse.* Da Capo Press, 2004.
Sinclair, Upton. *The Jungle.* Dover, 2001.（『ジャングル』大井浩二訳、松柏社）
Skrabec, Quentin R., Jr. *Edward Drummond Libbey: American Glassmaker.* McFarland, 2011.
Sterne, Jonathan. *The Audible Past: Cultural Origins of Sound Reproduction.* Duke University Press, 2003.（『聞こえくる過去：音響再生産の文化的起源』中川克志・金子智太郎・谷口文和訳、インスクリプト）
Steven-Boniecki, Dwight. *Live TV: From the Moon.* Apogee Books, 2010.
Stross, Randall E. *The Wizard of Menlo Park: How Thomas Alva Edison Invented the Modern World.* Crown, 2007.
Swade, Doron. *The Difference Engine: Charles Babbage and the Quest to Build the First Computer.* Penguin, 2002.
Taylor, Nick. *Laser: The Inventor, the Nobel Laureate, and the Thirty-Year Patent War.* Backprint.com, 2007.
Thompson, Emily. *The Soundscape of Modernity: Architectural Acoustics and the Culture of Listening in America, 1900–1933.* MIT Press, 2004.
Thompson, E. P. "Time, Work-Discipline, and Industrial Capitalism," *Past & Present* 38 (1967): 56–97.
Thoreau, Henry David. *Walden.* Phoenix, 1995.（『ウォールデン 森の生活』今泉吉晴訳、小学館文庫ほか）
Toole, Betty Alexandra. *Ada, the Enchantress of Numbers: Poetical Science.* Critical Connection, 2010.
Toso, Gianfranco. *Murano Glass: A History of Glass.* Arsenale, 1999.
Venturi, Robert, Scott Brown, Denise, and Izenour, Steven. *Learning From Las Vegas.* MIT Press, 1977.（『ラスベガス』石井和紘・伊藤公文訳、鹿島出版会）
Verità, Marco. "L'invenzione del cristallo muranese: Una verifica analitica delle fonti storiche," *Rivista della Stazione Sperimental del Vetro* 15 (1985): 17–29.
Watson, Peter. *Ideas: A History from Fire to Freud.* Phoenix, 2006.
Weightman, Gavin. *The Frozen Water Trade: How Ice from New England Kept the World Cool.* HarperCollins, 2003.
Wells, H. G. *The War of the Worlds.* New American Library, 1986.（『宇宙戦争』斎藤伯好訳、ハヤカワ文庫ほか）
Wheen, Andrew. *Dot-Dash to Dot.Com: How Modern Telecommunications Evolved from the Telegraph to the Internet.* Springer, 2011.

Dolphins (Tursiops Truncatus) Perceive the Spatial Structure of Objects Through Echolocation," *Journal of Comparative Psychology* 112, no. 3 (1998): 292–305.

Pascal, Janet B. *Jacob Riis: Reporter and Reformer.* Oxford University Press, 2005.

Pendergrast, Mark. *Mirror Mirror: A History of the Human Love Affair with Reflection.* Basic Books, 2004. (『鏡の歴史』樋口幸子訳、河出書房新社)

Patterson, Clair C. (1922–1995), interviewed by Shirley K. Cohen. March 5, 6, and 9, 1995. Archives California Institute of Technology, Pasadena, California. http://core.ac.uk/download/pdf/147007395.pdf.

Poe, Marshall T. *A History of Communications: Media and Society from the Evolution of Speech to the Internet.* Cambridge University Press, 2010.

Polsby, Nelson W. *How Congress Evolves: Social Bases of Institutional Change.* Oxford University Press, 2005.

Praeger, Dave. Poop Culture: *How America Is Shaped by Its Grossest National Product.* Feral House, 2007.

Price, R. "Origins of the Waltham Model 57." Copyright c 1997–2012 Price-Less Ads. http://www.pricelessads.com/m57/monograph/main.pdf.

Priestley, Philip T. *Aaron Lufkin Dennison: An Industrial Pioneer and His Legacy.* National Association of Watch & Clock Collectors, 2010.

Ranford, J. L. *Analogue Day.* Ranford, 2014.

Rhodes, Richard. *Hedy's Folly: The Life and Breakthrough Inventions of Hedy Lamarr, the Most Beautiful Woman in the World.* Vintage, 2012.

Ribbat, Christoph. *Flickering Light: A History of Neon.* Reaktion Books, 2013.

Richards, E. G. *Mapping Time: The Calendar and Its History.* Oxford University Press, 2000.

Riis, Jacob A. *How the Other Half Lives: Studies among the Tenements of New York.* Dover, 1971.

Roberts, Sam. *Grand Central: How a Train Station Transformed America.* Grand Central Publishing, 2013.

Royte, Elizabeth. *Bottlemania: How Water Went on Sale and Why We Bought It.* Bloomsbury, 2008. (『ミネラルウォーター・ショック：ペットボトルがもたらす水ビジネスの悪夢』矢羽野薫訳、河出書房新社)

Shachtman, Tom. *Absolute Zero and the Conquest of Cold.* Houghton Mifflin, 1999.

Schlesinger, Henry. *The Battery: How Portable Power Sparked a Technological Revolution.* Harper Perennial, 2011.

Schwartz, Hillel. *Making Noise: From Babel to the Big Bang and Beyond.* MIT

Men, Manners and Institutions, Volume 2. Edmonston & Douglas, 1870.

Maier, Pauline. *Inventing America: A History of the United States, Volume 2.* Norton, 2005.

Matthew, Michael R., Clough, Michael P., and Ogilvie, C. "Pendulum Motion: The Value of Idealization in Science." http://www.storybehindthescience.org/pdf/pendulum.pdf.

McCrossen, Alexis. *Marking Modern Times: A History of Clocks, Watches, and Other Timekeepers in American Life.* University of Chicago Press, 2013.

McGuire, Michael J. *The Chlorine Revolution.* American Water Works Association, 2013.

Mercer, David. *The Telephone: The Life Story of a Technology.* Greenwood, 2006.

Millard, Andre. *America on Record: A History of Recorded Sound.* Cambridge University Press, 2005.

Miller, Donald L. *City of the Century: The Epic of Chicago and the Making of America.* Simon & Schuster, 1996.

Morris, Robert D. *The Blue Death: Disease, Disaster, and the Water We Drink.* Harper, 2007.

Mumford, Lewis. *Technics and Civilisation.* Routledge, 1934.（『技術と文明』生田勉訳、鎌倉書房）

Ness, Roberta. *Genius Unmasked.* Oxford University Press, 2013.

Ngozika Ihewulezi, Cajetan. *The History of Poverty in a Rich and Blessed America: A Comparative Look on How the Euro-Ethnic Immigrant Groups and the Racial Minorities Have Experienced and Struggled Against Poverty in American History.* Authorhouse, 2008.

Nicolson, Malcolm and Fleming, John E. E. "Imaging and Imagining the Foetus: The Development of Obstetric Ultrasound." Johns Hopkins University Press, 2013.

Ollerton, J. and Coulthard, E. "Evolution of Animal Pollination," *Science* 326.5954 (2009): 808–809.

Pack, A. A. and Herman, L. M. "Sensory Integration in the Bottlenosed Dolphin: Immediate Recognition of Complex Shapes Across the Senses of Echolocation and Vision," *Journal of the Acoustical Society of America* 98 (1995): 722–733.

Pack, A. A., Herman, L. M., and Hoffmann-Kuhnt, M. "Dolphin Echolocation Shape Perception: From Sound to Object." In J. Thomas, C. Moss, and Vater, M. (eds.).

Pack, A. A., Herman, L. M., and Hoffmann-Kuhnt, M. "Seeing through Sound:

Hecht, Jeff. *Understanding Fiber Optics.* Prentice Hall, 2005.

Heilbron, John L. *Galileo.* Oxford University Press, 2012.

"Henry Ford and the Model T: A Case Study in Productivity" (Part 1). http://www.econedlink.org/lessons/index.php?lid=668&type=student.

Herman, L. M., Pack, A. A., and Hoffmann-Kuhnt, M. "Seeing through Sound: Dolphins Perceive the Spatial Structure of Objects through Echolocation," *Journal of Comparative Psychology* 112 (1998): 292–305.

Hijiya, James A. *Lee de Forest and the Fatherhood of Radio.* Lehigh University Press, 1992.

Hill, Libby. *The Chicago River: A Natural and Unnatural History.* Lake Claremont Press, 2000.

Howse, Derek. *Greenwich Time and the Discovery of the Longitude.* Oxford University Press, 1980.（『グリニッジ・タイム：世界の時間の始点をめぐる物語』橋爪若子訳、東洋書林）

Irwin, Emily. "The Spermaceti Candle and the American Whaling Industry," *Historia* 21 (2012).

Jagger, Cedric. *The World's Greatest Clocks and Watches.* Galley Press, 1987.

Jefferson, George and Lindsay, Lowell. *Fossil Treasures of the Anza-Borrego Desert: A Geography of Time.* Sunbelt Publications, 2006.

Jonnes, Jill. *Empires of Light: Edison, Tesla, Westinghouse, and the Race to Electrify the World.* Random House, 2004.

Klein, Stefan. *Time: A User's Guide.* Penguin, 2008.（『もっと時間があったなら！：時間をとり戻す6つの方法』平野卿子訳、岩波書店）

Klooster, John W. *Icons of Invention: The Makers of the Modern World from Gutenberg to Gates.* Greenwood, 2009.

Koestler, Arthur. *The Act of Creation.* Penguin, 1990.（『創造活動の理論』大久保直幹・松本俊・中山未喜・吉村鎮夫訳、ラテイス）

Kurlansky, Mark. *Birdseye: The Adventures of a Curious Man.* Broadway Books, 2012.

Landes, David S. *Revolution in Time: Clocks and the Making of the Modern World.* Belknap Press, 2000.

Livingston, Jessica. *Founders at Work: Stories of Startups' Early Days.* Apress, 2008.（『Founders at Work：33のスタートアップストーリー』長尾高弘訳、アスキー・メディアワークス）

Lovell, D. J. *Optical Anecdotes.* SPIE Publications, 2004.

Macfarlane, Alan and Martin, Gerry. *Glass: A World History.* University of Chicago Press, 2002.

Macrae, David. *The Americans at Home: Pen-and-ink Sketches of American*

Fagen, M. D., ed. *A History of Engineering and Science in the Bell System: National Service in War and Peace (1925–1975)*. Bell Labs, 1975: 296–317.

Fang, Irving E. *A History of Mass Communication: Six Information Revolutions*. Focal, 1997.

Fisher, Leonard Everett. *The Glassmakers (Colonial Craftsmen)*. Cavendish Square Publishing, 1997.

Fishman, Charles, *The Big Thirst: The Secret Life and Turbulent Future of Water*. Free Press, 2012.

Flanders, Judith. *Consuming Passions: Leisure and Pleasure in Victorian Britain*. Harper Perennial, 2007.

Foster, Russell and Kreitzman, Leon. *Rhythms of Life: The Biological Clocks That Control the Daily Lives of Every Living Thing*. Yale University Press, 2005. (『生物時計はなぜリズムを刻むのか』本間徳子訳、日経BP社)

Freeberg, Ernest. *The Age of Edison: Electric Light and the Invention of Modern America*. Penguin, 2013.

Friedel, Robert D., Israel, Paul, and Finn, Bernard S. *Edison's Electric Light: The Art of Invention*. Johns Hopkins University Press, 2010.

Frost, Gary L. "Inventing Schemes and Strategies: The Making and Selling of the Fessenden Oscillator," *Technology and Culture* 42, no. 3 (2001): 462–488.

Gertner, Jon. *The Idea Factory: Bell Labs and the Great Age of American Innovation*. Penguin, 2013. (『世界の技術を支配するベル研究所の興亡』土方奈美訳、文藝春秋)

Gladstone, J. "John Gorrie, The Visionary. The First Century of Air Conditioning," *The Ashrae Journal*, article 1 (1998).

Gleick, James. *Faster: The Acceleration of Just About Everything*. Vintage, 2000.

Gleick, James. *The Information: A History, a Theory, a Flood*. Vintage, 2012. (『インフォメーション:情報技術の人類史』楡井浩一訳、新潮社)

Goetz, Thomas. *The Remedy: Robert Koch, Arthur Conan Doyle, and the Quest to Cure Tuberculosis*. Penguin, 2014.

Gray, Charlotte. *Reluctant Genius: Alexander Graham Bell and the Passion for Invention*. Arcade, 2011.

Haar, Charles M. *Mastering Boston Harbor: Courts, Dolphins, and Imperiled Waters*. Harvard University Press, 2005.

Hall, L. "Time Standardization." http://railroad.lindahall.org/essays/time-standardization.html.

Hamlin, Christopher. *Cholera: The Biography*. Oxford University Press, 2009.

Hecht, Jeff. *Beam: The Race to Make the Laser*. Oxford University Press, 2005.

Cain, Louis P. "Raising and Watering a City: Ellis Sylvester Chesbrough and Chicago's First Sanitation System," *Technology and Culture* 13, no. 3 (1972): 353–372.

Chesbrough, E. S. "The Drainage and Sewerage of Chicago," paper read (explanatory and descriptive of maps and diagrams) at the annual meeting in Chicago, September 25, 1887.

Clark, G. "Factory Discipline," *The Journal of Economic History* 54, no. 1 (1994): 128–163.

Clegg, Brian. *Roger Bacon: The First Scientist.* Constable, 2013.

The Clorox Company: 100 Years, 1,000 Reasons. The Clorox Company, 2013.

Cohn, Scotti. *It Happened in Chicago.* Globe Pequot, 2009.

Courtwright, David T. *Forces of Habit: Drugs and the Making of the Modern World.* Harvard University Press, 2002.（『ドラッグは世界をいかに変えたか：依存性物質の社会史』小川昭子訳、春秋社）

Cutler, D. and Miller, G. "The Role of Public Health Improvements in Health Advances: The Twentieth-Century United States," *Demography* 42, no. 1 (2005): 1–22.

De Landa, Manuel. *War in the Age of Intelligent Machines.* Zone, 1991.（『機械たちの戦争』杉田敦訳、アスキー）

Dickens, Charles. *Hard Times.* Knopf, 1992.（『ハード・タイムズ 新訳』田辺洋子訳、あぽろん社）

Diekman, Diane. *Twentieth Century Drifter: The Life of Marty Robbins.* University of Illinois Press, 2012.

Dolin, Eric Jay. *Leviathan: The History of Whaling in America.* Norton, 2008.（『クジラとアメリカ：アメリカ捕鯨全史』北條正司・松吉明子・櫻井敬人訳、原書房）

Douglas, Susan J. *Inventing American Broadcasting, 1899–1922.* Johns Hopkins University Press, 1989.

Drake, Stillman. *Galileo at Work: His Scientific Biography.* Dover, 1995.（『ガリレオの思考をたどる』赤木昭夫訳、産業図書）

Dreiser, Theodore. "Great Problems of Organization, III: The Chicago Packing Industry," *Cosmopolitan* 25 (1895).

Dreyfus, John. *The Invention of Spectacles and the Advent of Printing.* Oxford University Press, 1998.

Ekirch, Roger. *At Day's Close: A History of Nighttime.* Phoenix, 2006.（『失われた夜の歴史』樋口幸子・片柳佐智子・三宅真砂子訳、インターシフト）

Essman, Susie. *What Would Susie Say? Bullsh*t Wisdom About Love, Life, and Comedy.* Simon & Schuster, 2010.

参考文献

Adams, Mike. *Lee de Forest: King of Radio, Television and Film.* Springer/Copernicus Books, 2012.

Allen, William F. "Report on the Subject of National Standard Time Made to the General and Southern Railway Time Convention held in St. Louis, April 11, 1883, and in New York City, April 18, 1883." New York Public Library. http://archives.nypl.org/uploads/collection/pdf_finding_aid/allenwf.vpdf.

Ashenburg, Katherine. *The Dirt on Clean: An Unsanitized History.* North Point, 2007.（『図説 不潔の歴史』鎌田彷月訳、原書房）

Baldry, P. E. *The Battle Against Bacteria.* Cambridge University Press, 1965.（『細菌とのたたかい』中谷林太郎・松井清治訳、みすず書房）

Barnett, Jo Ellen. *Time's Pendulum: The Quest to Capture Time—From Sundials to Atomic Clock.* Thomson Learning, 1999.

Bartky, I. R. "The Adoption of Standard Time," *Technology and Culture* 30 (1989): 48–49.

Basker, Emek. "Raising the Barcode Scanner: Technology and Productivity in the Retail Sector," *American Economic Journal: Applied Economics* 4, no. 3 (2012): 1–27.

Berger, Harold. *The Mystery of a New Kind of Rays: The Story of Wilhelm Conrad Roentgen and His Discovery of X-Rays.* CreateSpace Independent Publishing Platform, 2012.

Blair, B. E. "Precision Measurement and Calibration: Frequency and Time," *NBS Special Publication 30*, no. 5, selected NBS Papers on Frequency and Time.

Blum, Andrew. *Tubes: A Journey to the Center of the Internet.* Ecco, 2013.（『インターネットを探して』金子浩訳、早川書房）

Brown, George P. *Drainage Channel and Waterway: A History of the Effort to Secure an Effective and Harmless Method for the Disposal of the Sewage of the City of Chicago, and to Create a Navigable Channel Between Lake Michigan and the Mississippi River.* General Books, 2012.

Brown, Leonard. *John Coltrane and Black America's Quest for Freedom: Spirituality and the Music.* Oxford University Press, 2010.

Bruck, Hermann Alexander. *The Peripatetic Astronomer: The Life of Charles Piazzi Smyth.* Taylor & Francis, 1988.

Burian, S. J., Nix, S. J., Pitt, R. E., and Durrans, S. R. "Urban Wastewater Management in the United States: Past, Present, and Future," *Journal of Urban Technology* 7, no. 3 (2000): 33–62.

第6章　光

1 Irwin, p. 47.
2 Ekirch, p. 306.
3 Dolin, loc. 1272.
4 同上loc. 1969-1971に引用。
5 Dolin, loc. 1992.
6 Irwin, p. 50.
7 同上pp. 51-52.
8 Nordhaus, p. 29.
9 同上p. 37.
10 Friedel, Israel, and Finn, loc. 1475.
11 同上loc. 1317-1320.
12 Stross, loc. 1614に引用。
13 Friedel, Israel, and Finn, loc. 2637.
14 Bruck, p. 104.
15 Riis, loc. 2228.
16 同上loc. 2226.
17 同上loc. 2238.
18 Yochelson, p. 148.
19 Ribbat, pp. 31-33.
20 同上pp. 82-83.
21 Wolfe, p. 7.
22 Venturi, Scott Brown, and Izenour, p. 21.
23 Wells, p. 28.
24 Gertner, p. 256.
25 同上p. 255.
26 Basker, pp. 21-23.

終章　タイムトラベラー

1 Toole, p. 20.
2 Swade, p. 158に引用。
3 同上p. 159に引用。
4 同上p. 170に引用。

9 Hijiya, p. 58.
10 Thompson, p.92.
11 Fang, p. 93に引用。
12 Adams, p. 106に引用。
13 Hilja, p. 77に引用。
14 Carney, pp. 36-37.
15 Brown, p. 176に引用。
16 Thompson, pp. 148-158.
17 Diekman, p. 75に引用。
18 Frost, p.466.
19 同上p. 476-477.
20 同上p. 478に引用。
21 Yi, p. 294.

第4章　清潔さ

1 Cain, p. 355.
2 Miller, p. 68.
3 同上p. 70に引用。
4 Miller, p. 75.
5 Chesbrough, 1871.
6 Miller, p. 123に引用。
7 同上p. 123に引用。
8 Miller, p. 123
9 Cain, p. 356.
10 同上p. 357.
11 Cohn, p. 16.
12 Macrae, p. 191.
13 Burian, Nix, Pitt, and Durrans.
14 http://www.pbs.org/wgbh/amex/chicago/peopleevents/e_canal.html.
15 Sinclair, p. 110.
16 Goetz, loc. 612-615.
17 Ashenburg, p. 100に引用。
18 Ashenburg, p. 105.
19 同上p. 221.
20 同上p. 201.
21 http://www.zeiss.com/microscopy/en_us/about-us/nobel-prize-winners.html.
22 McGuire, p. 50.
23 同上pp. 112-113.
24 同上p. 200.
25 同上p. 248に引用。
26 同上p. 228に引用。
27 Cutler and Miller, pp. 1-22.
28 Wiltse, p. 112.
29 *The Clorox Company: 100Years, 1,000Reasons* (The Clorox Company, 2013), pp. 18-22.
30 http://www.gatesfoundation.org/What-We-Do/Global-Development/Reinvent-the-Toilet-Challenge.

第5章　時間

1 Blair, p. 246.
2 Kreitzman, p. 33.
3 Drake, loc. 1639.
4 http://galileo.rice.edu/sci/instruments/pendulum.html.
5 Mumford, p. 134.
6 Thompson, pp. 71-12.
7 同上p. 61.
8 Dickens, p. 130.
9 Priestley, p. 5.
10 同上p. 21.
11 http://srnteach.us/HISI1700/assets/projects/unit3/docs/railroads.pdf.
12 McCrossen, p. 92.
13 Bartky, pp. 41-42.
14 McCrossen, p. 107.
15 Senior, pp. 244-245.
16 http://longnow.org/clock/.
17 同上。

原注

序章　ロボット歴史学者とハチドリの羽

1 De Landa, p. 3.
2 1981年のドキュメンタリー『The Pleasure of Finding Things Out』(R.P. ファインマン『聞かせてよ、ファインマンさん』大貫昌子・江沢洋訳、岩波現代文庫)

第1章　ガラス

1 Willach, p. 30.
2 Toso, p. 34.
3 Verità, p.63.
4 Dreyfus, pp. 93-106.
5 http://faao.org/what/heritage/exhibits/online/spectacles/.
6 Pendergrast, p.86.
7 Hecht, p. 30に引用。
8 同上p. 31に引用。
9 Woods-Marsden, p. 31.
10 Pendergrast, pp. 119-120.
11 同上p. 138に引用。
12 Macfarlane and Martin, p.69.
13 Mumford, p. 129.
14 同上p.131に引用。

第2章　冷たさ

1 Thoreau, p.192.
2 Weightman, loc. 247-276に引用。
3 同上loc. 289-290に引用。
4 同上loc. 330に引用。
5 同上loc. 462-463に引用。
6 同上loc. 684-688に引用。
7 同上loc. 1911-1913に引用。
8 Thoreau, p. 193.
9 Weightman, loc. 2620-2v 621に引用。
10 Miller, p. 205.
11 同上p. 208.
12 同上。
13 Sinclair.
14 Dreiser, p.620.
15 Wright, p. 12.
16 Gladstone, p. 34に引用。
17 Shachtman, p.75.
18 Kurlansky, pp. 39-40.
19 同上p. 129に引用。
20 http://www.filmjournal.com/filmjournal/content_display/news-and-features/features/technology/e3iad1c03f082a43aa277a9bb65d3d561b5.
21 Ingels, p.67.
22 Polsby, pp.80-88.
23 http://www.theguardian.com/society/2013/jul/12/story-ivf-five-million-babies.

第3章　音

1 http://www/musicandmeanint.net/issues/showArticle.php?artID=3.2.
2 Klooster, p. 263.
3 http://www.firstsounds.org.
4 Mercer, pp. 31-32.
5 Gleick 2012, loc. 3251-3257に引用。
6 Gertner, pp. 270-271.
7 http://www.nsa.gov/about/cryptologic_heritage/center_crypt_history/publications/sigsaly_start_degital.shtml.
8 同上に引用。

解説

安宅和人

ユヴァル・ノア・ハラリの『サピエンス全史』、ジャレド・ダイアモンドの『銃・病原菌・鉄』、ルイス・ダートネルの『この世界が消えたあとの科学文明のつくりかた』など、様々な分野を横断して、俯瞰しつつ、世界を書き下ろすという日本にはないジャンルの本が欧米には存在するが、この本はその一冊だ。

この本を手に取られた人はすぐに『世界をつくった6つの革命の物語』というからてっきりフランス革命みたいな話が出てくるのかと思ったら、全くそうではないことに気づくだろう。もともとのお題は"How We Got to Now-Six Innovations That Made the Modern World"(我々はいかにして今に至ったか——現代の世界を作り上げた6つのイノベーション)。

かといって単に大きなイノベーションについて書いてある本でもない。この本の6つの章「ガラス」「冷たさ」「音」「清潔」「時間」「光」を見れば分かる通り、一つ一つのお題はイノベーションというよりテーマであり、一連の物語だ。

「ガラス」は人間との出合いと作る技術の創出から始まる。「冷たさ」と「清潔」の章は、これまでとは逆に向いた価値の発見から始まる。「音」、これは誰もが知っているが、その本質を理解するところから始まる。そこから生まれる電話、暗号は現代そのものの始まりの物語と言える。「時間」は時を計る発見から始まる。最後の「光」の章は、光を安定的に得る話から始まる。

聖書の創世記的には、光はこの世界の始まりであるが、最後の章だというのが意味深だ。(ちなみに宇宙論的には「最初に光があった」と言うよりも、「最初に極端なエネルギーと物質の状態があり、その後光が自由に移動できるようになった」と表現する方が正確。)そしてこれは最初の「ガラス」とセットでもあり、輪廻的な構造をとった本だとも言える。

「ガラス」の章は圧巻だ。地球上で最もふんだんにある材料の一つからガラスが生み出されるが、それが自在に使えるようになってからの人間社会の進化はたしかに驚異的であり、これナシには僕らの文明がもはや存在し得ないことがしみじみとわかる。瓶、窓、レンズ、眼鏡、顕微鏡、鏡、遠近法、グラスファイバー、カメラ、真空管、ブラウン管TV、光ファイバー、モニター、スマホ、これらのすべての背後にガラスがある。

各章で議論するそれぞれの対象があまりにも僕らの生活に馴染んでおり、僕のようなもともと科学の徒の場合、ある程度以上にそれぞれの話をわかっているはずなのに、その切り口のみごとさと、対比による意味合いの抽出、その前後のあまり知られていないリアルストーリーの折り重ねがまばゆく、楽しみながらあっという間に読み終えた。

訳も見事だ。総じて軽やかだが、疲れない、明瞭な文体だ。しかも詩的でもある。そしてそこいらに心に残る言葉が出てくる。

「ボイルが推測したとおり鳥は死んだが、おかしなことにさらに鳥は凍りついた」
「私たちがいま目にしている人口移動は、おそらく人類史上最大規模であり、初めて家庭電化製品によって引き起こされたものだ」
「放射性崩壊の「等しい時間」は先史時代の時間を歴史に変えたのだ」
などなど。

一部、科学的に見慣れぬ言葉が出てきたり、原文を見たくなる部分もあるが、「創造物」はおそらくcreature（あらゆる生物がこれ）の翻訳なんだろうなと思ったりしてニヤリとする。

もう一つ触れておきたいのが、この本を読んで思う「イノベーション」という言葉の意味だ。シュンペーターの言葉を引いて「新結合」こそがイノベーションの本質だという話が昨今よく出てくるが、本当にそうなのか、それで説明できるのか、と思える事象が実に多い。

まず、最初に起きる発見、技術的なブレイクスルー、たとえばガリレオが吊り下がった祭壇ランプをみて揺れる時間を考えた時など、「新しい財貨（革新的な製品やサービス）の生産」の前段階であり、むしろ深い「気づき」というべきものだ。そこからさまざまな想定もされない用途が生まれていく。蓄音機を発明したエジソンと、電話を発明したベルが相互に真逆の用途を想定していたという今となればほほえましい話も出てくる。

さらに、鏡を見て自意識が育って現代につながる社会が生まれる、音を遠隔地に同時に届けるラジオが生まれてアフリカ系アメリカ人の文化が一気に広まる、という本書でいうところの「ハチドリ効果」の数々はイノベーションという言葉を遥かに超えた話だ。新しい技術がどのような形に育つのか、どのような影響をもたらすのか、世に出した瞬間にわかるわけがないこともよく分かる。バックキャスティングで未来が生み出せるかのような議論が最近多く、少々辟易としていたが、ある種、溜飲が下がった。国のイノベーション議論をしている方々にもきっと参考になるところが多いだろう。

終章では、ロマン派詩人バイロン卿の娘エイダ・ラヴレースと、プログラム可能な計算機の生みの親であるチャールズ・バベッジの意外な関係とそのいきさつが出てくる。といっても色恋沙汰ではない。時代の数十年、百年先を行く考えができる「タイムトラベラー」としてだ。そこに出てくる次の言葉は僕らの社会の人づくりにおいても大切な視点だろう。

「タイムトラベラーに共通する要素があるとしたら、それは、彼らが表向きの専門分野の余白、あるいはまったく異なる領域の交点で、仕事をしていたことである」

世の中には思いもよらぬつながりと広がりがあり、未来は予測はできないが仕掛けることはできる、だからこそ僕らはこの社会で生きている意味がある。この本は、そんなことを教えてくれる一冊だ。科学が好きな人にも、歴史が好きな人にも、そして未来を考えたい人にも、オススメだ。

（あたか　かずと／慶應義塾大学教授・ＬＩＮＥヤフー株式会社シニアストラテジスト）

世界《せかい》をつくった6つの革命《かくめい》の物語《ものがたり》
新《しん》・人類進化史《じんるいしんかし》
朝日文庫

2024年2月28日　第1刷発行

著　者　スティーブン・ジョンソン
訳　者　大田直子

発行者　宇都宮健太朗
発行所　朝日新聞出版
〒104-8011　東京都中央区築地5-3-2
電話　03-5541-8832（編集）
03-5540-7793（販売）
印刷製本　大日本印刷株式会社

ISBN978-4-02-262090-3

朝日文庫

岡本 裕一朗
いま世界の哲学者が考えていること
世界の〝知の巨人〟の思考をまとめたベストセラーを、大幅加筆し文庫化。学問の最前線で活躍する哲学者が、人類の直面する難題に答えを出す。

朝日新聞国際報道部／駒木 明義／吉田 美智子／梅原 季哉
プーチンの実像
孤高の「皇帝《ツァーリ》」の知られざる真実

独裁者か英雄か？ 彼を直接知るKGB時代の元同僚やイスラエル情報機関の元長官など二〇人の証言をもとに、その実像に迫る。《解説・佐藤 優》

張 栩
勝利は10%から積み上げる
世界戦優勝。囲碁界初の同時五冠、七大グランドスラム達成。異次元の実績を持つ最強棋士が明かす、仕事にも生き方にも通じる勝負哲学とは？

山極 寿一／関野 吉晴
人類は何を失いつつあるのか
「弱いからこそ、人類は旅に出た！」ゴリラ研究家で前京大総長とグレートジャーニー探検家が、人類の来た道を振り返り、現在と未来を語る。

永江 朗編
文豪と感染症
100年前のスペイン風邪はどう書かれたのか

芥川・与謝野晶子・志賀直哉…文豪たちが描いた、過去の記録と現在の新型コロナを重ねて考える文庫オリジナルアンソロジー。《解説・岩田健太郎》

岡 潔／司馬遼太郎／井上靖／時実利彦／山本健吉
岡潔対談集
根強い人気を誇る数学者にして随筆家初の対談集。碩学たちと語らう歴史・文学から哲学・宗教・美術・俳諧まで。講演「こころと国語」収録。

ジュディス・S・ニューマン著／千頭宣子訳
アウシュヴィッツの地獄に生きて
母、兄弟姉妹、婚約者、叔父叔母らはみな収容所で死んでいった。収容所の現実、解放後の苦悩を綴った、生還者の回顧録。《解説・安田菜津紀》

山岸　良二監修／かみゆ歴史編集部編
テーマ別だから理解が深まる日本史
オールカラーで、写真・図解が充実。政治、外交、社会、宗教、周縁、文化、都市、合戦の八テーマで日本史を改めて見つめる。

祝田　秀全監修／かみゆ歴史編集部編
エリア別だから流れがつながる世界史
ヨーロッパ、東アジア、アメリカ……などエリア別の章だてだから歴史の流れがよくわかる。オールカラーで、写真・図解が充実。

日高　敏隆
ホモ・サピエンスは反逆する
人間は特別な動物なのだろうか？　動物行動学者の先駆けが一九五〇年代から七〇年代にかけて書いたエッセイを復刻。著者の原点とも言える一冊。

國分　功一郎
哲学の先生と人生の話をしよう
親が生活費を送らない、自分に嘘をつくって？「哲学は人生論である」と説く哲学者が三四の相談に立ち向かう。《解説・千葉雅也》

プリーモ・レーヴィ著／竹山　博英訳
溺れるものと救われるもの
名著『これが人間か』から四〇年。改めて体験を極限まで考え抜き、分析し、本書を書いた。だが一年後、彼は自死を選ぶ……。《解説・小川洋子》

八木谷　涼子
なんでもわかるキリスト教大事典
聖書理解も礼拝スタイルも、教派が変わればここまで違う！　カトリック、プロテスタントから「異端」までを徹底解説。キリスト教入門の必読書。

宮田　親平
愛国心を裏切られた天才
ノーベル賞科学者ハーバーの栄光と悲劇
人類を食糧危機から救い、やがて第一次大戦下で「毒ガス開発の父」となった科学者、フリッツ・ハーバーの数奇な生涯を描く。《解説・福岡伸一》

エヴァ・シュロス著／吉田　寿美訳
エヴァの震える朝
15歳の少女が生き抜いたアウシュヴィッツ
アンネ・フランクの義姉が告白する、『アンネの日記』の続きの物語。一五歳の少女が辿った絶滅収容所の苛烈と解放の足音と。《解説・猪瀬美樹》

池上　彰編・著
世界を救う7人の日本人
国際貢献の教科書
緒方貞子氏をはじめ、途上国で活躍する国際貢献の熱いプロフェッショナルたちとの対話を通じ、池上彰が世界の「いま」をわかりやすく解説。

中田　亨
ヒューマンエラーを防ぐ知恵
人間が関わる全ての作業において、人的ミスが原因の事故は起こりうる。その仕組みを分析し、対策をわかりやすく紹介！

柴田　元幸
翻訳教室
東大人気講義の載録。九つの英語作品をどう訳すか。日本語と英語の個性、物語の社会背景や文化まで知的好奇心の広がる一冊。《解説・岸本佐知子》